D1075844

LES GRANDES DOCTRINES LITTÉRAIRES EN FRANCE

DU MÊME AUTEUR

La Nouvelle-Héloïse de J.-J. Rousseau (Collect. « Les Grands événements littéraires »), 2e éd., Nizet, 1957.

Tendances nouvelles en histoire littéraire (Collect. « Études françaises »), Les Belles-Lettres, 1930.

Extraits commentés et annotés de Michelet, Hachette, 1934.

Extraits commentés et annotés de Rousseau, Hachette, 1936.

Alfred de Musset (Collect. « Connaissance des Lettres »), Boivin-Hatier, 1945; 4e éd., 1960.

Alfred de Musset, comédies et proverbes. Édit. critique (Collect. « Les Classiques Verts »), Les Éditions Nationales, 2e éd., 1953.

Renan (Collect. « Les Grands Écrivains français »), Hachette, 1948.

Histoire de la Littérature française (Collect. « Les Grandes Études historiques »), Fayard, 1949.

Extraits commentés et annotés de Victor Hugo, 15 vol., Hachette, 1950.

Le Romantisme français (Collect. « Que sais-je ? », no 123), P.U.F., 5e éd., 1958.

Le Romantisme (Documents France), Hachette, 1952.

Introduction à l'étude d'Émile Zola-Germinal, Documents inédits, C.D.U., 1955.

J.-J. Rousseau, Les Confessions, L. I-IV, variantes du manuscrit de Neuchâtel, C.D.U., 1957.

Diderot, Récits. Introduction, Hachette, 1959.

Extraits commentés et annotés de Michelet (avec la collaboration de J. Seebacher), Hachette, 1956.

Les Prosateurs du XVIIe siècle, in « Histoire des littératures de la Pléiade », 1958.

Taine, Thomas Graindorge. Introduction, Hachette, 1959.

Technique du théâtre (Collect. « Que sais-je ? », no 859), P.U.F., 1960.

Les grands Comédiens (1400-1900) (Collect. « Que sais-je ? », no 879), P.U.F., 1960.

Les grands Acteurs contemporains (1900-1960) (Collect. « Que sais-je ? », no 887), P.U.F., 1960.

Beaumarchais par lui-même (Collect. « Écrivains de Toujours »), Éditions du Seuil, 1960.

Les Influences étrangères sur la Littérature française, P.U.F., 1961.

Histoire du théâtre italien (Collect. « Que sais-je ? », no 1175), P.U.F., 1965.

PHILIPPE VAN TIEGHEM

LES GRANDES DOCTRINES LITTÉRAIRES EN FRANCE

DE LA PLÉIADE AU SURRÉALISME

PRESSES UNIVERSITAIRES DE FRANCE
108, Boulevard Saint-Germain, PARIS

—

1965

QUARANTIÈME MILLE

DÉPOT LÉGAL

1re édition .. .. .. 4e trimestre 1946

7e — .. .. .. 4e — 1965

AVANT-PROPOS

Une histoire des doctrines littéraires en France qui voudrait être exhaustive demanderait plusieurs volumes ; c'est dire que nous avons délibérément négligé, surtout dans les périodes 1720-1750 et 1880-1910, bien des doctrines éphémères, bien des préfaces sans écho, bien des théories sans progéniture, parfois bien des vues fines ou nuancées. Par contre, nous n'avons pas hésité à entrer dans le détail quand il s'agissait de théories fécondes, que signale à l'attention soit l'importance des œuvres qu'elles ont suscitées, soit l'intérêt des discussions qu'elles ont provoquées entre esprits clairvoyants ou profonds. Nous avons éclairé avec soin et reconnu assez minutieusement les grands sommets de la pensée critique en France et avons tenté d'approfondir une pensée qui souvent s'ignore, préférant de beaucoup être incomplet plutôt qu'être superficiel.

Nous n'avons pas craint de multiplier les citations, de façon à mettre aussi souvent que possible le lecteur en face de l'expression même du théoricien, et notre effort a surtout consisté à expliciter la pensée de celui-ci, à systématiser ses vues, à mettre en lumière la continuité de la pensée critique française à travers le temps, et à discerner les divers courants de la critique esthétique et des doctrines constructives.

Notre enquête s'étend sur la période qui va de 1550 à 1930, du jour où Ronsard, au contact des œuvres de l'antiquité, conçoit le premier la nécessité d'une doctrine poétique, jusqu'à l'époque où la doctrine surréaliste semble vouloir anéantir la notion d'art au profit de l'enquête psychologique. Certains textes, de Valéry ou de Breton, et non des moindres, sont postérieurs à 1930, mais on ne saurait les exclure dans l'exposé d'une pensée qui s'est formée bien avant cette date et qu'ils éclairent plus complètement.

On ne s'étonnera pas de la place exceptionnelle que tient la poésie lyrique ou dramatique dans cet exposé des doctrines littéraires ; c'est autour de ces genres que se sont livrées les plus rudes batailles. La poésie a toujours été considérée comme la forme la plus élevée de la création littéraire et par suite comme son produit le plus caractéristique ; c'est l'évolution de sa poésie qui met le mieux en lumière l'évolution du sens littéraire d'une nation.

J'ai volontairement négligé l'étude des rapports entre les théories artistiques valables pour la peinture ou la musique et les théories littéraires, qu'il s'agisse de l'influence de celles-là sur celles-ci, ou d'un simple parallélisme. L'étude de ces rapports, qui se poursuivent constamment entre les arts et la littérature, me paraît cependant particulièrement féconde, et il est certain que l'ignorance de l'histoire de l'art enlève aux jugements des critiques et aux résultats des historiens de la littérature bien de la justesse et de l'exactitude. Mais ce vaste domaine, je me réserve de le parcourir en détail plus tard, et sa description eût considérablement alourdi l'exposé qui suit.

J'ai de même volontairement laissé de côté l'influence des doctrines ou des modèles étrangers sur les doctrines françaises, influence beaucoup plus petite que celle des œuvres étrangères sur les œuvres elles-mêmes de nos écrivains. La France paraît, en effet, dans le domaine de la doctrine, montrer aux étrangers la route plus souvent qu'elle ne suit leurs indications. Cela tient sans doute à notre besoin d'intellectualiser l'acte de l'artiste et de traduire en idées claires et en corps de doctrine harmonieux les élans instinctifs de l'imagination artistique. Dans aucun pays autant de penseurs, d'artistes créateurs, de critiques ou d'esthéticiens, n'ont mis au jour autant de théories littéraires. L'exposé — si rapide et incomplet qu'il soit — de ces doctrines met ainsi en relief un des caractères importants de la vie intellectuelle de notre nation (1).

(1) Parmi les ouvrages auxquels nous sommes particulièrement redevables, citons : Vial et Denise, *Idées et Doctrines littéraires*, 4 volumes de textes où nous avons puisé pour les périodes 1550-1630 et 1675-1850 et René Bray, *La Formation de la doctrine classique*, ouvrage capital pour la période 1630-1660.

PREMIÈRE PARTIE

VERS UN HUMANISME CLASSIQUE
(1550-1675)

Chapitre Premier

LA DOCTRINE DE LA PLÉIADE

Brusquement, entre 1546 et 1550, un groupe de jeunes esprits eut la révélation de la beauté littéraire ; cette révélation leur fut donnée par la connaissance directe et tout nouvellement possible, des chefs-d'œuvre de la poésie grecque, de certains des poètes latins les plus délicats, de Pétrarque et des poètes italiens de la Renaissance qui écrivaient en latin. La notion d'art, obnubilée au moyen âge par la considération du don, de la facilité d'expression, de l'aisance primesautière, s'imposa tout à coup aux esprits, lorsque, au collège de Coqueret, Ronsard et ses amis, sous la docte conduite de leur maître de grec Dorat, eurent pris contact avec Homère, avec Sophocle et les poètes alexandrins. Qu'on nous entende bien : certes le moyen âge avait réalisé d'incontestables chefs-d'œuvre, en peinture, en architecture, en poésie, en musique même ; ces œuvres étaient le fruit soit de dons prodigieux, soit de calculs minutieux. Mais il ne semble pas qu'aucun des artistes qui, dans les diverses branches de l'art, avaient créé ces chefs-d'œuvre se soit jamais douté que, pour réaliser le beau, on pouvait se référer à un corps de doctrine, à un système plus ou moins cohérent ; que le beau avait ses lois ; qu'on pouvait donner de ces lois un code, particulier ou universel. Dans le domaine de l'art comme dans celui de la science, les recettes abondaient, point les principes. L'analyse d'un chef-d'œuvre comme *La Chanson de Roland* révèle une divination étonnante de certaines lois artistiques, dans le domaine du rythme et de la composition, en particulier ; cela a été démontré avec la plus grande précision ; on sent, derrière l'œuvre, un esprit perspicace et avisé, un artiste attentif ; il faut renoncer définitivement à la conception périmée d'une œuvre toute spontanée, sortie directement de légendes populaires et transcrite par un narrateur quelconque. Et pourtant, dans la masse des œuvres didactiques du moyen âge rien ne vient instruire le poète, l'écrivain en général, de son métier d'écrivain. On semblait croire qu'une imagination heureuse et fertile, une sensibilité délicate ou puissante, une expression aisée, un certain don du nombre, étaient suffisants pour plaire, et que l'œuvre d'art n'avait rien à gagner à la réflexion de l'artiste sur son art, aux leçons des maîtres, aux conseils de la tradition.

Il en va tout autrement pour les jeunes poètes qui se groupent en Brigade d'abord, en Pléiade ensuite, vers 1546. Avant d'écrire, avant de créer, ils veulent apprendre. Ils ont vu que d'admirables poètes avaient jadis existé, dont l'œuvre leur apparaît infiniment supérieure à celle de leurs contemporains les plus glorieux; ils estiment que pour atteindre à leur niveau et rompre avec un passé ou un présent qu'ils méprisent, il faut prendre modèle sur eux, percer à jour leurs procédés et dégager de leur œuvre certains principes. Les divers manifestes de la Pléiade sont, en France, les premiers essais de réflexion sur les conditions générales de l'œuvre poétique comme sur les lois particulières de chaque genre.

Quel fut l'apport de Dorat, le guide des jeunes poètes de la Pléiade pour la connaissance des textes grecs, dans la création d'une doctrine poétique nouvelle ? Nous l'ignorons. Ce poète érudit écrivait en latin ; ses disciples réclameront l'usage de la langue française en poésie ; il n'a lui-même laissé aucun ouvrage théorique, et ses enseignements ou ses vues sont restés oraux : nous les avons perdus. Parmi ses disciples, deux se sont attachés à théoriser : Ronsard et Du Bellay ; ils l'ont fait dès le début de leur vie littéraire, en même temps qu'ils tentaient leurs premiers essais poétiques, et ils ont poursuivi leur mission de théoriciens tout au cours de leur carrière, carrière si brève pour Du Bellay, si longue pour Ronsard (1).

(1) Principaux textes où l'on pourra se reporter pour trouver le détail des théories de la Pléiade : Ronsard, *Abrégé de l'art poétique* (1563), *Première*

Ils affirment d'abord avec force le caractère sacré, presque divin, du poète. C'est de cette notion si élevée du rôle du poète que découleront beaucoup de leurs conseils plus particuliers, l'idée même, peut-être, que pour exercer le plus noble des métiers on ne saurait s'instruire assez ; si le génie poétique est un don divin, et le plus précieux de tous, il n'est que juste de ne pas le trahir par la maladresse de l'exécution. Du jour où la poésie est considérée comme une religion (et non plus comme un passe-temps), il a fallu lui créer un rituel ; le culte a dû en être organisé avec précision, et la fantaisie du fidèle réduite. Les règles du métier, que d'aucuns jugent presque offensantes pour le caractère sacré d'une poésie inspirée par les Dieux, ne doivent-elles pas au contraire être considérées comme un ensemble de rites, dont une religion plus scrupuleuse et plus respectueuse a senti, vers 1550, la nécessité ? De même qu'à cette époque de guerres de religion, le libéralisme protestant est réprimé par la rigueur complexe du rite catholique, il semble qu'à la diversité individuelle des poètes antérieurs ou contemporains, Ronsard et ses amis aient voulu opposer des rites universels et rigoureux.

La poésie, et Ronsard le rappelle pour interdire au poète d'en user sans noblesse, est à l'origine un élément de la religion :

> Car la poésie n'était au premier âge qu'une théologie allégorique pour faire entrer au cerveau des hommes grossiers par fables plaisantes et colorées, les secrets qu'ils ne pouvaient comprendre, quand trop ouvertement on leur découvrait la vérité (1).

Si l'origine de la poésie est divine, elle donne à son tour au poète une sorte de divinité, puisqu'elle le fait immortel. Du coup, celui-ci étend démesurément son ambition : il doit chercher à plaire aux siècles futurs et non à quelque prince de son temps, ou à quelque cercle lettré ; il doit chercher la gloire immortelle qui triomphe du temps et non le succès flatteur qui

préface de la Franciade (1572), *Deuxième préface de la Franciade* (posthume). Du Bellay, *Deffense et illustration de la langue française* (1549), *Seconde préface de l'Olive* (1549).

(1) Ronsard, *Abrégé de l'art poétique*, chapitre liminaire.

pare une vie humaine. Ce désir d'une gloire éternelle oblige le poète au travail assidu qui seul la lui donnera :

> Qui veut voler par les mains et bouches des hommes doit longuement demeurer en sa chambre ; et qui désire vivre en la mémoire de la postérité doit, comme mort à soi-même, suer, et trembler maintes fois ; et autant que nos poètes courtisans boivent, mangent et dorment à leur aise, endurer de faim, de soif, et de longues vigiles. Ce sont les ailes dont les écrits des hommes volent au ciel (1).

Ainsi le métier de poète se trouve-t-il brusquement constitué en noblesse ; interprète de la pensée divine, il conquerra l'immortalité, mais à la condition expresse qu'il se consacre à son Dieu, renonce pour lui aux joies et aux avantages de ce monde et s'absorbe dans un travail passionné. Dès 1549, dès 1563, se trouve posé l'idéal du poète-mage que Hugo posera à nouveau, en 1839, dans *Fonction du poète* (2), et l'idéal, contradictoire en apparence, opposé en fait au premier après 1850, du poète homme de métier, travaillant assidûment, en bon ouvrier, la matière littéraire, que prôneront Gautier dans l'*Art* (3) et Banville dans *Le Saut du Tremplin* (4).

Autant le poète tire d'orgueil de l'origine divine de son inspiration, autant il doit avoir d'humilité dans l'exercice de son génie. Et la plus salutaire humilité, c'est d'abord de s'incliner devant ceux qui furent grands dans ce même domaine, les Anciens, Grecs et Romains. Brusquement découverts dans toute leur variété, enfin appréciés dans leur génie d'artistes inégalés, ils doivent être nos maîtres ; aucun poète ne peut avoir désormais la sotte prétention de se fier à ses seuls moyens. Qu'il se mette à l'école et apprenne le métier auprès de ceux qui l'ont porté à sa perfection, et non auprès des poètes contemporains qui jouissent d'une gloire temporaire que le temps n'a

(1) Du Bellay, *Deffense*, II, 3.
(2) *Les Rayons et les ombres*, I.
(3) Paru en 1857, cf. p. 236.
(4) Poème final des *Odes funambulesques*, 1857, cf. p. 241.

pas ratifiée et que leur médiocrité ne justifie pas. On voit comme s'élargit du coup la notion de valeur littéraire, combien l'inspiration va se dégager de la mode : le poète ne connaîtra d'autre référence que les œuvres parfaites qui sont pour ainsi dire, par leur antiquité, et parce qu'elles appartiennent à une civilisation extrêmement éloignée, hors du temps. Un nouveau système de valeurs s'établit. Il faut faire en France ce que les Latins ont fait à Rome : leur littérature n'a vraiment atteint au sublime que lorsqu'ils se sont humblement mis à l'école des Grecs. Nous verrons vers 1850 un Baudelaire trouver ainsi en Poë un modèle dont l'éclat rejettera dans l'ombre les autres modèles, et qui lui révélera la vraie nature du travail poétique. La vie littéraire, comme la vie religieuse, progresse par sauts, par brusques illuminations, et comme par révélations d'un idéal nouveau.

Ce que le poète doit prendre aux Anciens, c'est d'abord leurs genres. Du Bellay a le premier compris l'importance de la notion de genre. Il a vu que l'inspiration ne pouvait être un phénomène isolé, indépendant du moule qu'elle allait remplir. La médiocrité de la poésie antérieure et contemporaine lui paraît venir en grande partie des genres où elle se coulait. Que le poète abandonne ces « rondeaux, ballades, virelais, chants royaux, chansons et autres épiceries » (1) et traite désormais les épigrammes à la Martial, les « pitoyables élégies » d'Ovide, de Tibulle ou de Properce, les odes, les épîtres qui tendent à l'élégiaque comme celles d'Ovide ou au sérieux comme celles d'Horace, les satires, les sonnets, comme ceux de Pétrarque, que l'excellence de son génie égale aux anciens, les églogues, comme celles de Théocrite ou de Virgile, les comédies et les tragédies. Ce remplacement des genres moyenâgeux par les genres antiques ne consiste pas en un simple changement d'étiquette : s'il faut traiter le genre ancien, il faut le traiter à la manière des anciens, c'est-à-dire en gardant la noblesse de propos et le souci de perfection artistique qui les caractérisent.

C'est du style surtout que, selon les réformateurs de 1550, semble venir la faiblesse de la poésie française ; il faut donc créer un style poétique. Jusqu'alors, en effet, le style de la

(1) Du Bellay, *Deffense*, II, 4.

poésie (songeons à Marot) n'est autre que celui de la prose. C'est une grande idée que de poser en principe que le style de la poésie ne doit pas être celui de la prose. A la vérité, cette grande leçon ne sera comprise et appliquée que très tard, vers 1880, et Ronsard ni Du Bellay ne pourront créer à eux seuls ce style poétique qui a si longtemps répugné au goût français. Mais enfin, la connaissance des poètes grecs et latins leur a montré que ceux qui avaient atteint les sommets de la poésie le devaient peut-être à ce qu'ils avaient un style à eux, qui rehaussait la poésie au-dessus de la prose. Et d'abord, le style poétique doit être plus « signifiant » que celui de la prose ; il doit avoir plus de « nerfs » et de « force » : il doit être, en somme, une prose plus rigoureuse. plus attentive, plus précise, une prose mieux écrite, en un mot, Qu'on songe, en effet, que la « prose d'art » n'existait pas alors et qu'il n'y avait guère, entre le style relâché de la conversation et le style soigné de la poésie, cet intermédiaire aujourd'hui courant, d'une prose « artiste ». La poésie se créera son style en usant de périphrases qui ajoutent à la désignation pure et simple de l'objet ou de l'action, quantité de notions particulières qui orientent l'imagination vers certains aspects de la chose considérée. Les comparaisons, il faut les tirer d'objets concrets, de métiers courants ; elles donneront ainsi à la poésie cette force réaliste, ce caractère immédiat, qui fera pénétrer dans le cœur ou l'imagination la grande idée ou le grand sentiment ; de même les descriptions de la nature ou des activités humaines. Mais comparaisons ou descriptions ne sont pas ces « ornements » qu'y verront jusqu'au Romantisme les moins doués des classiques ; ce sont là, Ronsard ne se lasse pas de le répéter, les « nerfs et tendons des Muses », c'est-à-dire ce qui donne à la poésie son caractère concret, ce qui transforme ce fantôme de mots en un véritable corps vivant.

> Tout ainsi qu'on ne peut véritablement dire un corps humain beau, plaisant et accompli, s'il n'est composé de sang, veines, artères et tendons, et surtout d'une plaisante couleur, ainsi la poésie ne peut être plaisante sans belles inventions, comparaisons, descriptions, qui sont les nerfs et la vie du livre (1).

(1) Ronsard, *Art poétique*, chapitre liminaire.

La syntaxe elle-même doit, dans la poésie, connaître des audaces que la prose lui interdit. Et non parce que le vers, gênant le poète, le contraint à élargir les lois de la grammaire, mais parce que l'expression prendra, par son étrangeté, une force nouvelle ; elle sera plus frappante et transportera l'esprit dans un domaine étranger à la prose.

***

Mais c'est sur la question de la langue que Ronsard et Du Bellay insistent le plus : c'est celle qu'ils se posaient avec le plus d'acuité. En effet, les seuls poètes qui semblaient pouvoir rivaliser alors avec la beauté des Anciens étaient, outre Pétrarque ou l'Arioste, écrivant dans leur italien maternel, les poètes modernes écrivant en latin. Un Sannazar, un Alamanni, un Marulle, un Pontanus, un Jean Second (1), prédécesseurs immédiats des poètes de la Pléiade, offraient des œuvres d'une qualité artistique très supérieure à tout ce que pouvait offrir la poésie française de la même époque. Il semblait que le seul emploi d'une langue qui avait été celle de Virgile, d'Horace, d'Ovide, permît au poète de s'élever à une noblesse, à une perfection de forme que lui eût interdit l'emploi de la langue vulgaire. Tout esprit délicat ne pouvait qu'être séduit par ces poètes qui joignaient au caractère moderne du sentiment et à une inspiration toute proche la perfection incontestable de la forme. Proposer au poète un idéal élevé, lui montrer comme seuls maîtres dignes de son imitation les grands poètes latins ou grecs, n'était-ce pas le pousser à délaisser le français et à écrire en latin ? Entre les deux dangers qui menacent la poésie : la vulgarité des poètes français et l'emploi d'une langue morte, Ronsard ni Du Bellay ne veulent choisir. Ils veulent à la fois élever la poésie et lui conserver son caractère national et moderne. Aussi la plus grande partie de *La Deffense* est-elle consacrée à maintenir les droits de la langue française et à la protéger contre la tentation de « latiniser ».

Du Bellay pose d'abord ce principe qu'il n'est pas de langue douée par attribution divine d'un pouvoir d'expression supérieur

(1) Voir Paul Van Tieghem, *La Littérature latine de la Renaissance*, 1944.

aux autres ; entendons : la langue latine n'a pas une excellence de principe qui empêche le français de rivaliser avec elle ; de plus, le français n'a pas en lui-même un vice rédhibitoire qui lui interdise de servir de truchement à la plus haute inspiration. Les langues, fondées par une entreprise purement humaine, seront ce que les hommes les feront ; il est donc au pouvoir des hommes de perfectionner leur langage, de le rendre plus riche, plus nuancé, plus expressif.

Le français, langue vivante, a même l'avantage d'offrir à l'artiste une matière plus souple que le latin, langue morte « muette et ensevelie sous le silence de tant d'espaces d'ans », à laquelle on ne saurait rien changer.

Enfin, dans une France qui commence à prendre conscience d'elle-même, le patriotisme impose aux citoyens de faire l'effort nécessaire pour donner à cette langue de la patrie une littérature digne de la grandeur de la nation. Les Romains ne sont-ils pas parvenus, par un effort volontaire de leur amour patriotique, à rivaliser dignement avec les Grecs dans le domaine poétique ? Les Français auraient-ils moins d'amour ou moins de courage ?

Et d'ailleurs, la langue française n'a-t-elle pas en elle-même des qualités de douceur, d'harmonie, de richesse, qui lui permettront, quand elle aura été travaillée, de rivaliser heureusement avec le latin ?

Tels sont les arguments par lesquels Du Bellay entend inciter les poètes français à user de leur langue maternelle. Mais, si convaincants qu'ils soient, il reste contre le français utilisé comme langue poétique un grief capital : le français est pauvre. On peut s'étonner : pauvre, la langue de Rabelais, une des plus prodigieusement riches qui soient, pauvre, celle de Montaigne ? Il ne s'agit que de la langue poétique, qui, soucieuse d'une relative pureté s'interdit l'emploi de bien des mots que ne dédaigne pas la prose, et se réduit à un vocabulaire étriqué, en face duquel celui d'Homère ou celui d'Horace paraissent très riches. C'est donc la langue poétique, et la langue poétique seule, que Du Bellay propose d'enrichir.

Pour l'enrichir, il n'est guère besoin de prendre des mots aux langues anciennes ni aux langues modernes étrangères ; l'intégration de ces mots serait bien difficile et trop souvent choquante.

Par contre, il faut puiser largement aux dialectes provinciaux, gascon, poitevin, normand, manceau, lyonnais, wallon, picard, et au vieux français que l'on trouve dans les romans du moyen âge. Du Bellay est particulièrement sensible à la grâce et à la force de ces vocables oubliés qu'un La Fontaine tentera parfois, avec timidité, de remettre à son tour en honneur, avant que le Romantisme en fasse un plus large emploi. Il faut puiser aussi dans les termes de métier, connaître et utiliser le vocabulaire de tous les artisans, si fertile en mots propres, source féconde de comparaisons.

Enfin, que le poète ne craigne pas de créer des mots nouveaux, à condition qu'ils soient « moulés et façonnés sur un patron déjà reçu du peuple » ; d'un substantif déjà existant, il pourra former un verbe, ou un adjectif, ou un adverbe, etc. ; c'est ce qu'on appelle le *provignement*. Qu'il crée encore des mots composés en unissant des mots déjà existant.

En ce qui concerne la versification, Ronsard et Du Bellay abondent en conseils précis, d'ailleurs parfois contradictoires, car ils ont évolué sur bien des points. Qu'il s'agisse de la richesse de la rime, des *e* muets à l'intérieur des vers, de l'emploi de l'alexandrin ou du décasyllabe, de l'alternance des rimes masculines et féminines, de la césure, de l'hiatus, de l'enjambement, ces poètes envisagent avec gravité ces questions, les estimant dignes de toute leur attention. Ils cherchent à pénétrer la nature du vers français, à établir des règles qui dépendent de cette nature propre, opposée aux vers mesurés grecs et latins.

Si, par son importance et son originalité, *La Deffense* de Du Bellay dépasse tous les autres arts poétiques du XVIe siècle, il ne faut pas négliger cependant celui de Sébilet (1549), abondant en renseignements sur la versification, mais qui en reste, en ce qui concerne les genres, à ceux du moyen âge finissant ; celui de Pelletier (1555), qui s'efforce de constituer une doctrine en abordant les principes des genres et l'essence du génie ; celui de Laudun (1598), dont l'originalité ne consiste guère qu'en une protestation contre l'autorité des Anciens et certaines de leurs règles ; celui de Vauquelin de La Fresnaye, paru en 1605, mais écrit bien auparavant sous l'influence directe de la Pléiade, et qui contient surtout des règles de détail sur certains genres.

*
* *

En somme, la seconde moitié du XVIe siècle a fait le premier effort pour établir une doctrine poétique à la fois vaste par les sujets qu'elle embrasse et minutieuse dans le détail. Cette doctrine établit quelques rares principes qui resteront valables jusqu'à la fin du XVIIIe siècle : imitation des anciens reconnus comme des maîtres en poésie, nécessité d'un travail assidu portant sur le détail de l'expression, importance primordiale des questions de vocabulaire, différenciation nette et profonde entre le style poétique et la prose, utilisation des genres nobles empruntés à l'antiquité ; d'une manière générale, liquidation du moyen âge et de tout ce qui en pouvait faire le charme émouvant, au profit d'une plus grande perfection artistique. Par contre, certains enseignements ont été écartés par l'âge classique : enrichissement de la langue poétique, dignité suprême de la poésie interprète de la Divinité.

Dans l'histoire des doctrines littéraires en France, la Pléiade marque un moment capital : celui où l'art, cessant d'être soumis aux hasards de l'inspiration individuelle, rompant avec le vain travail des Grands Rhétoriqueurs, cherche à prendre conscience de ses principes, à élever ses regards bien au delà de l'horizon contemporain, et à forger, encore maladroitement, le premier code de ses lois. Au triomphe de l'habileté, qui s'amuse en détails, se perd en recettes artificielles et oiseuses, au triomphe de la facilité, qui patauge dans une prose bavarde, vaguement enchaînée par des habitudes ou des inventions incertaines, succède la notion d'un art précis et clairvoyant, soutenu par des lois qui forment son essence.

Mais ce nouvel idéal mêlait des notions qui parurent incompatibles ; les divers arts poétiques du XVIe siècle, quand ils seront connus des théoriciens du XVIIe, seront méprisés, parce qu'ils n'établissent ni méthode, ni doctrine véritables. Un maître va venir, qui élaguera, corrigera et amendera pour imposer des lois plus précises encore et enchaîner la poésie des siècles dans un code plus rigoureux d'où résultera à la fois son étroitesse relative et sa grande perfection.

Chapitre II

LA DOCTRINE DE MALHERBE ET CELLE DE BALZAC

Un maître, disions-nous ; il faudrait dire deux : Malherbe pour la poésie, Balzac pour la prose. Mais, tandis que le premier prenait part à une querelle déjà ouverte, parce que toutes les questions relatives à l'art d'écrire en vers avaient déjà été agitées par Sébilet, par Ronsard, par Du Bellay, l'art d'écrire en prose avait semblé, jusqu'au premier quart du XVIIe siècle, pouvoir être laissé au génie individuel ; la prose semblait même se caractériser, par opposition à la poésie, par ce fait qu'elle est une forme libre par définition, dépourvue de toute règle. Aussi s'agit-il vraiment, quand on parle de Malherbe, d'une *réforme ;* l'apport de Balzac est moindre, en ce sens qu'il n'offre pas un code aussi précis, mais plus important peut-être, au fond, parce qu'il apporte une idée entièrement nouvelle : il existe un art de la prose.

A) Malherbe

Malherbe ne nous a laissé aucun ouvrage contenant sa doctrine : point d'*Art poétique* de sa main, point de *Traité.* Nous en sommes réduits, pour connaître ses idées, aux souvenirs qu'ont laissés sur lui ses amis, et ses disciples et à son *Commentaire sur Desportes ;* car sa correspondance n'est rien moins que celle d'un maître ; c'est celle d'un homme.

Pour comprendre la réforme de Malherbe, il importe de considérer brièvement la poésie de son temps ; car ce critique, qui est avant tout un poète, s'attaque moins aux doctrines antérieures qu'à ce qui lui en semble le fruit, l'œuvre de Ronsard, celle de Desportes celle de Du Bartas celle de d'Aubigné.

Trois sur quatre de ces poètes étaient doués d'un incontestable génie poétique : ils avaient la puissance de l'imagination, l'audace de l'invention, la noblesse du dessein, parfois la fermeté du trait. Quant à Desportes, il avait la fluidité, l'aisance prodigieuse, et cette facilité sans heurts qui lui ont valu un succès si vaste et si prolongé. Mais tous les quatre avaient un défaut commun, auquel, certes, ne les poussaient pas les théories de Ronsard ni de Du Bellay : cette surabondance, ce bavardage, cet à peu près dans l'expression, cette incertitude dans le vocabulaire ou la syntaxe qui nous choquent encore aujourd'hui. On eût dit que les préceptes émis par la Pléiade entre 1550 et 1565 n'avaient pas tenu compte du génie fougueux de l'époque dont la surabondance verbale, la facilité, la hâte à jeter sur le papier l'idée ou la vision n'avaient pu se plier aux leçons de prudence et de travail que donnaient les théories. Aussi un esprit critique admirablement pénétré de la notion, toute récente, nous l'avons vu, de perfection artistique, ne pouvait-il qu'être choqué de l'art trop souvent déficient ou tâtonnant des poètes, ses prédécesseurs immédiats. C'est parce que Malherbe, dénué d'imagination, de fougue, de facilité, de jeunesse de cœur aussi, a écrit et dogmatisé à un âge où les passions sont amorties comme l'imagination, et où l'esprit critique s'affine et s'intellectualise, qu'il a pu donner cette grande leçon de mesure et de perfection dont deux siècles de notre poésie ont profité... et pâti.

Quelle modestie, en comparaison avec les altiers desseins de Ronsard, dans ces paroles, rapportées par Racan :

> Voyez-vous, Monsieur, si nos vers vivent après nous, toute la gloire que nous en pouvons espérer est qu'on dira que nous avons été deux excellents arrangeurs de syllabes, et que nous avons eu une grande puissance sur les paroles pour les placer si à-propos chacune en leur rang, et que nous avons été tous deux bien fous de passer la meilleure partie de notre âge en un exercice si peu utile au public et à nous...
>
> Il disait « que c'était sottise de faire des vers pour en espérer autre récompense que son divertissement et qu'un bon poète n'est pas plus utile à l'État qu'un bon joueur de quilles ».

Ainsi, le poète ne doit pas avoir la prétention d'être un intermédiaire entre Dieu et les hommes, un être supérieur qu'illumine son commerce avec les Muses ; c'est avant tout un artisan du vers, à qui on ne demande que de bien faire les vers, comme on ne demande à un bon menuisier que de bien faire un meuble, durable, commode et agréable à considérer, comme on ne demande à un bon joueur de quilles que de bien placer sa boule. La poésie descend de l'empyrée où Ronsard avait voulu l'élever et vient se replacer au niveau purement humain ; mais Malherbe n'a-t-il pas deviné que la perfection du métier pourrait immortaliser le poète aussi bien qu'une origine mystique de la poésie ? Sans doute Ronsard, nous l'avons vu, avait insisté sur la nécessité du métier ; mais ce conseil se trouvait opposé à cet autre, qu'il donnait aussi, d'apporter au public de grandes vérités. Malherbe a choisi ; il a sacrifié le second au premier, sur lequel il a concentré toute la lumière. Puisque la poésie n'est que divertissement, jeu, on n'y saurait souffrir la médiocrité ; sans autre but qu'elle-même, elle doit atteindre à la perfection dans l'exécution, seule raison de son existence.

> [Malherbe] comparait la prose au marcher ordinaire, et la poésie à la danse, et disait qu'aux choses que nous sommes obligés de faire on y doit tolérer même négligence, mais que ce que nous faisons par vanité, c'est être ridicule que de n'y être que médiocre (1).

La poésie est une danse ; idée profonde et riche : marche et mouvements gratuits, elle n'a comme loi que ces lois internes qui coordonnent les parties d'un tout en un ensemble harmonieux ; le monde de la poésie devient un monde clos. La seule règle extérieure qui peut organiser l'ordonnance, c'est la raison.

Ronsard et ses successeurs immédiats demandaient au poète, au contraire, d'abandonner cette raison logique et étroite, de sortir de ses cadres trop rigides et vulgaires pour se laisser aller dans une sorte d'extase ou de fureur dionysiaque, au « forcennement » d'un génie libéré de toute entrave. Et dans cet état de « fureur », le poète n'avait que faire des savants calculs de l'harmonie, de la composition, de la grammaire, et la tendance était trop forte de les abandonner pour la libre expression des senti-

(1) Racan, Lettre XI à Chapelain.

ments sublimes. L'art perdait tout ce que pouvait gagner le poème en audace et en sublimité.

Deimier, reflétant la pensée de Malherbe, écrit :

> Suivant mon avis... le poète qui n'écrit que par art composera des ouvrages beaucoup plus propres et agréables que ceux de l'autre qui ne sera riche que de ce que la nature aura décoré son esprit.

***

Si la poésie est un jeu, ce jeu a ses règles, qui portent sur la langue, sur le style, sur la versification.

En ce qui concerne la langue, l'opinion de Malherbe est que l'usage est le seul maître ; c'était ruiner tous les efforts de Du Bellay pour enrichir le français poétique. Mais quel usage ? Celui de la Cour, des bourgeois parisiens bien-disants ; quant au peuple, il ne faut point parler comme lui, mais écrire de façon qu'il puisse entendre parfaitement le poète ; la célèbre formule :

> Quand on lui demandait son avis de quelque mot français, il renvoyait ordinairement aux crocheteurs du Port au Foin, et disait que c'étaient ses maîtres de langage.

il la faut bien entendre : tel mot que ne peut comprendre un homme du peuple, et des plus ignorants, c'est qu'il n'est point français ; Malherbe ne veut point dire que nous devons parler comme ces crocheteurs. La poésie doit s'interdire toutes ces transformations de vocables recommandées par la Pléiade : ces verbes ou ces adjectifs employés comme substantifs, ces créations de mots nouveaux, ces archaïsmes, ces mots dialectaux, ces emprunts aux langues anciennes. Elle doit simplement respecter la grammaire et la syntaxe et s'interdire toute licence poétique. La langue poétique n'a donc, en résumé, d'autres droits, que celle de la prose. Il n'y a pas de langue poétique. L'influence de cette idée fut énorme ; c'est à elle, en grande partie, que notre poésie doit ce caractère presque exceptionnel de côtoyer de si près la prose, qu'elle a conservé jusque vers 1880.

Le style poétique doit avoir avant tout les qualités de la prose. Le *Commentaire sur Desportes* est à cet égard très instructif. Malherbe y relève cent fois ces impropriétés, ces obscurités, et surtout ces redondances d'expression dues à la paresse d'un mauvais écrivain qu'ont gêné les nécessités du vers. Il se dégage de ces nombreuses remarques une grande leçon : les bons vers doivent être d'abord de l'excellente prose ; aucune licence n'est admise dans le style plus que dans la syntaxe. La poésie classique a failli mourir d'une mauvaise interprétation de cette idée : on a cru, au XVIIIe siècle, qu'il suffisait de rimer de la bonne prose pour être bon poète. Malherbe voulait dire que la poésie doit être d'abord de la bonne prose, mais que ce caractère était loin d'être suffisant. Pas plus que pour la syntaxe ou le style, aucune licence n'est admise dans la versification ; non seulement la rime doit être exacte pour l'oreille ; elle doit l'être aussi pour l'œil. Malherbe n'admet pas qu'on fasse rimer *innocence* et *puissance*, *apparent* et *conquérant ; contenance* et *sentence*, note-t-il, *riment comme un four et un moulin*. Il proteste quand Desportes, pour satisfaire la vue comme l'oreille, transforme *promène* en *promaine*, afin de rimer avec *plaine*. Il interdit de faire rimer le simple avec le composé : *milieu* et *lieu*, *minuit* et *nuit*. Il veut que la césure coïncide avec le sens, interdit la rime intérieure ; proscrit l'enjambement. On voit à quelle minutie descend le « tyran des mots et des syllabes ».

Au moins Malherbe a-t-il d'abord compris que pour réformer un art, il est moins besoin de théories très générales et presque philosophiques que de conseils précis et de lois absolument nettes. Le jeu une fois admis dans son principe, il faut assurer le respect de ses règles, en prévoir toutes les applications. Il a conçu plus nettement que personne avant lui que l'art est discipline, et il a multiplié les contraintes. Son idéal poétique est moins le large développement dont la beauté vient d'une architecture savante ou puissante que la perfection du vers isolé.

Son influence fut décisive. Après lui abonderont, hélas ! les poètes sans imagination, à la sensibilité étriquée, à l'expression abstraite ; mais il n'y aura plus guère de poètes bavards et relâchés. Les plus médiocres considèreront comme évident que l'œuvre d'art demande du travail et doit viser à la perfection. Ceux qui n'auront pas cette conception seront, même jeunes, relégués au rang de poètes démodés, de survivants d'un âge défunt. Le laisser aller moyenâgeux est définitivement abandonné ; la notion d'art a fait, grâce à lui, un pas immense. L'importance de cette action vient en grande partie de ce que les idées de Malherbe n'ont pas été élaborées à l'aurore d'une vie poétique, par un poète débutant, ignorant de ses propres forces et de la nature de son talent. Elles ont été émises par un poète qui avait déjà longtemps travaillé, qui avait lutté déjà contre une matière difficile, qui avait étudié ses rivaux et ses prédécesseurs. Ces doctrines établies sur l'expérience sont les seules vraiment efficaces.

On a maintes fois insisté sur le côté néfaste de l'enseignement de Malherbe ; on l'a accusé d'avoir tué la poésie en France pour deux siècles. Sans doute ne tient-il aucun compte des qualités d'imagination et du tempérament, de la hardiesse du sujet, de l'envolée, de l'élan sublime de la pensée ou du cœur. Mais il a considéré que la poésie française était encore dans son enfance et qu'il fallait lui donner d'abord cette éducation, ces manières impeccables qui permettront plus tard aux tempéraments riches et puissants de s'exprimer sans diminuer la valeur artistique de l'œuvre. Quoi qu'ils en pensent, les romantiques lui devront beaucoup. C'est parce qu'ils auront assimilé intégralement ses leçons qu'ils pourront, en maintenant sans gêne apparente la perfection technique, exprimer toute la richesse de leur sensibilité ou de leur imagination.

B) Balzac

Pas plus que Malherbe, Balzac n'a laissé un ouvrage didactique où se trouve exposé l'ensemble de sa doctrine littéraire. Il faut chercher ses idées dans différents textes et dans *L'Apologie* d'un de ses disciples. Pas plus que Malherbe il n'a d'ailleurs un corps de doctrine logiquement construit ; il s'agit, pour lui aussi, d'une poussière de remarques pertinentes, nées d'un examen attentif des œuvres antiques ou contemporaines et des réactions d'un homme de goût et d'un artiste difficile devant les maladresses des mauvais auteurs (1).

(1) Consulter le recueil de ses *Lettres*, ses *Remarques sur les deux sonnets d'Uranie et de Job*, sa *Relation à Ménandre*, son *Socrate chrétien*, ses *Entretiens*, ainsi que l'*Apologie pour Monsieur de Balzac* de François Ogier.

Il y avait cependant en Balzac une manière de philosophe qui, dans le *Dixième Discours* de son *Socrate chrétien*, put considérer avec quelque pitié ceux qui faisaient la grande affaire de la vie d'établir la différence entre *pas* et *point* et qui s'amusaient « à ce jeu des mots et des syllabes ». Néanmoins, l'artiste l'emporta le plus souvent en lui sur le moraliste et en ce qui concerne la prose, il fit aussi bien son affaire que Malherbe l'avait fait pour la poésie des détails du style et de l'expression.

Une idée capitale, qui sera celle de tous nos prosateurs classiques, et que précisera, en 1753, Buffon dans son *Discours sur le style* (1), c'est que l'écrivain doit écrire pour être entendu des gens les moins instruits, les moins spécialistes de la question traitée. Pour cela, il doit, jusque dans les moindres détails, obéir à la raison, dont le langage est universel. Balzac conçoit fortement cette identité de la raison abstraite et du style raisonnable ; il comprend que le bon style n'est autre chose que l'analyse de la pensée poussée jusqu'à ses limites extrêmes ; et que, dans le domaine des idées, un style médiocre n'est que le reflet d'une pensée confuse. Aussi le prosateur doit-il bannir tous les ornements qui pourraient donner à son style un caractère de prose poétique et qui risquent de ruiner la clarté au profit de je ne sais quels agréments qui sont étrangers à la pensée.

Pour obtenir cette clarté essentielle à l'art d'écrire, il faut d'abord renoncer à tous les termes que l'usage courant n'admet point, archaïsmes, néologismes, provincialismes. Ronsard, malgré son *naturel*, son *imagination*, sa *facilité*, est un mauvais modèle, parce qu'il a

> peu d'ordre, peu d'économie, point de choix, soit pour les paroles soit pour les choses ; une audace insupportable à changer et à innover ; une licence prodigieuse à former de mauvais mots et de mauvaises locutions, à employer indifféremment tout ce qui se présentait à lui, fût-il condamné par l'usage, traînât-il par les rues, fût-il plus obscur que la plus noire nuit de l'hiver.

(1) Voir p. 147.

Il faut respecter scrupuleusement la grammaire lorsque ses règles sont déjà bien établies, et, si elles ne le sont pas, les créer d'après l'harmonie et la similitude ; n'user des mots que dans leur sens propre et exact ; ainsi Balzac juge absurde d'écrire : *se noyer dans un fleuve de délices*, vu que le fait de se noyer ne saurait être que pénible. Pour le style lui-même, l'ordre en est la qualité essentielle.

Mais la seule clarté ne suffit pas ; il y faut ajouter quelques *ornements*, dont on usera avec les scrupules les plus délicats : la bienséance des propos (éviter toute expression ou toute suggestion grossière ou pénible), la musique de la phrase (en particulier en reposant des amples périodes par des phrases plus courtes), les comparaisons (à condition qu'elles soient *nettes et démonstratives*), l'hyperbole, les répétitions (si elles sont *concluantes* et *nécessaires*).

Les *Remarques sur la langue française* de Vaugelas (1647) ne contiennent aucune doctrine littéraire, mais on ne saurait négliger ici ce livre capital dans l'histoire de notre langue. Vaugelas, en effet, a contribué plus qu'aucun autre à perfectionner l'outil dont se sert l'ouvrier des Lettres. Les conseils généraux que donnaient Malherbe ou Balzac sur l'usage d'une bonne langue s'appuyèrent sur ce bréviaire du bien-parler, dont les règles furent respectées si longtemps, et dont les principes subsistent encore car

> il sera toujours vrai qu'il y a un bon et un mauvais usage, que le mauvais sera composé de la pluralité des voix, et le bon de la plus saine partie de la Cour et des écrivains du temps ; qu'il faudra toujours parler et écrire selon l'usage qui se forme de la Cour et des auteurs... ; que les règles que je donne pour la netteté de langage ou de style subsisteront sans jamais recevoir de changement...

La doctrine de Malherbe et celle de Balzac, son disciple sur ce point, sont les bases les plus certaines de l'art classique, en tant que cet art est expression, non création. Mais les moyens d'expression ont, en art, une telle influence sur les choses exprimées qu'on ne saurait exagérer l'influence de ces deux théoriciens sur l'ensemble de l'art classique. Ils ont de plus réalisé, chacun en son genre, une œuvre qui justifie leurs théories et les applique avec rigueur, et dont la perfection a séduit au point qu'ils parurent bientôt, l'un pour la poésie, l'autre pour la prose, et pour longtemps, les seuls à pouvoir être pris comme modèles sur le même pied que les anciens.

Cependant nos grands poètes et prosateurs classiques se dégagèrent de ce que ces théories avaient de trop étroit et de trop rigide ; Boileau lui-même, dans ses *Satires* ou dans ses *Épîtres*, use des leçons de Malherbe avec désinvolture ; à plus forte raison Racine et surtout La Fontaine ; en prose, un Bossuet rompt, avec une audace qui choqua beaucoup, le cadre trop étroit de la noble prose balzacienne. Leur génie fait d'eux des exceptions, mais leur originalité n'a pu toucher à la perfection que parce que leur goût et leur art avaient été d'abord formés par l'impitoyable rigueur du « vieux pédagogue de la Cour », du « grammairien à lunettes et en cheveux gris ». Ils furent comme d'excellents rhétoriciens qui, échappés du collège, marquent ensuite le style de leur temps d'une façon tout originale, et savent, par leur génie propre, assouplir les règles trop rigoureuses que leur avait données leur professeur de rhétorique.

CHAPITRE III

L'OPPOSITION AUX DOCTRINAIRES INDÉPENDANTS, PRÉCIEUX ET BURLESQUES

La rigueur de ces pédagogues choqua aussitôt d'excellents esprits, qui crurent y voir la mort de toute fantaisie, la ruine de toute spontanéité. Les poètes d'entre eux, se réclamèrent de Ronsard, non pour les leçons de discipline qu'il donnait dans ses ouvrages théoriques, mais pour les exemples de verve et d'audace qu'offraient ses ouvrages les plus estimés, c'est-à-dire les plus sublimes dans leur dessein. En fait, c'est contre l'idée même d'une doctrine littéraire que vont se dresser les esprits dont nous allons parler ; à la doctrine de Malherbe ils n'opposent pas une autre doctrine, fût-ce celle de Ronsard, mais les droits de la liberté absolue de l'art.

La *Satire IX* de Regnier, à Rapin, est la plus éloquente protestation contre Malherbe. Que lui reproche-t-il ? D'abord de faire école. Il semble aux contemporains que Malherbe, Maynard, Racan, Colomby, Yvrande, de Monstier, Deimier même, formaient comme une chapelle, où l'on s'encensait mutuellement. C'est donc contre l'esprit de chapelle que proteste d'abord Regnier ; l'admiration réciproque et l'étroitesse d'un cercle littéraire lui paraissent, à elles seules, capables de restreindre l'individualisme de l'artiste qui fait partie de ce cercle, et, en jetant le discrédit sur ceux qui n'en font pas partie, de dégoûter le public des auteurs qui n'adoptent pas les normes de l'École.

> Il semble en leurs discours hautains et généreux
> Que le cheval volant n'ait pissé que pour eux,
> Que Phébus à leur ton accorde sa vielle,
> Que la mouche du grec leurs lèvres emmielle,

Qu'ils ont seuls ici-bas trouvé la pie au nid,
Et que des hauts esprits le leur est le zénith ;
Que seuls des grands secrets ils aient la connaissance...
Qu'eux tous seuls du bien dire aient trouvé la méthode
Et que rien n'est parfait s'il n'est fait à leur mode.

En second lieu, Regnier prétend que le souci qu'ont Malherbe et ses disciples des moindres incorrections de grammaire et de style, leur attention abusive à ces questions mesquines, n'ont aucun rapport avec le véritable travail poétique ; en s'attachant à ces vétilles, ils « laissent sur le verd le noble de l'ouvrage ». Bien plus, il leur manque, et ils se refusent à estimer cet « aiguillon divin », l'inspiration. « Froids à l'imaginer » ils ne sont que de prosaïques versificateurs ; la poésie est en effet, selon Regnier, avant tout de l'*invention*, nous dirions de l'imagination. Un poète aurait-il ce don que son imagination serait gênée et réduite à l'impuissance par tant de règles minutieuses.

Mlle de Gournay (1), en pieuse admiratrice de Ronsard, c'est-à-dire en admiratrice des *Discours*, des *Élégies*, de *La Franciade*, prend la défense des droits du génie. Le génie doit commander, non obéir à des grammairiens ; c'est à lui de faire la loi ; il n'a pas à la subir. Elle trouve inadmissible qu'on attribue du mérite à un poète à cause de la manière dont il rime ou respecte la syntaxe.

Regnier et Mlle de Gournay réclament donc pour le poète la liberté totale ; aucune contrainte ne doit gêner l'essor de son génie ; c'est à ce prix seulement que la poésie pourra prétendre à la grandeur ; contre l'école de la perfection, ils constituent l'école du sublime ou de la fantaisie. Ils sont moins sensibles à l'art qui parfait l'œuvre qu'à l'esprit qui l'anime ; moins purement artistes, ils croient parler au nom de la vraie poésie. Ils ont été battus. C'est Malherbe qui a triomphé pour deux siècles. Pourquoi ? C'est d'abord que la conception de ces indépendants, si elle aboutit, chez Regnier, à ses verveuses *Satires*, sert pour les médiocres d'excuse à des défauts inexcusables, la prolixité, l'à peu près, l'incorrection ; ou tout au moins, elle semble être

(1) La « fille d'alliance » de Montaigne publia sa *Défense de la poésie et du langage des poètes* dans *L'Ombre de la demoiselle de Gournay*, 1626.

responsable de ces faiblesses. En second lieu, le temps n'était pas venu de laisser la bride sur le cou au génie poétique ; les meilleurs esprits ont estimé que la littérature française avait d'abord à faire ses classes. Ils l'ont estimé trop longtemps peut-être, et cette discipline trop prolongée a sans doute tari les facultés d'invention et la sensibilité elle-même, que le grand courant d'air de la Révolution a libérées. Mais enfin, nous l'avons déjà insinué, c'est peut-être Malherbe qui a permis Lamartine.

La Préciosité, qui s'affirma d'abord, vers 1608, dans les mœurs, créa sa littérature dans la première moitié du XVIIe siècle, et n'établit sa doctrine que plus tard, à partir de 1650 surtout. Cette doctrine des précieux n'est que le reflet de la littérature précieuse ; elle n'est pas sans rapports avec chacune des théories ou attitudes que nous avons considérées jusque-là ; elle ne s'oppose totalement à aucune.

Comme Ronsard, les Précieux estiment que l'œuvre littéraire ne doit pas être intelligible au vulgaire ; pour cela il faut créer une sorte de langage nouveau qui écarte, par sa bizarrerie, ceux qui ne sont pas initiés. Former une chapelle n'est pas un défaut que des ennemis puissent leur reprocher, c'est une prétention qu'ils avouent hautement. D'où cette « guerre continuelle contre le vieux langage », la même en apparence que celle que menait Malherbe, avec cette différence que, pour eux, le vieux langage est celui que parlent ceux de leurs contemporains qui ne sont pas précieux, en particulier celui des « pédants » et des « provinciaux » ; d'où cette passion de former des expressions ou des mots nouveaux, de « donner à notre langue cent façons de parler qui n'avaient point encore vu le jour ».

Ce sont les Précieux qui orientent la poésie et toute une partie de la prose vers le public féminin. Notre littérature poétique restera longtemps une littérature féminine, même lorsque l'idéal précieux sera abandonné depuis longtemps. Si l'on veut plaire aux femmes « cette belle moitié du monde [qui], avec la faculté de lire, a encore celle de juger aussi bien que nous et est aujourd'hui maîtresse de la gloire des hommes » (1), il faut que le poète réponde avant tout à leur délicatesse extrême, à leur goût de la subtilité psychologique. L'Antiquité perd un peu de son prestige ; on appelle « pédanterie » le goût trop exclusif des modèles anciens ; on en vient même à mépriser ces auteurs dont la perfection avait réveillé le sens de l'art.

Enfin, un genre nouveau conquiert une vogue immense, le roman. Ce genre à peine constitué, on en cherche les lois, on en bâtit la théorie, on le définit avec exactitude. Les romans sont « des histoires feintes d'aventures amoureuses, écrites en prose avec art, pour le plaisir et l'instruction des lecteurs » (2). Il y faut une « action principale où toutes les autres sont attachées, et qui fait qu'elles n'y sont employées que pour la conduire à sa perfection » (3). L'unité doit y être maintenue avant tout ; il faut « que toutes ces parties ne fassent qu'un corps, et que l'on n'y puisse rien voir de détaché ni d'inutile », que les événements n'y durent pas plus d'une année et que le reste n'y soit que « par narration » ; il faut commencer l'histoire par le milieu « afin de donner de la suspension au lecteur dès l'ouverture du livre » ; de toutes les règles du genre, la vraisemblance « est sans doute la plus nécessaire », et il faut, pour la respecter, « observer les mœurs, les coutumes, les lois, les religions et les inclinations des peuples », et même donner au roman une base historique. Mais Scudéry distingue mal la vérité historique des faits ou du cadre de la vraisemblance psychologique ; il ajoute : « Plus les aventures sont naturelles, plus elles donnent de satisfaction » ; il faut « toucher... délicatement les passions..., chercher dans le fond des cœurs les plus secrets sentiments... »

> Il n'y a rien de plus important, dans cette espèce de composition, que d'imprimer fortement l'idée, ou pour mieux dire l'image des héros en l'esprit du lecteur, mais en façon qu'ils soient comme de sa connaissance... Or pour les faire connaître parfaitement, il ne suffit pas de dire combien de fois ils ont

(1) Martin de Pinchesne, les *Œuvres de Monsieur de Voiture, Au lecteur.*
(2) Huet, *De l'origine des romans.*
(3) Scudéry, *Ibrahim*, préface ; les autres citations du paragraphe sont empruntées au même texte.

fait naufrage et combien de fois ils ont rencontré des voleurs, mais il faut faire juger par leurs discours quelles sont leurs inclinations.

Les Précieux ont donc une doctrine, mais leur peur du pédantisme les fait se refuser à prendre cette doctrine à la source ancienne ; c'est cependant aux Anciens, et aux pédants comme Malherbe et surtout Balzac qu'ils doivent leur goût pour le raffinement, dans les pensées plus que dans la forme ; dans la forme aussi puisque, par une nécessité que Balzac avait bien vue, la délicatesse de l'analyse entraîne forcément celle de l'expression. Néanmoins, par rapport au courant de l'humanisme, ils représentent un barrage de modernisme, en prétendant recevoir leurs principes des milieux aristocratiques et élégants, du monde, c'est-à-dire du goût féminin, non de la tradition antique. Ils font figure d'indépendants en revendiquant le droit de ne pas parler comme tout le monde et mêlent curieusement le purisme et l'audace, le purisme pour la grammaire, l'audace pour le vocabulaire. Leur plus grand apport est sans doute, et le plus durable, d'avoir orienté la littérature vers les femmes et les salons, de l'avoir détournée des doctes et des spécialistes, d'avoir donné à notre littérature ce caractère mondain qu'elle devait garder si longtemps.

La nécessité d'une littérature franchement comique s'est toujours fait sentir trop fortement en France pour qu'on pût y renoncer, mais rien dans ce que préconisait Ronsard, comme Malherbe ou Balzac, ne semblait conseiller ce renoncement. Les auteurs comiques ne se sont pas contentés de faire rire par leurs ouvrages ; ils ont prétendu justifier en théorie leurs productions (1).

(1) Principaux textes où se trouve abordée la question du burlesque : Pelisson, *Argument de la défense des bouts-rimés ;* Balzac, *Entretien* XXXVIII ; le P. Fr. Vavasseur, *De ludicra dictione ;* Scarron, *Œuvres burlesques*, IIIe Partie, *Epître à Monsieur d'Aumale d'Haucourt ; Suite des œuvres burlesques*, IIe Partie, *Ode à Maynard ;* Boileau, *Art poétique*, ch. I ; première préface du *Lutrin* D'Assoucy, *Aventures d'Italie.*

Balzac lui-même cherche dans quelles limites doit se tenir le style comique ; il se pique de « garder quelque tempérament entre la trop grande indulgence et la trop grande sévérité », parce que, comme il « n'approuve pas le mauvais goût du vulgaire [il n'est] pas ennemi de tous ses plaisirs » ; s'il n'admet pas qu'un écrivain fasse du burlesque sa spécialité et son unique occupation, il autorise cette licence comme les divertissements grossiers du Carnaval sont autorisés par l'Église elle-même. Il condamne donc plutôt la multiplicité des œuvres burlesques que leur grossièreté.

D'Assoucy, maître dans le genre, défend sa spécialité, estime que l'art peut parfaitement être sauvegardé dans le burlesque, qu'il existe un « burlesque fin..., le dernier effort de l'imagination et la pierre de touche du bel esprit », qui demande un génie particulier, fort rare en France. Le burlesque, selon lui, est une forme de l'imagination, et non un style ; on peut réaliser l'idéal du genre sans utiliser le langage des halles ni l'argot. Bien plus, ce genre « est soumis à des lois bien plus sévères qu'on ne pense », lois qui ne sont autres que celles des grands genres, pour la « pureté de la diction..., la force de l'expression... », la concision, et même cette *mystique*, « où le sens qui est caché vaut souvent mieux que le sens littéral ».

Ainsi, au genre même qui semble le plus libre, le plus indépendant de toute contrainte, on veut trouver des lois, une théorie aussi logiquement assise que possible. Ce besoin, qui date, nous l'avons vu, de 1550, de légiférer sur l'œuvre littéraire, s'impose à tous. Cette idée nouvelle a imprégné tous les esprits. Quant à la loi qui gouverne les genres les plus libres, elle est, comme pour les grands genres, fondée sur la raison, le respect de la langue et de la syntaxe, les grandes lois d'équilibre et d'unité de toute œuvre d'art. On peut se rendre compte par là de l'immense progrès fait dans tout le public et auprès de tous les auteurs, par la notion d'art en soixante-quinze ans.

*
* *

L'opposition aux doctrinaires n'est pas représentée seulement — nous avons vu avec quelles réserves et quelle prudence — par des indépendants comme Regnier, par les Précieux, par les Burlesques. Contre les règles ou la tradition du théâtre ou de l'épopée, d'autres protesteront ; nous les verrons en leur lieu, à propos des théories portant précisément sur ces genres. Notons seulement en conclusion que quelques écrivains, au nom de la liberté de l'imagination, du modernisme, des femmes du monde, et du droit de faire rire, ont essayé de secouer le joug qu'on voulait imposer à l'art au nom d'une étroite perfection. Leur voix a été étouffée ; les chefs-d'œuvre reconnus du XVIIe siècle se sont soumis à l'ordre réclamé par Malherbe, les génies les mieux doués se sont pliés à ces lois avant de les faire éclater. Pourquoi cet échec ? Parce que le vague souvenir de la littérature du moyen âge restait comme celui d'une époque de barbarie qu'il fallait avant tout écarter. Ce qui, au fond, paraissait moderne, c'était le retour aux anciens ; ce qui paraissait vraie liberté, c'était la discipline librement consentie, la soumission à des règles volontairement acceptées, comme celles que savent se donner de libres citoyens.

Chapitre IV

LA GENÈSE DE LA DOCTRINE CLASSIQUE

Les efforts de Ronsard, de Malherbe, de Balzac furent infiniment fructueux, mais ils étaient insuffisants. Ils étaient dispersés, souvent contradictoires. L'unité morale, sociale et politique de la France du XVIIe siècle demandait son pendant dans le domaine de l'art. On sent le besoin d'une doctrine solide, valable pour tous les genres et tous les tempéraments, d'un catholicisme de l'art ; le protestantisme réduit à l'état d'exception nationale, il fallait de même isoler les indépendants de la littérature et offrir aux écrivains un dogme universel. C'est à quoi s'employèrent une série de « doctes », dont la plupart, s'ils furent des poètes, ne furent guère des artistes, mais des esthéticiens, studieux et réfléchis. On reprend à la base les recherches de Ronsard, de Du Bellay, de Malherbe, et l'on cherche à fonder celles de leurs affirmations que l'on conserve sur des autorités plus valables en les intégrant à un système plus complet. Notons d'ailleurs qu'en fait, c'est de poésie surtout qu'il s'agit ; les genres de prose, moins définis par leur essence même, et moins visés par l'esthétique traditionnelle, obéiront tout naturellement aux lois générales qui gouvernent les genres poétiques. De plus, on peut remarquer que les théoriciens que nous allons considérer légifèrent surtout pour le sujet de l'œuvre, et laissent de côté l'expression. La théorie du goût littéraire ne s'établira qu'à la fin du siècle et ne prendra toute son importance qu'au XVIIIe siècle.

La nouveauté de la méthode de ces théoriciens consiste d'abord à ne plus chercher les règles dans les œuvres d'art des anciens, mais dans leurs écrits théoriques, quitte, ensuite, à les illustrer, à les justifier par l'exemple des œuvres. Or, en ce qui concerne le travail dogmatique, les Espagnols et les Italiens étaient incontestablement plus avancés que nous ; c'est aux seconds qu'on va s'adresser.

De 1596 à 1640, la discussion s'était prolongée en Espagne sur les règles des genres et les lois générales de la poésie, mais les théoriciens espagnols n'ont eu aucune influence sur ceux de France, parce que, désireux de concilier les règles découvertes dans Aristote avec une littérature toute moderne, et déjà très riche en chefs-d'œuvre, ils n'ont pu créer un système homogène.

On peut le dire tout de suite : c'est aux Italiens que les théoriciens français doivent tout. Ceux-là, en effet, avaient sur nous une avance de près de cent ans. La source presque unique de leurs idées est la *Poétique* d'Aristote, traduite en latin en 1498, éditée en grec en 1503. A partir de 1527, les éditions et les commentaires d'Aristote, les œuvres originales, se succèdent avec une prodigieuse richesse jusqu'en 1613 ; trois noms dominent : Vida, Scaliger, Castelvetro ; ce sont eux, avec quelques autres, qui sont les vrais maîtres dont les leçons ont permis la constitution en France d'une doctrine classique.

C'est autour d'Aristote que s'était élaborée la pensée esthétique italienne ; c'est également avec le respect presque unanime d'Aristote que les Français vont chercher dans les commentateurs et théoriciens italiens les bases de la doctrine. Le prestige philosophique d'Aristote fut, ne l'oublions pas, considérable et prépondérant jusqu'au début du XVIIIe siècle ; il était tout naturel de donner force de loi à des préceptes littéraires émis par le plus grand des penseurs. Comparée à celle d'Aristote, l'influence d'Horace est très faible ; on lui prend quelques formules, non le fond de la pensée.

Les Français étudient avec soin l'énorme œuvre érudite élaborée par les Italiens au cours du XVIe siècle et ne connaissent guère Aristote qu'à travers eux ; d'un ensemble souvent confus, et toujours complexe, ils parviennent, en une trentaine d'années, de 1630 approximativement jusque vers 1660, à former un corps de doctrine assez homogène pour donner une réponse à tous les problèmes et se rattacher à un grand principe unique : la raison. Les grands artisans de cette construction sont Chapelain, d'Aubignac, La Mesnardière, le P. Rapin, Scudéry, Vossius, le grand théoricien hollandais, dont l'*Art poétique* paru en latin en 1647, fut aussi lu, aussi étudié, aussi respecté que les plus grands ouvrages des critiques français, auxquels on peut ajouter, comme ayant des vues moins amples, le P. Lemoyne, et le P. Vavasseur. Corneille fera figure d'opposant et Boileau ne sera qu'un vulgarisateur de très grand talent.

Chapelain est resté, dans le grand public, stigmatisé pour l'éternité par les traits que lui décoche Boileau, à propos surtout du style de sa malheureuse épopée, *La Pucelle*. Si l'on considère en lui non le poète, mais le critique, il doit grandir considérablement dans notre estime et son rôle ne saurait être surestimé. Dès 1620, il a pris le premier la conscience la plus nette des grands principes de la doctrine qui va se former ; dès 1630, il va répandre cette doctrine dans toute la société littéraire ; ce rôle de propagateur, il peut le remplir à la perfection parce qu'il est à la fois un érudit devant la science duquel les savants doivent s'incliner et un mondain fort répandu à qui sont ouverts les salons, en attendant de devenir une manière de représentant officiel de la littérature auprès des pouvoirs, dispensateur des pensions et juge des mérites. Des divers ouvrages où il exprime ses idées critiques (1) se dégage certains principes essentiels de la doctrine classique : « Eespect de la règle, culte des Anciens et de la raison, conception utilitaire de la poésie, principe de la vraisemblance, règle des unités (2). »

La Mesnardière, sans avoir l'autorité de Chapelain, publia, en 1639, le premier volume de sa *Poétique*, qui concerne le théâtre ; les autres volumes ne parurent jamais. Ce fut un vulgarisateur habile qui affirma avec force et répandit surtout la notion de bienséances.

Scudéry, érudit sans pédantisme, mondain soutenu par une grande réputation de poète, fut le zélé propagandiste de la règle des unités, au sujet de laquelle il combattit Corneille ; « les rapports de la poésie et de l'histoire, du vraisemblable et

(1) *Les Sentiments de l'Académie française sur... le Cid* (1638) ; *Lettre sur les vingt-quatre heures* (rédigée en 1630) ; *Préface à l'Adonis* de Marino (1623); *Lettres* surtout.

(2) R. Bray, *op. cit.*, p. 359.

du merveilleux, et en général la constitution du poème héroïque retinrent surtout son attention » (1).

D'Aubignac ne théorisa que dans le domaine du théâtre ; mais, au lieu de s'intéresser à la théorie abstraite d'un genre, il chercha à enseigner l'exercice d'un métier. Il rédigea sa *Pratique du théâtre* vers 1637-39, mais elle ne fut publiée qu'en 1657. D'Aubignac est un technicien du théâtre, le premier en France, quoiqu'il ne fût pas lui-même homme de théâtre ; il n'a guère fait qu'une tragédie — manquée — pour appliquer ses théories ; il s'applique au détail concret qu'il déduit heureusement des grands principes abstraits fort bien connus de lui et soutient avec une grande intelligence le principe par l'expérience.

Le P. Lemoyne publia en 1658 sa *Dissertation du poème héroïque*, en tête de son épopée *Saint Louis* qui répandit les idées nouvelles sur l'épopée, auparavant masquées plutôt qu'exposées par des ouvrages savants et rébarbatifs.

A ces critiques dont l'importance fut primordiale, il faudrait ajouter bien des noms pour faire sentir avec quelle intensité les milieux littéraires se sont mis au travail pour élaborer la doctrine classique : outre Balzac, qui prit une part active à la querelle du *Cid*, et ne cessa, dans sa correspondance, de juger la chose littéraire, il faudrait citer Colletet, ses *Discours*, ses *Traités*, son *École des Muses ;* Coras et ses préfaces à ses épopées sacrées ; Deimier, successeur et défenseur de Ronsard mais si souvent prophète de la doctrine nouvelle dans son *Académie de l'Art poétique* (1610) ; Sarasin et son *Discours de la tragédie* (1639), Desmarets de Saint-Sorlin, que nous retrouverons à propos du merveilleux chrétien, le P. Lamy et ses *Nouvelles réflexions sur l'Art poétique* (1678), Ménage, le P. Rapin.

Tous ces critiques n'ont au fond qu'une source originelle : la *Poétique* d'Aristote. Eût-il été connu directement en France et dans sa nudité primitive, cet ouvrage eût peut-être tourné la littérature française, ou du moins son idéal théorique, vers

(1) Id., p. 360. Les idées littéraires de Scudéry se trouvent exprimées dans les ouvrages suivants : Préfaces de *Ligdamon* (1631), *La Mort de César* (1636), *Didon* (1637), *Alaric* (1654) et dans divers écrits relatifs au *Cid* que l'on trouvera réunis dans l'ouvrage de A. Gasté, *La Querelle du Cid*.

une tout autre direction. Mais quand la connaissance de ce texte parvint en France, à la fin du XVIe siècle, il avait déjà été amplement étudié, analysé, prolongé surtout et parfois déformé par les critiques italiens. La besogne des critiques français fut ici, comme ce fut si souvent le rôle des écrivains ou penseurs français, de filtrer et de coordonner, de déblayer et de systématiser, de clarifier et d'exposer, de dégager les grands principes et de proposer des vues nettes. Les principes ; en effet, aucun de ces théoriciens ne prétend traiter du style, de l'expression ; il leur semble qu'avant de chercher en quoi consiste le bien-dire, il importe de chercher les principes de l'œuvre d'art. Avant d'étudier l'harmonie des couleurs dans la décoration des appartements, n'importe-t-il pas de connaître à fond les grandes lois de l'architecture pour asseoir solidement le bâtiment et ordonner le plus logiquement possible la disposition des pièces ?

Et Boileau, dira-t-on ? Nous l'avons tout juste nommé. C'est qu'à examiner de près ses idées, on s'aperçoit qu'il ne dit rien que ses devanciers n'aient dit, qu'il n'a rien inventé dans le domaine des principes, qu'il est une conclusion et non un chapitre liminaire ; tout cela n'enlève rien à son génie d'expression. Pendant plus de deux siècles, il a fait oublier ses devanciers parce qu'il a su dire mieux qu'eux l'essentiel de ce qu'ils avaient dit et ajouter aux principes qu'ils exposaient les règles de goût dont le besoin se faisait sentir.

Chapitre V

LES GRANDS PRINCIPES DE LA DOCTRINE CLASSIQUE

Le principe le plus anciennement fondé, celui sur lequel les classiques peuvent sentir dans les théoriciens de la Pléiade leurs authentiques devanciers, c'est l'imitation des anciens. Le motif de cette imitation fut, pour la Pléiade, l'admiration pour la perfection artistique ; elle est la conséquence toute naturelle d'un sentiment tout spontané. Mais nos doctrinaires classiques voulurent la fonder en raison ; ils la justifièrent en disant que si le but de l'art est d'imiter la nature, la nature est en fait inimitable directement, parce qu'aucun des modèles qu'elle peut offrir ne présente les traits parfaits et équilibrés qui constituent le beau ; les auteurs anciens ont déjà opéré le travail de choix et de composition ; c'est donc la nature que l'on retrouve et que l'on imite en les imitant. D'autres justifient l'imitation des anciens en s'appuyant sur le fait que leur valeur est confirmée par l'admiration unanime qu'éprouvent pour eux toutes les générations et tous les pays. Nous voyons là l'apport des hommes de la première moitié du XVIIe siècle pour coordonner logiquement deux au moins des principes d'art, l'imitation des anciens et celle de la nature. On devine aussi quelle gravité aura pour l'ensemble de la construction la critique des anciens par les partisans des modernes ; révéler la médiocrité des anciens, c'est battre en brèche une pièce essentielle de la construction.

Encore ce principe d'imitation n'est-il point aveugle ; il n'est aucun des théoriciens de l'imitation qui ne reconnaisse la nécessité d'un choix ; d'Aubignac écrit : « Je ne veux proposer les anciens pour modèles qu'aux choses qu'ils ont faites raisonnablement. » Le principe de la raison et celui de l'imitation se trouvent donc encore logiquement liés. Les bienséances, dont le respect est une des lois de l'œuvre littéraire, imposent encore une discrimination dans ce qu'on doit imiter, et nul n'envisage de les sacrifier ; nouvel effort de synthèse et de coordination. Cette discrimination a pour résultat de donner la palme aux Latins sur les Grecs, à Virgile sur Homère, à Sénèque sur Sophocle et, parmi les Latins, à Térence sur Plaute.

L'imitation des anciens est le principe fondamental de la doctrine classique parce qu'il a imposé aux écrivains le souci de l'art qui est, au fond, la grande conquête de la Renaissance, puis de l'âge classique, le point primordial par où ces deux époques se séparent du moyen âge et sur lequel le XVIIe siècle continue le XVIe. Sans ce principe, les plus doués des poètes, même instruits de la meilleure manière de composer et d'inventer, n'eussent pas donné à leur œuvre cette perfection artistique qui fait leur gloire essentielle.

Le rapport du génie, c'est-à-dire du don naturel de l'artiste, et de l'art, c'est-à-dire d'un ensemble de règles dont le résultat doit être le beau, question capitale, que tous nos théoriciens s'efforcent d'élucider. Le génie est nécessaire ; Chapelain lui-même, qui, comme poète, n'était guère doué à cet égard, reconnaît le génie comme indispensable au poète ; le génie, c'est-à-dire l'imagination et l'inspiration. Mais le génie ne suffit pas ; il y faut ajouter l'art. Le poète dramatique Hardy, exprimant en 1626 l'avis de tous les théoriciens du classicisme écrit : « Quiconque s'imagine que la simple inclination dépourvue de science puisse faire un bon poète, il a le jugement de travers (1). » Si l'on doit choisir entre le don naturel et la technique acquise, certains (Mairet, Saint-Amand, Racan, Segrais, le P. Rapin) estiment qu'un bon poète, du moins dans les ouvrages courts, peut se passer de science plus que de don. Mais la plupart sont

(1) Cité par R. Bray, *op. cit.*, p. 91.

persuadés que « l'art seul est ce qui peut porter les productions humaines à leur perfection » (1). On peut appliquer à tous les genres poétiques l'allégorie d'un théoricien (2) qui fait ainsi parler Apollon, dieu de l'art des vers :

> C'est une chose que l'on ne se met point assez dans l'esprit qu'il est impossible de faire de bons vers sans moi ; et d'ailleurs on se persuade que je suis obligé de servir à point nommé tous ceux qui m'invoquent, comme s'il ne fallait que me donner un coup de sifflet pour devenir poète... J'entends que ceux qui se mêlent de poésie épique s'y préparent de bonne heure, qu'ils sachent par cœur leur poétique d'Aristote, d'Horace et de Scaliger... et qu'ils ne m'appellent que pour me montrer un beau dessein et me demander des forces pour l'exécuter. Alors je les assisterai de tout mon pouvoir...

Génie naturel et technique ne suffisent pas, prétendent la plupart des théoriciens avant 1660 ; le poème dans les grands genres surtout, doit être nourri de connaissances ; un poète doué et instruit à la perfection des règles de son art ne ferait qu'œuvre vide ; il faut ajouter les connaissances : l'histoire, la politique, les sciences naturelles. Ce n'est que plus tard que l'on demandera au poète de ne montrer que ces connaissances générales qui sont à la portée de l' « honnête homme » et de se garder d'étaler son érudition.

Si le principe d'imitation des anciens avait son origine dans Ronsard, l'idée de la suprématie de l'art sur le génie vient de Malherbe ; comme le premier, la seconde a été englobée dans le système classique. L'âge antérieur, le moyen âge même, avait abondé en poètes doués ; et cependant, l'échec de ces poètes était patent. C'est que leur technique poétique était insuffisante. C'est pourquoi les théoriciens du XVIIe siècle insistent presque unanimement sur la nécessité d'une longue éducation technique. La notion d'art est encore trop récente pour pouvoir être sacrifiée ; on ne saurait reprocher à ces critiques d'avoir parlé en considération de leur temps.

(1) Chapelain, cité par R. Bray, *id.*, p. 93.
(2) Guéret, cité par R. Bray, *id.*, p. 94.

*
* *

Or l'art, c'est pour l'esthéticien du XVIIe siècle, avant tout une doctrine solide et serrée dont l'armature est formée de *règles*. Unanimité, d'abord, sur l'existence des règles, et de règles précises. C'est là une idée nouvelle, que Ronsard et Malherbe n'avaient appliquée que dans le domaine très restreint de l'élocution. C'est surtout au cours de la Querelle du *Cid* (1637-40) que s'affirme la foi en l'existence de règles rigoureuses dans l'œuvre d'art. En 1640, la cause est gagnée. Désormais « l'artiste est le prisonnier d'un code immuable » (1). En 1641 Scudéry écrit :

> Je ne sais quelle espèce de louange les anciens croyaient donner à ce peintre qui, ne pouvant finir son ouvrage, l'acheva fortuitement en jetant son éponge contre son tableau, mais je sais bien qu'elle ne m'aurait pas obligé... Les opérations de l'esprit sont trop importantes pour en laisser la conduite au hasard, et j'aimerais presque mieux que l'on m'accusât d'avoir failli par connaissance que d'avoir bien fait sans y songer (2).

Nous verrons que nos grands poètes classiques auront des règles une conception beaucoup plus large, encore que ce ne soit pas la liberté totale du *génie* qu'ils lui opposent, mais une autre sorte de règle, qui sera de plaire. Mais, avant 1660, Corneille, déjà, proteste. Il reste une exception. La France tout entière, et dans tous les domaines, appelait la discipline et l'ordre. Le domaine littéraire n'échappe pas à ce désir, et Chapelain y joue le rôle capital que jouait Richelieu en politique.

*
* *

Les règles donnent la forme de l'œuvre d'art ; c'est la nature qui en doit former la matière. Ou, si l'on veut, la première de

(1) R. Bray, *op. cit.*, p. 106.
(2) Cité par R. Bray, *op. cit.*, p. 107. Cf. le texte de Valéry, bas de la p. 278.

toutes les règles, c'est que l'art doit imiter la nature. Règle qui peut paraître universelle et évidente, tant il est vrai qu'il n'est guère — chez nous, du moins — d'école littéraire qui l'ait récusée. Les Précieux eux-mêmes prétendent alors être naturels, c'est-à-dire peindre la nature. Une bonne partie de la littérature de la période 1600-1660 ne nous paraît rien moins que « naturelle ». C'est qu'il est difficile de s'entendre sur ce qu'est cette *nature* qu'il faut imiter. Si les contemporains trouvent la *Clélie* (1660) une merveille de naturel parce qu'elle peint les « choses... les plus communes », et louent dans *L'École de Femmes* (1662) « un portrait admirable de ce qui se passe tous les jours », les générations précédentes faisaient entrer dans l'idée de naturel cela même qui est exceptionnel.

Cette imitation de la nature, sera-t-elle exacte et servile comme une photographie ? Non, elle doit dégager des traits confus de la nature ce qui fait l'essence de l'objet et donner une image parfaite, en bien comme en mal, d'un caractère dont la réalité nous offre l'ébauche ; le trait caractéristique doit être isolé et dégagé pour subsister seul. La confusion des mouvements naturels de l'âme doit faire place à l'ordre nécessaire pour les rendre perceptibles à l'esprit des lecteurs ou des spectateurs ; et cependant quelque expression puissante doit faire sentir le trouble sans le copier. L'artiste doit donc constamment ordonner et « farder » ou forcer la nature pour la mieux représenter.

Et doit-on représenter *toute* la nature ? Non pas. Il faut choisir ce qui est beau en elle, fût-ce dans le terrible, ce qui entraîne l'adhésion de l'esprit et du cœur, et laisser de côté ce qui est en soi vil, bas, grossier, horrible, monstrueux. De plus, le véritable objet de l'art est, dans l'immense domaine de la nature, l'homme, avec ses mœurs, ses caractères, ses passions, en un mot la psychologie. Le monde extérieur est laissé de côté :

> Un discours où l'on ne parle que de bois, de rivières, de prés, de campagnes, de jardins, fait sur nous une impression bien languissante, à moins qu'il n'ait des agréments tout nouveaux ; mais ce qui est de l'humanité, les penchants, les tendresses, les affections, trouvent naturellement au fond de notre

âme à se faire sentir ; la même nature les produit et les reçoit ; ils passent aisément des hommes qu'on représente en des hommes qu'on voit représenter (1).

Les théoriciens qui construisent la doctrine classique repoussent presque tous la conception d'un art réaliste, asservi à la stricte copie de la nature, et celle d'un naturalisme ayant comme objet la nature dans sa totalité. L'art doit isoler son objet et en dégager moins l'essence que les traits principaux, les plus beaux surtout ; il faut, selon eux, idéaliser la nature avant de la peindre.

Des grands principes de la doctrine classique, la *raison*, est un des plus récents ; de ceux que nous avons vus, l'un procède de Ronsard, l'autre de Malherbe ; le troisième d'Aristote, le quatrième d'Horace. Mais le principe de la raison, rattaché artificiellement à Aristote, deviendra l'adversaire le plus déterminé de l'aristotélisme, le principe nouveau qui rompt définitivement avec le moyen âge et la scolastique. C'est par un artifice de dialectique qu'on parvient à identifier le principe de la raison et les autres ; à vrai dire, et dès la fin du XVIIe siècle on devait le comprendre, il contient en germe la ruine des autres.

En fait, la raison, dans le domaine de l'art, est ce qui s'oppose à l'imagination et au pur jeu de l'inspiration. Dès 1610, Deimier lui donne la première place dans la création poétique, bien avant Descartes dans la philosophie. C'est au nom de la raison que les critiques jugent la littérature ; c'est sous son drapeau que se rangent sans hésiter tous ceux qui combattent pour la bonne poésie. La raison est ce qui distingue l'homme de la bête, elle est son éminente faculté, qui doit régner sur toutes les autres. Or le culte d'Aristote suppose un tout autre principe, le respect de la tradition, le principe d'autorité, qui d'ailleurs est subordonné, après 1600, à celui de la raison, constamment invoqué comme le principe essentiel. Ce compromis

(1) Saint-Evremond, *De la poésie*, cité par R. Bray, *op. cit.*, p. 157.

se résoudra après 1680 : Aristote sera relégué au second plan, puis oublié ; le siècle des lumières sera celui de la seule raison. Le culte d'Aristote ne contredisait pas en principe celui de la raison. Aristote avait été considéré depuis sa redécouverte au moyen âge comme le « maître », non seulement « de ceux qui savent » (Dante), mais de ceux qui raisonnent. En ce sens il allait contre la théologie dogmatique qui ne fait aucun appel à la raison : saint Thomas aura pour rôle de les concilier, et peu à peu Aristote était devenu une idole qu'on adorait sans réfléchir. Dès 1660, d'ailleurs, nos grands classiques, s'ils doivent choisir entre Aristote et la raison, donneront nettement le pas à celle-ci sur celui-là. Remarquons qu'il ne s'agit jamais d'une raison individuelle autorisant la liberté d'une inspiration personnelle, mais de cette raison universelle, qui n'est point sujette à changement, partout semblable à elle-même, indifférente aux temps, aux lieux, aux mœurs, critère d'une beauté également universelle et éternelle.

Le rôle de fait attribué à cette raison sera d'abord de canaliser l'imagination individuelle sinon d'y mettre un frein ; elle est le *bon sens ;* elle est le *jugement ;* on se doute des conséquences que pourra avoir cette fonction de la raison sur la création poétique ; il faudra attendre 1820 pour voir alliés, dans l'harmonie la plus parfaite, le jugement et l'imagination. De plus, et ce n'est pas le moindre rôle ni le moindre danger de la raison dans le domaine littéraire, c'est d'après la seule raison que l'on prétend juger l'œuvre d'art ; elle doit être la seule lumière éclairant la critique ; c'est dire qu'on refuse le droit de juger à ceux chez qui la raison et le jugement ne sont pas développés par l'habitude de la réflexion et la culture intellectuelle. C'est donc pour une élite qu'écrira le poète, pour ce public alors fort restreint d'honnêtes gens, seul capable d'apprécier les finesses et les vrais mérites de l'artiste.

Le dogme de la raison domine la doctrine classique et en régit tous les autres dogmes. Il marque, dans le domaine de l'art, une évolution parallèle à celle que la philosophie avait subie sous l'influence de Descartes et au nom du même principe. Là encore, nos grands classiques, plus souples parce que plus artistes que les théoriciens qui les ont précédés, sauront adoucir la doctrine un peu raide qu'un Chapelain, suivi d'ailleurs par tous les théoriciens, avait prétendu imposer ; les grâces du style, la sensibilité, une délicate fantaisie, parfois les élans d'une imagination puissante corrigeront ce que ce culte avait d'austère, de rigide, d'inhumain.

La doctrine classique est donc d'abord un ensemble de principes essentiels dont l'observation doit permettre de créer une œuvre d'art aussi parfaite que possible. Mais en quoi consiste cette perfection ? La réalisation de la seule beauté ne suffit pas aux yeux des théoriciens ; ou plutôt elle ne saurait se concevoir sans une fin morale. Sans doute, l'œuvre doit plaire ; certains même, des isolés, soutiennent qu'elle peut se contenter de plaire. Mais l'immense majorité des critiques admet qu'elle doit « moraliser » ; contrairement à l'opinion de Malherbe, on attribue au poète une fonction sociale ; dès lors, il est responsable de l'effet moral de son œuvre et ne saurait consciemment le négliger. D'ailleurs la raison ne saurait se plaire à ce qui ne serait pas utile à l'esprit ou à l'âme ; d'ailleurs encore, les œuvres des anciens nous révèlent leur impérieux souci d'instruire. Corneille seul soutient — mais en 1660 — que ce n'est qu'en sachant d'abord plaire qu'on pourra instruire. Qu'il faille plaire pour instruire ou instruire pour plaire, le fait est que personne — à part le seul romancier La Calprenède — ne nie que l'œuvre d'art doive viser un but utilitaire, c'est-à-dire moral.

Mais comment instruire ? Par la peinture au naturel des vices et des passions, puisque, selon la fameuse formule d'Aristote, la tragédie — entre autres — « emploiera la terreur et la pitié pour purger les passions de ce genre » ? formule terriblement obscure et sur laquelle aucun des théoriciens du siècle n'a pu apporter de lumières définitives. Par des « sentences », formules morales disséminées dans l'œuvre pour en dégager les leçons ? Mais cette manière est bien visible et pédante. En choisissant un sujet et des personnages dont la conduite laisserait se dégager une leçon implicite ? C'est-à-dire en traitant un sujet moral et en peignant des personnages vertueux ? C'est ce que n'acceptera jamais Corneille, mais c'est ce qu'approuveront la presque unanimité de ses contemporains. Le dénouement du récit — mis en scène ou simplement raconté — devra-t-il, en récompensant les bons et en châtiant les méchants, porter cette leçon morale ? Corneille — là encore — est presque seul à protester. Par l'allégorie ? C'est-à-dire par la représentation concrète, à l'aide de personnages, des vices et des vertus ? Presque tous prétendent en tout cas que l'œuvre doit, derrière son apparence, cacher un fond moral qui formera son essence et sa raison d'être.

Ainsi de 1600 environ jusque vers 1660, de nombreux théoriciens s'efforcent de dégager soit d'Aristote, et surtout de ses commentateurs italiens, soit des indications du goût intellectuel de leur époque, les fondements rationnels d'une doctrine définitive. Ils font œuvre de philosophes, d'esthéticiens, mais ils raisonnent moins d'après le passé que pour l'avenir. Ils ont le pressentiment qu'une grande littérature est à naître en France, dont ils préparent consciencieusement les voies. S'ils se tournent vers le passé, ce n'est pas dans un stérile effort de compréhension, mais avec l'idée très nette que leur besogne sera efficace dans l'avenir et permettra d'atteindre la beauté parfaite dans l'art d'écrire. Les fondements de leur système offrent une cohésion remarquable. Nous ne retrouverons qu'après 1880 effort pareil ; et encore les théoriciens de la fin du XIXe siècle et du début du XXe étant presque tous en même temps des poètes des romanciers, des dramaturges, leurs méditations ne seront ni aussi sereines ni aussi désintéressées que celles des théoriciens de 1600-1660. Jamais, en aucun pays, on ne verra effort plus loyal pour découvrir le chemin qui mène à la vraie beauté. Quelles que soient les libertés de détail qu'aient prises nos grands auteurs, après 1660, avec ces principes, on ne dira jamais assez ce que leur doit la perfection de leurs œuvres.

Mais, à vrai dire, les principes que nous venons de passer en revue n'auraient pu suffire à instruire les auteurs de leur devoir. Dans tout métier, il faut joindre à la théorie l'enseignement pratique, qui ne prétend pas avoir la même valeur immuable, que les circonstances peuvent et doivent modifier, mais dont la connaissance est nécessaire à l'ouvrier qui travaille, en fait, dans un temps donné, pour un public donné, avec une matière donnée. Il nous reste à voir ces règles, dont nous avons vu que tous les théoriciens les considèrent comme nécessaires, mais que nous n'avons pas présentées dans leurs particularités.

***

La première de toutes ces règles, c'est la *vraisemblance.* Aristote, dans le chapitre IX de sa *Poétique*, lui consacre un paragraphe d'où sortiront à peu près tous les développements faits à ce sujet par les théoriciens modernes. Voici ce texte capital :

> Il est évident que l'œuvre du poète n'est pas de dire ce qui est arrivé, mais ce qui aurait pu arriver, ce qui était possible selon la nécessité ou la vraisemblance. En effet, l'historien et le poète ne diffèrent pas en ce que l'un parle en vers et l'autre en prose... La vraie différence est que l'un dit ce qui est arrivé, l'autre ce qui aurait pu arriver... La poésie exprime en effet surtout le général et l'histoire le particulier. Le général est ce que tel ou tel, suivant son caractère, aura dit ou fait, selon la nécessité ou la vraisemblance ; c'est le fond sur lequel la poésie met ensuite des noms propres. Le particulier c'est ce qu'a fait Alcibiade, ou ce qu'on lui a fait (1).

Le vraisemblable, Aristote le précise plus loin, c'est non le réel, non même ce qui a pu se passer, mais ce qu'on croit pouvoir se passer ; il dépend donc étroitement de l'opinion du public et peut varier.

Cette théorie du vraisemblable, distingué du réel et du possible, les théoriciens italiens avaient déjà travaillé à l'expliquer, à l'analyser, à la commenter, lorsque nos théoriciens l'ont connue et étudiée à travers eux. Chapelain, après Deimier, précise la règle et lui donne toute sa force, à propos de la querelle du *Cid*, qui a fait remuer tant d'idées et préciser tant de notions. Chapelain, comme Scudéry, blâme Corneille d'avoir choisi

(1) Traduction Egger, citée par R. Bray, *op. cit.*, p. 192.

un sujet possible sans doute, puisque historique, mais invraisemblable. Rétrécissant la notion de vraisemblable, il n'autorisera que le vraisemblable « ordinaire », celui des faits quotidiens et interdira cette vraisemblance « extraordinaire » propre aux moments exceptionnels. D'Aubignac, en 1657, expose définitivement la position des théoriciens classiques en écrivant, à propos du seul théâtre :

> Le vrai n'est pas le sujet du théâtre parce qu'il y a bien des choses véritables qui n'y doivent pas être vues... Le possible ne sera pas aussi le sujet, car il y a bien des choses qui se peuvent faire... qui pourtant seraient ridicules et peu croyables si elles étaient représentées... Il n'y a donc que le vraisemblable qui puisse raisonnablement fonder, soutenir et terminer un poème dramatique. Ce n'est pas que les choses véritables et possibles soient bannies du théâtre, mais elles n'y sont reçues qu'autant qu'elles ont de la vraisemblance.

Ce qu'il dit du théâtre, il n'est pas de genre littéraire auquel nos théoriciens ne veuillent l'appliquer, sauf Corneille. Lui seul soutient que le vrai, authentifié par l'histoire ou la légende, peut être la matière de l'œuvre, même s'il n'est pas vraisemblable. « J'irai plus outre, écrit-il, je ne craindrai pas d'avancer que le sujet d'une belle tragédie doit n'être pas vraisemblable (1) ». Mais il est seul.

Cette règle de la vraisemblance, sur quoi s'appuie-t-elle ? L'autorité d'Aristote ne suffit plus à nos théoriciens ; il faut aux détails mêmes de leur doctrine une base logique. L'œuvre doit instruire ; Chapelain en conclut : « Où la créance manque, l'attention ou l'affection manquent aussi ; mais où l'affection n'est point, il ne peut y avoir d'émotion et par conséquent de perfection ou d'amendement ès mœurs des hommes, qui est le but de la poésie. » C'est la vraisemblance, et non le vrai qui sert d'instrument au poète pour acheminer l'homme à la vertu. En art, la vraisemblance est ce qui est conforme à l'opinion commune, fût-elle évidemment erronée aux yeux du savant ou de l'érudit. D'où le dédain de ces théoriciens pour la vérité

(1) Cité par R. Bray, *op. cit.*, p. 202.

historique, la chronologie ; c'était aller beaucoup plus loin qu'Aristote et ses commentateurs du XVIe siècle. Corneille est seul — une fois encore — à demander le respect absolu de l'Histoire.

* * *

Puisque faire vraisemblable consiste à choisir la réalité la plus normale en écartant l'anormal, on comprend que l'écrivain soit amené à chercher le général sous le particulier, toujours exceptionnel. « La poésie, écrit Chapelain... met le particulier en considération de l'universel... Sous les accidents d'Ulysse et de Polyphème, je vois ce qui est raisonnable qu'il arrive en général à tous ceux qui feront les mêmes actions... Je ne considère pas plus Énée pieux et Achille colère... que la piété avec sa suite et la colère avec ses effets pour m'en faire pleinement connaître la nature. » Il faut aller du réel, qui est unique, au vrai, qui est universel. Loi capitale de l'art classique, que les romantiques feront effort pour briser, sans y réussir, sans le vouloir tout à fait, que nos grands écrivains d'après 1660 appliqueront sans réserve, et qui donne à leurs œuvres cette portée universelle qui est un de leurs plus authentiques titres de gloire.

Ce qui rend une chose belle à nos yeux, écrit Nicole en 1659 (1) c'est « lorsqu'elle a de la convenance avec sa propre nature et avec la nôtre ». Nicole exprime par cette formule la nécessité des bienséances. Les *bienséances* sont une des conditions essentielles de l'œuvre d'art selon la doctrine classique. Le contenu de ce mot est d'ailleurs aussi ample que vague. Le mot tant employé alors dans les discussions littéraires exprime à peu près ce que nous appellerions *harmonie*, harmonie interne de l'œuvre d'art, harmonie entre l'œuvre et le public qui l'accueille. Aristote, puis, moins complètement, Horace, avaient défini cette notion des convenances en la subdivisant en quatre : *convenances morales :* les mœurs doivent être bonnes, les actions

(1) *Traité de la vraie et de la fausse beauté...*, cité par R. Bray, *op. cit.*, p. 216.

représentées morales ; ressemblance entre la conduite ou le caractère du personnage et la tradition, accord entre la conduite et le caractère ou la situation ; constance des caractères à travers tout l'ouvrage.

Cette notion des bienséances ne se précise et ne s'impose cependant en France que vers 1630, et c'est encore Chapelain qui la lance dans le courant des discussions. Mais c'est la querelle du *Cid* qui oblige les critiques à examiner à fond cette notion relativement nouvelle, et c'est La Mesnardière qui s'en fait le champion, suivi par tous les autres. D'une manière générale, on est conduit à une sorte de réalisme historique encore insuffisant par timidité ou ignorance, mais fort net comme intention. Ce sont les bienséances internes.

Les bienséances externes, cependant, dont le principe est puisé au même texte d'Aristote, pouvaient contredire les autres. En effet, n'était-il pas difficile de vouloir à la fois peindre un être moral et conforme à son époque et à la tradition légendaire ou historique, et s'asservir dans cette peinture au goût du public ? Ce qui est vrai historiquement ne choquera-t-il pas un public forcément bien ignorant de la réalité historique ?

De la vérité historique et de l'idée que se fait le public de telle période ou de tel héros, c'est celle-ci que doit choisir l'écrivain. Il doit sacrifier ce qui est vrai à ce qu'on croit vrai. Dans une lettre fameuse, Balzac félicite Corneille en ces termes à propos de *Cinna* :

> Vous nous faites voir Rome tout ce qu'elle peut être à Paris... Vous êtes le vrai et fidèle interprète de son esprit... Je dis plus, vous êtes souvent son pédagogue, et l'avertissez de la bienséance, quand elle ne s'en souvient pas. Vous êtes le réformateur du vieux temps, s'il a besoin d'embellissement ou d'appui... Ce que vous prêtez à l'histoire est toujours meilleur que ce que vous empruntez d'elle.

Corneille en effet apporte à vrai dire autant de désinvolture que les autres à traiter des faits historiques ; mais ce qu'il cherche à adapter au goût de ses contemporains, ce sont des faits exceptionnels et non l'histoire moyenne.

Tous les théoriciens recommandent cet équilibre difficile

entre le vrai et le goût du public ; il faut écarter tout propos déshonnête, tout spectacle pénible et désobligeant, qui ne sera que raconté.

La règle des bienséances intervient dans toutes les autres règles dont aucune n'est valable que si elle s'accorde avec celle-ci ; nouvelle preuve de la tenue logique de l'ensemble de la doctrine classique, de la solidité de cette construction. C'est, de plus, une des règles les plus visibles, une de celles qui caractérisent le mieux l'œuvre classique parce qu'elle sera constamment appliquée pendant deux siècles. C'est à cause d'elle que la littérature classique est si exactement modelée sur le siècle où elle s'est développée ; si cette littérature s'est épuisée, c'est en partie parce que cette règle, mal comprise à la fin du XVIIIe siècle et au début du XIXe, n'a pas été assouplie comme il se devait par sa définition même et qu'on est resté fidèle aux bienséances du XVIIe siècle louis-quatorzien au lieu d'en forger de nouvelles en rapport avec des époques bien différentes par les mœurs, l'esprit et la culture.

***

Pour plaire, l'œuvre doit donc être vraisemblable jusque dans ses détails, universelle dans ses peintures, respectueuse des bienséances ; tout cela est nécessaire, mais en quelque sorte négatif. Le moteur qui provoquera l'intérêt ne saurait consister dans ces règles qui sont plutôt des limitations. L'intérêt ne sera provoqué que par ce « merveilleux » qui excitera la curiosité ou l'admiration, moteurs de l'intérêt. Comment ce merveilleux pourra-t-il s'accorder avec la vraisemblance ? Et d'abord en quoi consiste-t-il ? Chapelain nous l'explique :

> La nature du sujet produit le merveilleux lorsque par un enchaînement de causes, non forcées, ni appelées du dehors, on voit résulter des événements ou contre l'attente ou contre l'ordinaire ; la merveille a lieu par les accidents quand la fable est soutenue par les conceptions et par la richesse du langage seulement, de façon que le lecteur laisse la matière pour s'arrêter à l'embellissement (1).

(1) *Préface à l'Adonis*, p. 40, cité par R. Bray, *op. cit.*, p. 231.

C'est, nous dit le P. Rapin, « tout ce qui est contre le cours ordinaire de la nature », et qui a pour objet, en intéressant, de toucher le cœur et de l' « animer aux grandes choses ». En fait, il se voit surtout dans la conduite de l'œuvre et dans les grands genres, épopée et tragédie. Mais l'extraordinaire, s'il doit surprendre, ne doit pas paraître impossible ; il doit rester dans les limites du vraisemblable, qu'il s'agisse, pour les uns, du vraisemblable moyen et en quelque sorte quotidien, ou, pour Corneille et quelques autres, du vraisemblable exceptionnel.

Le merveilleux peut être divin, ou humain ; dans le premier cas il s'agira proprement de miracles, empruntés à la mythologie païenne ou à la religion chrétienne.

En fait, l'équilibre entre le vraisemblable et le merveilleux est aussi difficile à garder qu'entre la bienséance et la vérité historique. La raison même, grand fondement de la doctrine, ne s'oppose-t-elle pas en principe à l'emploi du merveilleux ? Les droits de la raison sont trop forts pour pouvoir être battus en brèche ; ce sera le merveilleux qui sera sacrifié. Certes, les auteurs d'épopées plus encore que de tragédies, en useront ; mais il s'agira surtout de « machines », ou interventions surnaturelles ; exclues d'ailleurs à peu près de la tragédie après *Médée* (1635), considérées avec défiance dans l'épopée, les machines ne sont en fait que des ornements ; le merveilleux ne constitue jamais le fond de l'œuvre : la raison et les bienséances s'y opposent.

On entend sous le nom de *règle des trois unités*, l'unité d'action, l'unité de temps, l'unité de lieu. La première s'imposa d'abord ; Aristote l'avait exprimée dans sa *Poétique ;* après avoir remarqué que l'unité d'action ne sera nullement obtenue en prenant comme sujet un héros unique, vu qu'il peut arriver dans la vie d'un homme quantité d'événements disparates, il conclut :

> La fable... ne doit imiter qu'une seule action complète, dont les parties doivent être disposées de telle sorte qu'on n'en

puisse déranger ou enlever une sans altérer l'ensemble. Car ce qui peut être dans un tout ou n'y pas être, sans qu'il y paraisse, ne fait pas partie du tout.

Cette règle combattue, ou du moins fondée sur d'autres bases par Castelvetro, fut d'abord l'objet de querelles nombreuses dans le premier tiers du XVIIe siècle. Elle ne s'impose vraiment qu'en 1635, quand Chapelain s'en fit le défenseur, aidé de Scudéry, puis de Corneille ; elle se trouva codifiée, en 1639, par La Mesnardière, et analysée, expliquée, précisée par Vossius, en 1647. L'œuvre ne doit présenter qu'une seule action, d'un seul héros, action dont les différentes parties doivent être liées en un tout homogène et logique, et dans une hiérarchie d'importance.

Corneille, en 1660, ajoutera à cette définition une vue personnelle : l'unité d'action sera obtenue dans la comédie par l'unité d'obstacle, dans la tragédie par l'unité de péril : conçue surtout pour l'épopée et la tragédie, cette règle sera peu à peu étendue à toute œuvre littéraire, y compris le ballet ou le roman.

Comment la concilier avec la nécessité des épisodes ? Ceux-ci ont pour but d'étoffer le sujet, souvent mince à cause de cette règle de l'unité d'action, et ensuite de l'orner par des peintures agréables et intéressantes : description, narration, comparaison. Ils doivent être étroitement liés à l'action, ne trouver leur fin qu'en quelque partie essentielle du récit qu'ils auront fait avancer. Ces rapports entre les épisodes et le sujet central sont examinés par nos théoriciens avec la plus extrême minutie ; nous ne saurions entrer dans les détails, retenons seulement la remarque que suggère l'examen de ces textes aussi nombreux que précis : jamais l'esprit humain n'a étudié avec plus de soin les conditions de la création littéraire ni n'est entré dans des détails plus subtils.

L'unité de temps naît aussi dans Aristote, qui déclare : « La tragédie s'efforce le plus possible de se renfermer dans une révolution de soleil ou du moins de dépasser peu ces limites. » Que faut-il comprendre ? Vingt-quatre heures de suite ? Une journée de douze heures ? L'idéal ne serait-il pas que l'action ne durât que le temps de la représentation ? En tout cas, la vraisemblance demande que la durée de l'action ne soit pas démesurée par rapport à celle de la représentation. Par contre Aristote ne fait nulle mention de l'unité de lieu. Elle est suggérée en 1550 par le théoricien italien Maggi, qui la fait découler de l'unité de temps ; si le temps de l'action est court, les lieux où elle se passe ne sauraient être bien éloignés les uns des autres. Castelvetro, en 1570, ne précise guère davantage.

En France, les unités « déjà connues des lettrés, furent présentées au public pour la première fois par Mairet, dans *Silvanire*, en 1630... Ainsi ce sont sans doute les doctes qui, les premiers sont allés chercher les règles dans les théoriciens italiens ; mais c'est à coup sûr un poète qui, le premier, instruit par les poètes italiens, a saisi le public de la question » (1). Chapelain adopte la règle des vingt-quatre heures en 1630. Pour ou contre, on écrit abondamment au sujet de cette règle entre 1630 et 1638. Elle a alors cause gagnée ; conséquence importante : la tragédie, dont le succès était balancé par celui de la pastorale dramatique, s'adaptant mieux à cette règle, éclipse définitivement sa rivale. Quant à la règle de l'unité de lieu, elle n'est considérée comme impérieuse qu'à partir de 1631, sans d'ailleurs être prise dans toute sa rigueur, le lieu unique pouvant être une île, une ville, une province, ou même, selon Corneille (1634), « les lieux où l'on peut aller dans les vingt-quatre heures ». C'est Chapelain, en 1635, qui lui donne toute sa rigueur : aucun changement de décor ne doit être toléré. Le triomphe de l'unité de temps entraîne enfin le triomphe de l'unité de lieu, en 1638. Elle ne contribue pas peu à donner à la tragédie toute sa densité psychologique et à faire porter tout son intérêt dans le domaine des luttes de passions, aussi dégagées que possible des événements, dont l'abondance nécessiterait un temps assez prolongé et des lieux fort variés.

Sarrasin et La Mesnardière établissent définitivement, en 1639, cette double règle et la fondent en raison ; elle se justifie par la nécessité, pour donner à l'œuvre sa perfection, d'unir la brièveté et la plénitude. D'Aubignac achève de justifier toute

(1) R. Bray, *op. cit.*, p. 265.

la rigueur de la règle des douze heures et l'unité de lieu, tandis que Corneille, dans ses *Discours*, répondra qu'on peut aller jusqu'à vingt-quatre heures, et même les dépasser un peu, et varier les lieux, à condition que le décor n'ait pas à changer. Après 1660, les unités ont définitivement triomphé, dans la lettre comme dans l'esprit.

Elles s'imposent même au point que de nombreux théoriciens veulent en appliquer le principe à de tout autres genres que le théâtre : l'épopée ne doit pas durer plus d'un an, six mois, dit même l'un d'eux ; le roman, ne doit pas dépasser un an ; l'églogue une heure. L'unité de lieu s'appliquera à l'épopée, au roman. Tant est forte cette idée que l'effet maximum de l'œuvre d'art ne sera obtenu que par la concentration.

L'unité de ton doit être ajoutée aux trois autres. Si le ton doit être un dans l'œuvre, comme le demande Horace au début de son *Art poétique*, le mélange des genres se trouve interdit ; on doit renoncer au poème héroï-comique, à la pastorale dramatique, à la tragi-comédie, à l'idylle héroïque comme le *Moÿse sauvé* de Saint-Amant, où se mélangent tragique et comique, sublime et familier, genres qui avaient pourtant toute la faveur du public. Cependant, sous la poussée de l'opinion savante, la distinction des genres s'impose de plus en plus, entre 1640 et 1660. Il ne s'agit pas tant là d'une règle héritée des anciens, malgré l'autorité d'Horace, que d'une nécessité logique en rapport avec toutes les distinctions et les précisions établies dans l'œuvre d'art, au cours de la première moitié du XVIIe siècle. Les genres se trouvent, pour deux siècles, cloisonnés et imperméables les uns aux autres. C'est contre cette loi capitale, mais particulièrement attaquable par la conception romantique de l'œuvre d'art, que s'acharneront d'abord les théoriciens du drame romantique.

Puisque les genres sont nettement séparés, ils ont chacun leurs règles propres, bien définies. Ce sont elles qu'il nous reste à voir pour épuiser la doctrine classique.

Chapitre VI

LA THÉORIE DES DIFFÉRENTS GENRES

A) L'Épopée et le Roman

La gloire immense de l'*Iliade* et de l'*Énéide* ont mis l'épopée au premier rang des genres poétiques. De même que les poètes n'ont cessé, de Ronsard à Voltaire, d'essayer de doter la France d'une épopée comparable aux chefs-d'œuvre antiques, de même les théoriciens ont tenté sans repos d'en préciser les règles. On donne à ce genre la prééminence sur les autres ; c'est lui qui nécessite chez l'auteur les qualités les plus variées, les connaissances les plus étendues, les dons les plus sublimes.

La caractéristique du genre est d'abord la grandeur guerrière, le sujet illustre comme les personnages ; on peut y introduire l'amour dans les épisodes, mais un amour sublime. Les héros doivent être parfaits et leurs défauts mêmes doivent être héroïques. Le sujet doit être pris dans l'histoire et non inventé, et dans l'histoire reculée ; l'action doit se dérouler théoriquement dans des pays lointains, étrangers à nos mœurs ; la matière doit être simple et sa richesse doit venir de l'imagination du poète dans le détail, non de l'abondance des faits importants.

Même précision dans la composition : quatre parties : la proposition, qui pose le sujet et le héros ; l'invocation aux dieux ; la narration, qui occupe presque tout l'ouvrage, liant entre eux les événements par une nécessité logique, sans les raconter dans l'ordre chronologique, ce qui fait la différence entre le poète épique et l'historien, et en commençant par un fait important ; le dénouement enfin, qui doit être surprenant, vraisemblable et favorable. Quant à la forme, elle sera versifiée.

La prose sera réservée à un genre tout voisin : le roman. Ce genre nouveau, tant est grande la discipline artistique, se soumet aux règles du poème épique. La seule différence entre eux est, outre l'absence d'invocation dans le roman, le fait que l'un est écrit en vers, l'autre en prose, et aussi que la guerre tient plus de place dans l'épopée, l'amour, dans le roman. En fait les règles les plus importantes du Roman sont la règle de la vraisemblance et celle de la bienséance ; on peut y ajouter celle de l'utilité morale.

B) La tragédie et la comédie

Il faut partir de la définition d'Aristote, à laquelle se réfèrent constamment théoriciens et poètes.

> La tragédie est l'imitation de quelque action sérieuse complète, ayant une certaine étendue, par un discours orné, dont les ornements ne se trouvent pas tous dans chaque partie, sous forme dramatique et non pas narrative, employant la terreur et la pitié pour purger les passions de ce genre.

Les définitions que donnent les commentateurs ajoutent quelques caractéristiques concernant le dénouement et la condition élevée des personnages ; Corneille pense, lui, que la nature sérieuse de l'action et la dignité des personnages suffisent à différencier la tragédie de la comédie.

En ce qui concerne l'action, tous les théoriciens sont d'accord : elle doit être puisée dans l'histoire, ou, ajoutent certains, la légende, et les poètes, à part d'infimes exceptions, obéissent tous à cette règle. Dans l'histoire, on emprunte surtout à l'histoire romaine, ou à la légende grecque ; en fait, les sujets modernes sont de plus en plus exclus, mais les critiques se taisent sur ce point. Aristote avait distingué l'action simple, qui ne contient ni péripétie, ni reconnaissance, et l'action implexe qui contient les deux choses, ou l'une des deux, et estimait que la tragédie devait être implexe. On le suit absolument sur ce point. Mais la tragédie doit-elle contenir beaucoup d'événements, ou non ? Chapelain, en 1630, explique que la tragédie doit être sur ce point extrêmement dépouillée :

> Les anciens ont avec grand jugement réservé le théâtre à la catastrophe seulement, comme à celle qui contenait en vertu toute la force des choses qui la précédaient... Le poème dramatique ne doit contenir qu'une action et encore de bien médiocre longueur... ; d'autre sorte, elle embarrasserait la scène et surchargerait extrêmement la mémoire (1).

D'Aubignac estime qu'il y a trois genres de sujets de tragédie : les sujets de passions, les sujets d'intrigue, les sujets de spectacle. Il recommande le premier, mêlé du second, et insiste pour qu'il soit le plus simple possible :

> Le poète doit toujours prendre son action la plus simple qu'il sera possible... Le plus bel artifice est d'ouvrir le théâtre le plus près qu'il sera possible de la catastrophe, afin d'employer moins de temps au négoce de la scène et d'avoir plus de liberté d'étendre les passions et les autres discours qui peuvent plaire.

C'étaient là, définis d'avance avec exactitude, les procédés de la tragédie racinienne, dont on voit avec quel scrupule elle suit la doctrine la plus autorisée. Cette règle nouvelle de la simplicité poussait encore la tragédie vers cette concentration à laquelle les divers principes et les diverses règles générales que nous avons vues la conduisaient déjà.

Le héros. — Aristote déclare qu'il ne doit pas être criminel ; « ni trop vertueux, ni trop juste » il doit « passer du bonheur au malheur non par l'effet d'un crime mais à cause d'une faute » (2). Il fera naître ainsi la terreur et la pitié. Si les autres théoriciens suivent Aristote, Corneille prend une position personnelle bien nette : le héros peut être un innocent qui tombe dans l'infortune ou un méchant malheureux. Selon Aristote, suivi par tous les modernes, le héros doit être dans un rapport de famille ou d'affection avec ceux qui forment l'autre pôle du drame ; il divise

(1) Cité par R. Bray, *op. cit.*, p. 312.
(2) R. Bray, *op. cit.*, p. 315.

en quatre, avec la plus grande rigueur, les cas qui peuvent se présenter lorsqu'un héros tue un autre personnage, donnant sa préférence aux thèmes où la reconnaissance imprévue de l'identité de la victime joue un rôle.

Les passions. — Aristote en admet deux à la base de l'impression tragique : la terreur et la pitié. La première est, au XVIIe siècle, à peu près exclue : l'auteur aurait trop souvent à choquer les bienséances. La pitié subsiste seule, avec, pour Corneille, et pour lui seul, l'admiration. Quant au rôle de l'amour, il est d'un autre ordre : si l'auteur cherche à exciter la pitié ou l'admiration, quelque place qu'il donne à l'amour dans sa tragédie, il ne cherchera pas à faire naître ce sentiment dans le cœur du spectateur. L'amour est un ressort, non une fin de l'action (1). Sous la pression du goût du temps pour la « galanterie », les théoriciens doivent accepter de faire une entorse, et grave, à la doctrine d'Aristote en admettant la peinture de l'amour dans la tragédie. Corneille proteste seul dans un passage fameux :

> La dignité de la tragédie demande quelque grand intérêt d'État, ou quelque passion plus noble et plus mâle que l'amour, telles que sont l'ambition ou la vengeance, et veut donner à craindre des malheurs plus grands que la perte d'une maîtresse. Il est à propos d'y mêler l'amour, parce qu'il a toujours beaucoup d'agrément et peut servir de fondement à ces intérêts, à ces autres passions dont je parle ; mais il faut qu'il se contente du deuxième rang dans le poème et leur laisse le premier.

Si, après « l'invention », on considère la « disposition », on trouve chez les théoriciens quantité de conseils précis qui sont plutôt des recettes de métier que les éléments d'une doctrine, et que, pour cette raison, nous laisserons de côté. On y verrait comment bâtir une exposition, conduire une intrigue, amener le dénouement, la péripétie, ou reconnaissance. Tous points de détail sur lesquels discutent abondamment les théoriciens. Mêmes directives précises sur la durée de la représentation (trois heures) sur la longueur (entre quinze cents et dix-huit cents vers),

(1) Cf. *id.*, p. 320.

le nombre d'actes (cinq) et leur contenu, sur la liaison des scènes, imposée, après une controverse, par d'Aubignac, sur les apartés, sur les monologues, etc... Retenons seulement que ces préceptes de détail sont tous soigneusement rattachés à quelqu'un des grands principes de la doctrine classique.

La théorie de la comédie se réduit à peu de chose. Aristote n'en dit à peu près rien ; ses commentateurs la définissent comme « un poème dramatique d'intrigue mettant en scène des personnages de basse condition dans des actions tirées de la vie quotidienne » (1). Le vraisemblable y doit triompher plus qu'ailleurs, le dénouement doit être favorable, l'intrigue inventée. C'est tout ce qui est particulier à ce genre. Pour le reste, les règles de la tragédie sont valables, ou le génie naturel de l'auteur peut suffire.

C) LES GENRES MIXTES : TRAGI-COMÉDIE ET PASTORALE DRAMATIQUE

La doctrine classique affirme le grand principe de la séparation des genres ; elle exclut par là les genres mixtes. Cependant le goût du public les imposa de 1550 à 1630 et la manie de théoriser était telle qu'il a bien fallu leur bâtir une théorie. La tragi-comédie est une tragédie qui finit bien ; sérieuse dans son sujet comme la tragédie, elle est cependant inventée comme la comédie ; les personnages nobles de la tragédie y côtoient les personnages plus humbles de la comédie ; le ton est tantôt noble, tantôt familier.

La pastorale dramatique se plia facilement, dès 1630, à la règle classique et s'intégra peu à peu à la comédie.

La comédie héroïque est une pièce dont les personnages sont ceux de la tragédie, le sujet celui d'une comédie ; Corneille en a fait la théorie dans la dédicace de son *Don Sanche d'Aragon.*

(1) R. Bray, *op. cit.*, p. 353.

D) Les petits genres : Bucolique, lyrisme, satire

La poésie bucolique met en scène des bergers qui chantent la nature et leurs amours ; son mérite principal doit être l'aisance et le naturel ; elle doit fuir tout ce qui est contraire aux bienséances, en théorie la grossièreté, mais, en fait tout ce qui est un peu rude, tout ce qui a un rapport direct avec la réalité campagnarde. Le genre est artificiel ; les auteurs ni le public ne se font d'illusion à ce sujet ; les théoriciens non plus.

L'élégie est, selon le P. Rapin,

> un poème destiné aux pleurs et aux plaintes... d'un caractère douloureux. Mais on s'en est servi depuis dans les sujets tendres... On appelle indifféremment élégie parmi nous tout ce qu'on veut.

C'est en effet le genre aux frontières les plus flottantes, devant lequel la doctrine se tait, puisque tout son mérite est dans la douceur de l'expression, sur laquelle aucune règle ne saurait donner de conseils, dans « la délicatesse de la peinture des sentiments » (1), ce qui est affaire de don personnel, et dans la sincérité, qui exclut à peu près toute règle.

Même carence des théoriciens en ce qui concerne l'ode, type le plus représentatif du genre lyrique. On lui demande de la noblesse dans « l'expression comme dans la matière » ; ses sujets sont très variés : « Louange des Dieux, éloge des grands exploits, amour. » Mais ce qui lui donne sa place originale parmi toutes les autres productions poétiques, c'est qu'au lieu de se soumettre à la raison, elle veut cette « fureur » que Ronsard demandait dans toute création poétique ; elle doit donner l'apparence du désordre.

Les « petits genres », rondeau, madrigal, ballade, épigramme, satire, n'ont guère de lois que l'agrément d'esprit de l'auteur. Point de théorie à leur sujet.

(1) R. Bray, *op. cit.*, p. 353.

***

Nous avons vu sous quelles influences la doctrine classique s'est formée ; nous avons vu ensuite les grands principes de cette doctrine et les lois particulières des genres, telles que les ont établis les théoriciens, les « doctes », entre 1630 et 1660 environ. Par un travail assidu, par une méditation logiquement conduite, une pléiade de théoriciens, dont le plus solide, le plus original est peut-être Chapelain, sont arrivés, en une trentaine d'années, à établir une doctrine littéraire qui n'a jamais eu sa pareille en aucun cas, en aucune période, pour son homogénéité, sa solidité, sa rigueur. Vers 1660, elle est entièrement constituée et achevée ; 1660, c'est-à-dire avant que n'écrivent la grande majorité de nos poètes les plus en vue : Molière, Racine, La Fontaine, Boileau.

Après 1660, que pensèrent ces réalisateurs de génie, ces praticiens, des théories de leurs prédécesseurs ? N'eurent-ils pas eux-mêmes leurs idées sur leur art ? Que devint entre leurs mains cette doctrine si bien établie ?

Chapitre VII

LA DOCTRINE LITTÉRAIRE DES GRANDS GÉNIES

De ces génies créateurs, il en est un au moins que nous avons constamment rencontré au cours des deux chapitres précédents, c'est Corneille. Corneille, en effet, a écrit la majorité de ses œuvres dramatiques au moment même où s'élaborait la doctrine classique. C'est par rapport à son œuvre — pour ou contre — que s'est en partie formée cette doctrine. La querelle du *Cid*, par exemple, par les polémiques qu'elle a provoquées, a forcé les doctes à analyser leur pensée, et à exprimer diverses lois de l'œuvre d'art. Corneille lui-même, souvent attaqué, s'est défendu dans ses *Préfaces* et ses trois *Discours sur le poème dramatique.* Il s'est ainsi formé, jusqu'en 1660, date de l'édition complète de ses œuvres publiées jusque-là en trois volumes, une doctrine particulière, très respectueuse d'Aristote et de ses interprètes, sans doute — car Corneille a senti qu'il ne pouvait, à lui seul, aller contre un irrésistible mouvement d'opinion — mais originale sur plusieurs points.

La doctrine voudrait que la tragédie moralisât ? Corneille soutient que son seul but est de plaire. Elle voudrait que le héros ne fût jamais complètement criminel ? Corneille défend Cléopâtre de sa *Rodogune*, criminelle sans aucun scrupule mais caractère fortement trempé : la volonté farouche, même au service du crime, est un caractère de tragédie. On voudrait que le vraisemblable triomphât partout ? Corneille affirme au contraire que l'invraisemblable, s'il est du domaine du possible, est plus capable de toucher le spectateur en « remuant fortement ses passions ». On impose les « unités » ? Corneille se soumet, mais montre à quelles difficultés on se heurte en les appliquant.

Les théoriciens accordent une grande place à la peinture de l'amour ? Corneille déclare que l'amour « est une passion trop chargée de faiblesse, pour être la dominante dans une pièce héroïque » (1). Aristote demande un héros où la vertu soit mêlée de défauts ? Corneille prétend que le héros tragique peut être « très vertueux ou très méchant » (2). La loi de la séparation des genres est une loi absolue ? Corneille fait la théorie d'un genre mixte tout nouveau, où les genres sont mêlés, la comédie héroïque.

On voit donc quelle puissante originalité montre Corneille sur certains points. Elle s'explique moins par un trait essentiel de son caractère que par une raison historique ; la doctrine classique n'avait pas encore, quand lui-même faisait jouer ses premières pièces et établissait son système dramatique, toute l'autorité dont elle a joui en 1660 et après. Cependant cette autorité ne doit pas nous cacher le parfait accord qui règne entre la doctrine de Corneille et celles des *Doctes* sur tous les grands principes de l'Art. En fait, l'originalité de Corneille vient de la conception qu'il se fait de la tragédie comme de la représentation d'une grande action, plutôt que de caractères ; mais cette notion une fois admise, on voit combien il a contribué pour sa part à répandre le rationalisme, l'imitation de la nature et des anciens, les bienséances, le merveilleux humain, etc.

Quant à Racine, il semble que les doctes n'aient travaillé que pour lui, dans le domaine du théâtre, tant son génie a profité des contraintes qu'ils imposaient à son art. Mais la manière même dont il utilise leurs préceptes et dont il s'en dégage offre la plus lumineuse image des rapports qui doivent s'établir entre le théoricien et le praticien.

Les textes où Racine exprime sa doctrine sont uniquement constitués par les préfaces de ses tragédies, de 1665 à 1677 ; ils sont fort courts et le travail constructif de Racine ne saurait

(1) Lettre à Saint-Evremond, 1666.
(2) Deuxième *Discours*, 1660.

se comparer à celui de Corneille. Il dégage simplement d'une théorie dont nous avons vu la complexité, quelques points sur lesquels il donne son avis, accentuant en général l'opinion des doctes plutôt que s'y opposant.

L'action doit être réduite à sa plus extrême simplicité pour être vraisemblable, puisqu'elle doit s'écouler en un seul jour, et le jeu des sentiments en est le seul soutien (première préface de *Britannicus*). C'est là un prolongement naturel de la doctrine établie avant 1660 et la conclusion logique à laquelle seule l'avait empêchée de parvenir la considération de la pratique des auteurs contemporains de son établissement. De même lorsque Racine recommande de ne rien porter sur la scène qui ne soit nécessaire à la conduite de l'action vers sa fin ; de même lorsqu'il plie la vérité historique au jugement que se font les « honnêtes gens » des mœurs et des maximes de la période évoquée.

Les réformes que propose Racine sont donc minimes ; le grand progrès qu'il apporte n'est point dans la doctrine, mais dans la pratique ; il consiste à apporter à la peinture des passions la délicatesse et l'intensité sentimentale que n'avaient pas ses prédécesseurs, et l'aisance, la finesse et l'harmonie de l'expression qui lui permet de compléter ce qu'avait d'excellent la doctrine par ce qu'avait de parfait son goût personnel.

Parmi les genres considérés, nous n'avons pas étudié la théorie de la fable. C'est que les théoriciens ne s'en sont pas occupés — ce qui suffit à expliquer le silence que garde Boileau sur ce genre dans l'*Art poétique*. La Fontaine s'expliqua fréquemment, quoique brièvement, sur la manière dont il comprenait la théorie de ce genre (1).

Son maître est ici Ésope et ses *Fables*, non Aristote et sa *Poétique*. Le but de la fable est double : elle doit instruire par sa *morale*, mais cette morale ne sera efficace que si le *conte* sait

(1) Voir en particulier : préface du premier recueil des *Fables*, 1668 ; avertissement du second recueil, 1678 ; *Discours à Madame de La Sablière* (livre X, 1), 1679 ; troisième *Discours à Madame de La Sablière*, 1684 ; fable 1 du livre VI, 1668.

plaire ; le conte seul, d'autre part, serait un vain divertissement s'il ne servait à faire « passer le précepte avec lui ». Pour plaire, il faut *varier*, non les sujets, mais l'expression et les détails du récit, comme dans une conversation ; c'est ce qu'il appelle *gaîté :* égayer, pour lui, c'est semer son récit de détails familiers et donner un « air agréable » à tous les sujets. Quant à l'enseignement, il sera double : moral : la fable formera « le jugement et les mœurs » ; scientifique, parce qu'elle instruit des « propriétés des animaux » et des raisons des rapprochements que l'on fait entre certains hommes et certains animaux. Ce sont là les lois précises du genre ; il va sans dire que pour les grands principes de l'œuvre littéraire, La Fontaine obéit tout naturellement à ceux qui s'étaient établis avant 1660.

Nous avons vu la pauvreté de la doctrine classique en ce qui concerne la comédie. Or, c'est à ce genre que s'est consacré un des plus grands esprits du siècle. Molière a non seulement le don théâtral sous tous ses aspects, mais aussi le goût des idées, et les attaques violentes auxquelles il a été en butte dès ses premières pièces jouées à Paris lui ont donné l'occasion de livrer au public quelques éléments d'une théorie de la comédie. Parmi ces ennemis, se trouvaient les « doctes », les « pédants », qui critiquaient au nom de l'orthodoxie dogmatique ce qui avait l'approbation des honnêtes gens et de la Cour, ce qui était le fruit d'une longue pratique des nécessités concrètes du théâtre. C'est fort de son succès et de son expérience que Molière va leur répondre. Au fond, il adopte absolument les fondements de la doctrine classique, et nul n'a su mieux que lui donner vie aux principaux d'entre eux. Mais lorsqu'il en juge quelques-uns en opposition avec la pratique de la scène, il n'hésite pas à placer celle-ci avant eux, et à considérer le public comme une autorité plus grande que Chapelain ou d'Aubignac (1). Il en vient ainsi avec une audace presque unique

(1) Principaux textes à consulter : préface des *Précieuses ridicules*, 1659 ; avertissement des *Fâcheux*, 1661 ; la *Critique de l'Ecole des Femmes*, 1663 l'*Impromptu de Versailles*, 1663 ; préface de *Tartuffe*, 1668.

alors, à critiquer le principe même des règles. « Ce ne sont là que quelques observations que le bon sens a faites sur ce qui peut ôter le plaisir que l'on prend à ces sortes de poèmes... le même bon sens qui les a faites autrefois les fait aisément tous les jours sans le secours d'Horace et d'Aristote » ; « vous êtes de plaisantes gens avec vos règles dont vous embarrassez les ignorants et nous étourdissez tous les jours... Je voudrais bien savoir si la grande règle de toutes les règles n'est pas de plaire ». On lui oppose qu'il ne respecte pas les bienséances ; il répond qu'il copie la nature et fait œuvre morale en peignant les vices et les ridicules dans leur vérité, que le but de la comédie est d'attaquer le vice, et que le seul moyen pour atteindre ce but est d'être à la fois exact dans l'observation et général dans la peinture. Molière, qui s'est moqué des règles, n'en affirme que mieux les grands principes de la doctrine classique.

Boileau, dont l'*Art poétique* parut en 1674, est considéré généralement comme une manière de créateur de la doctrine classique. Nous avons vu ce qu'il faut penser de cette tradition. Quand Boileau commença à écrire ses premières *Satires*, en 1660, la doctrine qu'il allait exprimer quatorze ans plus tard était déjà fermement établie et généralement approuvée. Les ennemis qu'il accable, il ne fait que les achever ; le burlesque, le précieux, l'emphase étaient également mourants ; des grands principes que contient son œuvre didactique, il n'en est pas un qu'il ait inventé ni retrouvé le premier ; il est même bien loin de la précision et de la profondeur de ses meilleurs devanciers ; il reste trop souvent dans le vague, et ce n'est pas dans son œuvre comme dans celle des théoriciens dont nous avons passé en revue les idées qu'un esprit désireux de s'instruire à fond dans les principes de l'art littéraire et dans les règles des genres pouvait trouver profitable leçon. Vulgarisateur de cette science critique, il l'a simplifiée, souvent déformée, mais il a eu l'incontestable mérite d'en couler les principes dans des vers inoubliables par leur fermeté ou leur justesse. Ce n'est guère que dans ses *Réflexions sur Longin* (1694) qu'il fait vraiment œuvre de critique, remontant aux sources et cherchant une position personnelle. Néanmoins, l'apport dogmatique de Boileau reste très faible, et dans une histoire des doctrines littéraires, la place ne peut que lui être très mesurée. Ses idées ne sont précises et originales que lorsqu'il s'agit de genres qu'il traite lui-même et en particulier de la satire.

Nos grands poètes classiques élargissent et assouplissent la doctrine établie par les grands théoriciens du classicisme ; après 1660, en effet, ce que cette doctrine offre de rigoureux et presque d'automatique, se trouve corrigé par une notion nouvelle et qui prend dès lors le premier pas : le goût. Les principes une fois admis sans contestation dans la création littéraire, l'évolution classique n'était pas close. Ronsard et son école conseillaient d'imiter les anciens ; ils pensaient qu'une imitation aussi scrupuleuse et érudite que possible révélerait à elle seule les moyens d'atteindre à la perfection. Chapelain et les théoriciens du XVIIe siècle estimèrent que l'imitation seule était inopérante ; il fallait saisir d'abord les principes abstraits de l'œuvre d'art à leur source, chez Aristote et les Italiens, les élucider, les exposer, les approfondir. Boileau et les critiques du XVIIIe siècle jugeront que les principes et les règles ne suffisent pas, que l'art proprement dit risque de passer entre les mailles du filet idéologique, et qu'un principe nouveau, le goût, doit intervenir dans l'application de la doctrine. Ce goût a surtout son domaine dans l'expression ; il relève de la rhétorique, qui ne constitue pas une doctrine littéraire ; mais nous le retrouverons parce que, au XVIIIe siècle surtout, il deviendra la règle des règles, et, de qualité d'expression, passera au rang de principe universel, auquel tous les autres devront se soumettre. On commettra la même erreur que Ronsard ; on croira que l'imitation minutieuse du dessein et de l'expression des grands classiques, de Racine surtout, suffirait pour retrouver leur génie et pour égaler leurs chefs-d'œuvre ; on négligera cette doctrine puissante et si consciencieusement élaborée où eux-mêmes avaient puisé les principes de leur art.

DEUXIÈME PARTIE

TRADITION ET NOUVEAUTÉS
(1675-1789)

Entre *L'Art poétique* de Boileau (1674) et la mort de Chénier, ou tout au moins sa mort littéraire (1790), s'écoule plus d'un siècle qui ne verra aucune construction doctrinale comparable à celle que nous avons vue s'établir au siècle précédent. D'une manière générale ce siècle littéraire est rempli par la lutte entre deux courants également puissants ; d'une part le respect de la tradition doctrinale, d'autre part un irrésistible besoin de nouveautés. Mais ces deux courants ne sont pas formés par des critiques différents ; chacun de ces critiques, ou presque, porte en lui le germe des deux tendances ; le respect pour le passé est trop grand pour qu'aucun ose s'en libérer et le combattre ouvertement ; le besoin de nouveauté est trop fort pour qu'aucun n'essaye pas d'adapter les doctrines héritées du siècle précédent aux goûts nouveaux du public, aux mœurs, aux modes de pensée, à la vie sociale, à la philosophie nouvelles. On perdra de vue les principes ; on en adoptera inconsciemment de nouveaux, mais on respectera la règle qui en découlait logiquement et qui deviendra par là absurde ou gênante. Le plus grand écrivain du siècle, Voltaire, celui dont l'autorité, quand il s'agit de littérature, sera le plus unanimement estimée et respectée, imbu de l'admiration absolue de l'art classique, maintiendra son temps, avec la ténacité la plus intransigeante, dans les voies du goût traditionnel, du moins dans ses œuvres à hautes visées littéraires, dans son œuvre poétique. Mais ce même Voltaire, novateur en philosophie, au sens le plus large du mot, ne pourra faire qu'en changeant le but de l'œuvre d'art, et dans son désir passionné de plaire à un public de Cour ou de salons lui-même fort évolué, il ne modifie le dessein de l'œuvre d'art et n'apporte des leçons sinon des conseils de renouvellement. Dans l'ensemble, et dans ce domaine, il représente, sans aucun doute, la tradition, et fut le frein le plus puissant aux tentatives de révolution littéraire. C'est en effet sur le terrain de la poésie, du théâtre et de l'épopée en particulier, que se jouait le sort des doctrines littéraires, et, sur ce point, nul ne pouvait être comparé à Voltaire. Bien après sa mort, et jusque vers 1830, son autorité se maintiendra sur ce point dans une grande partie du public. La Harpe, par son autorité de critique, son étroit dogmatisme, prolongea et intensifia son influence bien après la Révolution. Il faut avoir constamment à l'esprit la force de ces résistances pour ne pas s'étonner de la lenteur qu'ont mises en France les nouvelles idées littéraires à triompher, alors qu'on en voit les germes si tôt, dès la fin du XVIIe siècle. La doctrine classique avait encore toute son heureuse influence que déjà de nouvelles idées littéraires se faisaient jour ; c'est pourquoi nous commençons cette période au lendemain de l'*Art poétique*, quand La Fontaine était loin d'avoir achevé son recueil des *Fables*, Racine ses tragédies, Boileau ses satires et ses épîtres, Bossuet, sa carrière d'orateur. Chapelain vient de mourir : il semblait que ce fût le signe attendu pour promouvoir à la lumière des vues audacieuses.

Chapitre Premier

LA QUERELLE DU MERVEILLEUX CHRÉTIEN LA QUERELLE DES ANCIENS ET DES MODERNES

La doctrine classique ordonnait l'emploi du merveilleux dans l'épopée. La religion chrétienne, avec ses miracles, n'offre-t-elle pas la matière idéale sur ce point ? Le moyen âge l'avait utilisée instinctivement ; Le Tasse, si universellement admiré pour sa *Jérusalem délivrée* (1578), offrait un modèle de poésie épique à sujet chrétien ; au xvie siècle, Garnier, Montchrestien, du Bartas avaient écrit tragédies ou récits épiques fondés sur le merveilleux chrétien. Vauquelin de La Fresnaye en 1605, réclamait une poésie d'inspiration chrétienne. Godeau, familier de l'hôtel de Rambouillet, mais qui devait devenir évêque de Vence, publia en 1633 ses *Œuvres chrétiennes*, avec une préface où il invitait les poètes à le suivre dans cette voie, et jusqu'en 1660 ses œuvres poétiques eurent la même inspiration. Après 1640 et avant 1645, on peut voir une dizaine de tragédies sacrées, dont *Polyeucte*.

Mais les doctes condamnèrent ces essais au nom du sentiment religieux lui-même. C'était profaner les choses saintes que de les mêler aux erreurs de la fable et aux faux agréments de l'art. Après 1650, d'Aubignac, Corneille lui-même, Saint-Evremond, et d'autres théoriciens proscrivent cet emploi de la religion au théâtre.

Dans l'épopée, les essais, qui paraissent plus tardifs à cause du long travail que consacrèrent les auteurs à leur œuvre, furent nombreux ; de 1653 à 1673, on compte une vingtaine d'épopées chrétiennes ; chacune, ou presque, appuyée par un discours, une dissertation, une préface destinés à défendre le principe de ce genre nouveau.

Le principal défenseur de cette cause fut Desmarets de Saint-Sorlin ; dès 1650, il se déclare l'adversaire de la poésie païenne, publie en 1657 son *Clovis*, en vingt-quatre chants, et, de 1670 à 1674, multiplie les œuvres poétiques et les écrits théoriques en faveur d'une poésie chrétienne, utilisant pour sa thèse le principe même de la vraisemblance.

Une des premières règles de cette littérature nouvelle est de ne pas introduire les divinités païennes dans un sujet chrétien ; cette règle, précisée dès 1636 au cours d'une dispute retentissante entre Balzac et Heinsius, s'impose de plus en plus après 1660. Une seconde règle impose le respect absolu de l'Histoire sainte et interdit là ces libertés que la doctrine autorisait l'auteur à prendre ailleurs avec l'histoire ; ici, par exception, et c'est là la première brèche importante dans la construction si logique de la doctrine classique, la vérité doit l'emporter sur la vraisemblance. Tout ce qu'il est loisible au poète de faire, c'est d'ajouter des détails pour « rendre la vérité plus belle » (1).

Que ces tentatives n'aient abouti qu'à des échecs, on ne le sait que trop ! Le génie n'était pas à la hauteur des ambitions et, surtout, les modèles païens, Homère et Virgile, étaient trop constamment présents à l'esprit des auteurs modernes, qui ne faisaient que transposer en langage, en procédés chrétiens les procédés et les expressions antiques. Boileau, en 1674, attaquant Desmarets et le principe même d'une poésie chrétienne, gagnait une victoire depuis longtemps certaine.

En fait, les défenseurs de la poésie chrétienne, et Desmarets en tête, représentaient des « modernes ». Il y avait, au fond de leurs revendications, un besoin, parfois explicite, d'accorder la littérature à l'esprit du siècle où elle s'épanouissait ; il leur semblait paradoxal et presque monstrueux, qu'un siècle si parfaitement chrétien dût n'avoir qu'une poésie étrangère à ses plus intimes préoccupations. Leur effort pouvait avoir comme conséquence, malgré qu'ils en eussent, de secouer le joug de l'antiquité, et de remplacer la doctrine classique, dont

(1) R. Bray, *op. cit.*, p. 300.

le triomphe s'affirmait, par une autre conception, moins purement formelle, ou le criterium du beau ne serait plus un ensemble de dogmes intellectuels et esthétiques mais un sentiment vraiment moderne. C'était la première brèche faite à l'humanisme si longtemps triomphant. Comment croire en effet que la vérité ne fût pas capable d'engendrer des chefs-d'œuvre comme les mensonges du paganisme ? Comment croire même qu'une littérature inspirée du vrai Dieu ne fût pas supérieure à celle qui s'inspirait des païens et de leurs idoles ?

La question de la poésie chrétienne, telle qu'elle s'est posée de 1635 à 1674 est donc bien le premier acte d'une lutte entre l'esprit moderne — ici l'âme chrétienne — et l'esprit ancien — ici la mythologie païenne. Sur ce terrain, disons-le tout de suite, les Modernes seront vaincus, jusqu'à ce que Chateaubriand, en 1802, remporte, avec son *Génie du Christianisme*, une éclatante victoire.

Quelques années après l'*Art poétique*, la lutte devait reprendre et s'élargir, sous le nom de *Querelle des anciens et des modernes ;* cette querelle dura de 1683 à 1719, mais comprend deux périodes dont l'objet et les acteurs sont tout différents.

La première querelle s'étend sur les années 1683-1700 ; elle devait se terminer par la victoire des modernes, victoire discrète et partielle, mais certaine.

Le premier acteur de la lutte fut François Charpentier (1620-1702) ; à l'Académie des Inscriptions et Médailles, il recommanda avec chaleur l'emploi du français au lieu du latin dans les inscriptions des monuments publics, et c'est pour soutenir sa thèse qu'il publia en 1683 son ouvrage : *De l'Excellence de la langue française.* Il y déclare que si nous préférons les anciens, c'est par jalousie à l'égard des auteurs français contemporains. Comment se sentir aussi puissamment touché par les écrivains français que par les latins, et ne pas reconnaître que notre langue a autant d'harmonie que la leur « puisque celle-ci ne peut avoir eu d'autre effet que de plaire aux oreilles, et que les nôtres sont tous les jours charmées du son et de l'arrangement de nos paroles » ? Autre argument : les anciens sont, à dire vrai, plus jeunes que nous ; ils ont moins d'expérience ; « le genre humain ayant ajouté deux mille ans à sa durée, a si fort perfectionné ses premières connaissances par ses dernières découvertes que nous pouvons nous vanter sans orgueil que notre siècle est plus éclairé que le leur » (1). D'ailleurs notre littérature a déjà produit des ouvrages d'une valeur égale à ceux de Cicéron et de Virgile ; en particulier nos orateurs sacrés valent bien les orateurs politiques de l'antiquité ; l'emploi de l'éloquence a changé, non sa qualité. De plus, en nous obstinant dans l'admiration unique des anciens, nous risquons de ne pas faire progresser notre langue ; et en passant un long temps de notre vie à étudier les langues anciennes, nous perdons un temps précieux qui pourrait être mieux utilisé à faire progresser les sciences.

Saper la culture gréco-latine, n'était-ce pas risquer d'abattre la doctrine classique fondée sur elle ? N'était-ce pas inviter à former une nouvelle esthétique fondée sur des principes plus modernes, plus directement en rapport avec les mœurs du siècle ?

L'ouvrage de Charpentier continue les tentatives de Desmarets. Sans qu'on puisse établir de lien étroit entre les deux auteurs, il n'est pas niable que leurs efforts vont dans le même sens et conduisent à diminuer l'influence gréco-latine et le prestige des anciens. Mais l'ouvrage de Charpentier, qui, en fait, ne parlait que de la langue, n'eut aucun retentissement. Il n'en est pas de même du discours en vers que lut Charles Perrault à l'Académie française dans la séance du 26 janvier 1687, discours intitulé : *Le Siècle de Louis le Grand.*

Charles Perrault, l'auteur des fameux *Contes*, développe cette thèse générale que, *a priori*, les écrivains modernes, incomparablement plus savants que les anciens, doivent les dépasser ; que d'ailleurs, en fait, les grands auteurs du siècle

(1) *De l'excellence...*, I, ch. XXIV, et II, ch. XXVI.

de Louis XIV, grâce à la protection du roi, s'élèvent à la hauteur des anciens. La thèse était discutable ; elle n'était pas choquante en soi ; elle le devenait par les attaques que lançait l'orateur contre les plus respectés des auteurs anciens et le mépris supérieur dont il faisait montre à leur égard.

La Fontaine répondit, la même année, dans son *Épître à Huet*, évêque d'Avranches et érudit de valeur. Les ouvrages des grands poètes de l'antiquité demeurent, y dit-il, les meilleurs modèles, mais il se plaint que le goût du temps ne le suive pas sur ce point.

Fontenelle, en 1688, prend position dans sa *Digression sur les anciens et les modernes :* les anciens n'avaient pas le cerveau autrement fait que les modernes, et nos modernes peuvent, *a priori*, faire aussi bien qu'eux ; quant à la différence que les climats peuvent produire entre les esprits, elle est annihilée par la culture. Les modernes ont hérité de tout ce qu'ont acquis les siècles précédents ; « ce n'est qu'un même esprit qui s'est cultivé pendant tout ce temps-là » ; l'humanité qui a connu sa jeunesse du temps des anciens, a pu alors mieux réussir dans les genres qui demandent plus d'imagination que de raison ; nous sommes maintenant dans l'âge viril, où l'homme « raisonne avec plus de force et a plus de lumières que jamais » ; mais cette humanité ne saurait, en vieillissant, et en acquérant toujours plus de raison, perdre les qualités de sa jeunesse. Un jour viendra où la postérité, plus impartiale que les contemporains, mettra les grands écrivains du siècle de Louis XIV sur le même plan que les anciens, et préférera peut-être ceux-là à ceux-ci. Enfin, « rien n'arrête tant le progrès des choses, rien ne borne tant les esprits que l'admiration excessive des anciens ». Le culte d'Aristote a longtemps empêché le progrès de la philosophie et de la science ; il en serait de même, si Descartes devenait un jour l'objet d'un culte analogue.

L'importance de l'ouvrage de Fontenelle est grande ; son esprit si clair pose admirablement le problème. Les moins réfléchis des esprits ne pouvaient pas ne pas être frappés des énormes progrès qu'avaient fait la science et la philosophie en moins de cent ans. Sur ce point la supériorité des modernes était incontestable. Cette considération devait forcément influencer toute comparaison entre les anciens et les modernes. Elle devait influencer tout jugement même qui n'eût dû porter que sur la littérature. Car la littérature n'est pas art seulement ; elle est aussi pensée ; les théoriciens du classicisme le plus orthodoxe n'avaient-ils pas affirmé comme un principe essentiel que le génie naturel, guidé par l'art, devait être soutenu par une science universelle (1) ? Desmarets, le dernier, en 1670, en 1673 demandait au poète d'être « savant universellement », de connaître « l'histoire, la géographie, l'astronomie, les choses de la nature, la logique, la morale, la rhétorique, les fables, l'agriculture, l'architecture, la peinture, la sculpture, la perspective, la musique »... et j'en passe ! C'est par ce côté que la doctrine classique ouvrait la porte aux nouveautés ; c'est par là qu'on pouvait la ruiner tout entière en obéissant à un de ses préceptes essentiels. En effet, si cette érudition était nécessaire, les progrès des connaissances ne pouvaient que rendre l'œuvre plus parfaite et assurer la supériorité des modernes. Fontenelle, qui est au fond un moderne, s'empressa de profiter de ce défaut de la cuirasse.

La doctrine classique, nous l'avons vu, a comme clef de voûte la raison. C'est à elle que se ramènent, en fin de compte, tous les autres principes. Or, ce n'est pas la science et la philosophie seules qui ont fait des progrès, c'est la raison aussi, c'est ce qu'il appelle, un des premiers, *les lumières*, d'un terme qui fera fortune au point de désigner, pour l'Europe littéraire, le siècle suivant, ce siècle que Fontenelle annonce et marquera du coin de son intelligence. D'où nouvelle cause *a priori* de la supériorité des modernes.

Cette même année 1688, La Bruyère publiait ses *Caractères*, précédés de son *Discours sur Théophraste*, où il défend les anciens contre le reproche de grossièreté en fait de mœurs : qui sait si l'avenir n'en dira pas autant des nôtres ?

Charles Perrault reprit l'offensive la même année encore, en commençant à publier ses *Parallèles des anciens et des modernes*, qui comporteront quatre volumes dont la publication durera jusqu'en 1697. Il y développe largement ses idées.

« Il concède que dans les choses où la seule vivacité de l'es-

(1) Voir R. Bray, *op. cit.*, pp. 94-98.

prit peut suffire, les siècles n'ont point d'avantage les uns sur les autres, la nature étant toujours la même... (1) » Ce n'est que dans « les ouvrages qui demandent beaucoup d'art (c'est-à-dire de *métier*) et beaucoup de conduite » que la supériorité d'un siècle peut éclater. Ainsi, dans les sciences, la supériorité des modernes ne saurait faire de doute.

On saisit ici comment le fait que la doctrine classique mettait tout l'accent sur les procédés d'art, sur la technique de l'œuvre, contenait en elle-même de quoi détruire un de ses grands principes : l'admiration pour les anciens. Puisque nous sommes incontestablement plus savants qu'eux dans la connaissance des règles de l'art, un écrivain de notre temps sera, à génie égal, presque obligatoirement plus heureux et plus achevé qu'un ancien. La supériorité — admise alors comme une évidence — de Virgile sur Homère, renforçait cette idée en fixant les premiers points d'une courbe ascendante.

Perrault démontre sa thèse en énumérant une série de causes de la supériorité des modernes dont la somme fait pencher la balance en leur faveur :

> La première est le temps, dont l'effet ordinaire est de perfectionner les arts et les sciences. La seconde, la connaissance, plus profonde et plus exacte, qu'on s'est acquise du cœur de l'homme et de ses sentiments les plus délicats et les plus fins, à force de la pénétrer. La troisième, l'usage de la méthode, presque inconnu aux anciens, et si familière aujourd'hui à tous ceux qui parlent ou qui écrivent. La quatrième, l'impression, qui, ayant mis tous les livres entre les mains de tout le monde, y a répandu en même temps la connaissance de ce qu'il y a de plus beau, de meilleur et de plus curieux dans tous les arts et dans toutes les sciences. La cinquième, le grand nombre d'occasions et de besoins que l'on a d'employer l'éloquence que n'avaient point les hommes des siècles éloignés... (2).

L'autorité de Boileau avait beaucoup grandi depuis 1674, il était l'ami de tous ceux, qui, à l'Académie, représentaient

(1) *Parallèles*, II, *Préface*.
(2) *Parallèles*, II, dial. III.

le parti des anciens ; il commençait à faire figure de critique autorisé, après n'avoir paru longtemps qu'un satirique malveillant. Or, depuis 1683, depuis le début de la Querelle, il avait paru se taire ; sans doute, il lançait des épigrammes contre Perrault et son clan, et essayait, dans son *Discours sur l'ode* (1693), de faire comprendre le génie de Pindare, le poète grec le plus éloigné peut-être du goût moyen de l'époque ; mais il se devait d'entrer dans la bataille et d'opposer aux *Parallèles* un ouvrage qui fît autorité. Ce furent ses *Réflexions sur Longin*, qui parurent au nombre de neuf, en 1694. Il concède à l'adversaire que nombre d'écrivains anciens, tant grecs que latins, sont médiocres, et que les meilleurs des modernes leur sont bien supérieurs. Il précise que si certains anciens ont droit à toute notre admiration, ce n'est pas parce qu'ils sont anciens mais parce que « l'antique et constante admiration qu'on a toujours eue pour les ouvrages de l'antiquité est une preuve sûre et infaillible qu'on les doit admirer ». Quant aux modernes « il ne faut pas, quelque admirable que nous paraisse un écrivain moderne, le mettre trop aisément en parallèle avec ces écrivains admirés durant un si grand nombre de siècles, puisqu'on n'est pas même sûr que ses ouvrages passent avec gloire au siècle suivant » (1).

C'était le bon sens même ; de plus grand bon sens encore est *La Lettre* qu'il écrivit à Perrault en 1700, et par laquelle se termine la première Querelle. Puisque les meilleurs esprits du temps, y déclare-t-il, ont applaudi avec ardeur aux ouvrages des philosophes, moralistes et poètes modernes, pourquoi vouloir décrier les anciens comme si l'on avait à se venger sur eux du tort fait par leurs partisans aux modernes ? Les anciens, de plus, ont droit à notre reconnaissance, car c'est en les imitant que les meilleurs des modernes se sont élevés jusqu'à eux. Enfin, si l'on compare la littérature du siècle de Louis XIV ou, mieux, du XVIIe siècle, non pas à toute l'antiquité gréco-latine en bloc mais à une période de même durée de cette littérature, le siècle d'Auguste, par exemple, il faut reconnaître que, si nous n'avons rien à opposer à Virgile et à Cicéron, à Tite-Live

(1) *Réflexions sur Longin*, VIIe *Réflexion*.

et à Salluste, aux satiriques et aux élégiaques, la tragédie, la comédie, le lyrisme noble, le roman, la philosophie, la science, l'emportent de beaucoup chez nos modernes.

Ainsi se terminait, par la réconciliation publique des deux adversaires, Boileau et Perrault, la première phase de la Querelle. Les modernes, s'appuyant sur ce principe que l'œuvre d'art est avant tout œuvre de raison, soutenaient que la raison avait fait d'incontestables progrès dans le dernier siècle. Malebranche écrit, en 1674, après s'être moqué de ceux qui admirent l'antiquité parce qu'antique :

> Et sans doute, si Nemrod avait écrit l'histoire de son règne, toute la politique la plus fine et même toutes les autres sciences y seraient contenues, de même que quelques-uns trouvent qu'Homère et Virgile avaient une connaissance parfaite de la nature... Au temps où nous vivons le monde est plus âgé de deux mille ans, il a plus d'expérience, ... il doit être plus éclairé..., et c'est la vieillesse du monde et l'expérience du monde qui font découvrir la vérité. La raison veut que nous les (Aristote et Platon) jugions plus ignorants que les nouveaux philosophes, puisque, dans le temps où nous vivons, le monde est plus vieux de deux mille ans... (1).

On aura remarqué combien, dans cette discussion, la valeur comparée des œuvres tient peu de place, combien le débat est conduit *a priori*, combien, en somme, la question est mal posée, à cause de cette confusion constante entre l'œuvre de pure raison — science, philosophie — et l'œuvre d'art.

De plus, le pédantisme des doctes se trouvait rejeté par l'esprit mondain triomphant qui oubliait, ou qui ignorait tout ce que les auteurs contemporains les plus admirés devaient à leurs leçons. Les modernes étaient soutenus par un public mondain qui avait peu la notion d'art, et chez qui le sens esthétique, satisfait inconsciemment par les chefs-d'œuvre contemporains, s'obnubilait devant les réclamations de la mode ratio-

(1) *De la recherche de la vérité*, II, 2, ch. III.

naliste et de la foi dans le pur intellect. Désormais, pour la majorité des auteurs, comme pour la majorité du public, le sentiment du beau sera affaibli, le plus souvent étouffé, par les exigences de la raison.

Cette brève dispute entre académiciens marque la fin d'un âge littéraire, et, surtout, d'une doctrine ; mais non pas la fin d'une manière, d'un style.

***

Une nouvelle querelle s'ouvre en 1711, ou plutôt, l'aliment d'une nouvelle querelle parut à cette date, la dispute ne commença que trois ans plus tard.

Mme Dacier publia en 1711 sa traduction de l'*Iliade* en prose, avec un soin scrupuleux pour l'époque ; elle ne masquait ni les longueurs, ni les répétitions, ni les grossièretés. Elle s'en explique dans sa préface et défend son auteur, ou l'excuse. Qu'on ne juge pas Homère sur une traduction : « Il n'est point de poésie qui perde tant qu'Homère dans une traduction où il n'est pas possible de faire passer la force, l'harmonie, la noblesse, et la majesté de ses expressions, et de conserver l'âme qui est répandue dans sa poésie, et qui fait de tout son poème comme un corps vivant et animé. » Notre langue « toujours sage, ou plutôt toujours timide », n'ayant « pas la moindre liberté », ne saurait rendre la poésie primitive d'Homère. Mme Dacier avoue que si l'on se laisse prendre au charme d'Homère lu dans l'original, c'est que « l'oreille charmée surprend bientôt la raison ». Il faut donc faire taire la raison pour goûter les poètes ? C'est justement ce que les modernes ne voudront pas admettre. Quant à la grossièreté des mœurs dépeintes par Homère, c'est à peu près celle de la Bible, elle ne mérite donc ni notre indignation, ni notre mépris ; on peut l'excuser avec un peu de sens historique. Homère ne met pas d'amour dans son poème ? Il faut l'en féliciter ; mais il n'en est que plus difficile de le faire goûter à notre temps. On voit avec quelle prudence et quelle intelligence Mme Dacier loue son auteur, et combien elle doute de le pouvoir faire goûter dans sa pleine beauté.

C'est ce dont La Motte ne se soucia guère. Lui-même ignorait le grec ; d'autre part, le public français ne pouvant en effet goûter Homère, ce qui selon lui, fait honneur à son goût, il jugea qu'il fallait lui présenter un Homère tronqué mis au goût du jour. Il s'y employa dans sa traduction (?) en vers de l'*Iliade*, réduite à douze chants, expurgée de tout ce qui pouvait choquer et enjolivée par les galanteries et l'esprit. Pour justifier son entreprise, il fit précéder l'ouvrage d'un *Discours sur Homère* (1714).

L'admiration pour Homère, y explique-t-il, n'est pas un dogme religieux ; la raison peut juger son œuvre comme n'importe quelle production humaine ; le principe d'autorité n'est pas de mise à son sujet. Quelles que soient les raisons qui aient fait admirer Homère depuis des siècles, notre raison reste libre de l'estimer ou de le mépriser. La Motte énumère tout ce que comporte de choquant l'âme de ses héros : les passions « les plus basses et les plus injustes... la vengeance et l'orgueil » ; ou ses dieux « méprisables de quelque côté qu'on les considère ». Quant aux beautés de son style et sa poésie proprement dite, nul n'en peut juger s'il n'a pas la même langue maternelle que l'auteur. La langue française a toutes les qualités de la langue grecque, et, si une traduction est sans charme, c'est que l'original en est dépourvu. Ce que veut prouver ce *Discours*, c'est qu'Homère est une manière de poète barbare ; la conclusion implicite, c'est que les auteurs anciens sont des primitifs, dont la raison doit passer au crible le vrai mérite, et qui ne résistent guère à cet examen. Si l'on poursuit le raisonnement, que penser d'une doctrine fondée sur de pareils modèles ?

La même année 1714, Mme Dacier relève le gant dans son pamphlet *Causes de la corruption du goût*. Loin d'être des barbares, les Grecs furent une nation favorisée par la nature ; c'est par l'imitation des anciens que nos modernes purent atteindre à la perfection ; c'est l'éloignement et le mépris pour les anciens qui corrompent le goût. Or d'ailleurs, combien de siècles fort différents dans leurs mœurs de celui d'Homère, l'ont admiré et révéré ?

La Motte est soutenu, par l'abbé de Pons, dont la *Lettre sur l'Iliade de La Motte* (1714) défendait l'œuvre et les idées de celui-ci : La Motte est, pour la littérature, ce que Descartes est pour la philosophie : il a refusé de s'incliner devant l'autorité d'Homère, comme Descartes avait fait pour Aristote. En fait, l'*Iliade* est tout au plus un « beau monstre », une œuvre instinctive, écrite par un poète qui ignorait tout des règles, et qui ne saurait plaire à « un siècle aussi éclairé que le nôtre ».

On voit la confusion de la dispute. L'abbé de Pons fait appel aux règles pour blâmer Homère, et c'est justement de la considération de l'*Iliade* qu'Aristote et ses commentateurs les ont tirées. Il blâme Homère, au nom de la raison, alors que les théoriciens avaient systématisé et fondé en raison les procédés d'Homère. La doctrine classique reposait sur une série de compromis, entre les anciens et les bienséances, entre le génie et la règle, entre la tradition et la raison. Peu à peu ces compromis se résolvent et la doctrine s'effrite. La notion de goût, qui va devenir la règle essentielle de la poésie, ne s'adapte pas à tous les principes de cette doctrine.

C'est d'après la raison que l'abbé Terrasson, dans sa *Dissertation critique sur l'Iliade* (1715) prétend qu'on doit juger les œuvres littéraires, non d'après la tradition. Il veut « faire passer jusqu'aux belles-lettres cet esprit de philosophie qui depuis un siècle a fait faire tant de progrès aux sciences naturelles », c'est-à-dire juger selon des principes et non selon l'autorité, et il se réfère à Perrault. Plus tard, dans un ouvrage posthume : *La Philosophie applicable à tous les objets de l'esprit et de la raison*, publié en 1754, il développe cette idée que les progrès de la physique et de la géométrie ont entraîné ceux « même de l'éloquence et de la poésie » ; à plus forte raison les progrès de la morale, de la raison générale et de l'humanité « unique source du véritable emploi des Belles-Lettres, en prose et en poésie ». Surtout, il insiste avec force, sur une idée nouvelle qui sera l'idée centrale du XVIIIe siècle, le *progrès indéfini du genre humain*, idée fondée sur la considération dans l'homme des valeurs purement intellectuelles, mais que l'abbé Terrasson n'hésite pas plus que ses successeurs à étendre à tout le domaine de l'art. Il va sans dire qu'étant donné cette opinion, « ce ne sont pas nos ancêtres, ce sont nos neveux, du moins en fait de connaissances, que nous devons respecter ».

*
* *

Entre temps Fénelon était entré dans la Querelle avec sa *Lettre sur les occupations de l'Académie* (1716). Mais cet ouvrage capital ne touche à la Querelle que par un petit côté, et comme pour obéir à l'actualité. Il constitue un véritable corps de doctrine fort indépendant, celui d'un homme du goût le plus fin et de la culture la plus choisie, jugeant avec la sérénité du prélat d'une matière où son état lui interdit parfois de s'exercer.

Fénelon avait déjà tâté de la critique avec ses *Dialogues sur l'éloquence*, qui ne parurent qu'en 1718, mais avaient été écrits trente ans auparavant. Il y définissait son idéal oratoire selon son tempérament plutôt que selon des règles précises, mais il est d'une science trop solide pour se contenter de jugements ou de directives sans lien : il cherche le principe d'un art si utile à Dieu, et le trouve commun à toutes les œuvres littéraires : l'utilité morale. Mais ce principe une fois trouvé, il sait y plier les chefs-d'œuvre de toute la littérature oratoire et ne l'utilise jamais pour louer une œuvre médiocre.

Le secrétaire perpétuel de l'Académie ayant demandé à tous ses membres de donner leur avis sur les occupations auxquelles elle devait se consacrer après l'achèvement de la première édition du dictionnaire, Fénelon lui propose de rédiger une série de traités sur les différents genres littéraires, dont il considère l'histoire et dont il pose les principes. L'ouvrage est bref, mais il est très riche. Disons tout de suite que la doctrine qui s'en dégage est celle d'un homme qui ne prétend parler au nom de personne, qu'elle n'est dirigée contre aucun groupe littéraire, et qu'au surplus il s'agit moins d'un corps de doctrine que d'une série d'opinions personnelles, presque d'impressions.

La langue. — Il réclame une grammaire plus simple, mais un vocabulaire enrichi par l'emploi de vieux mots abandonnés à tort et de mots nouveaux forgés à peu près comme le recommandait Du Bellay.

La rhétorique. — L'infériorité relative de notre éloquence s'explique par les conditions politiques dans lesquelles nous vivons ; une monarchie absolue n'est point favorable à son développement : c'est donner les premières bases de la théorie que développera avec tant d'éclat Mme de Staël, du rapport étroit des mœurs, de la civilisation et des arts. L'orateur n'est pas le déclamateur qui ne cherche qu'à entraîner les auditeurs sans considérer la valeur morale du but vers lequel il les entraîne ; il doit viser au bien et y pousser ceux qui l'écoutent ; sa seule matière doit être la pensée et sa pensée ne doit viser qu'à « la vérité et la vertu ». La première qualité du discours, comme de la pensée, c'est l'ordre, l'ordre intime, non l'ordre apparent mais artificiel, des divisions scolastiques. Par l'ordre rigoureux, l'orateur arrivera à l'unité, qui est la marque principale de la beauté. On le voit déjà par ce point : c'est à Horace qu'il se réfère, non à Aristote ou aux doctes qui l'ont développé et expliqué. C'est un homme de goût qui parle plutôt qu'un théoricien. Et s'il recommande ensuite par-dessus tout la simplicité, c'est qu'il songe plus à l'effet à produire qu'aux principes qui doivent y conduire ; c'est son goût qui le fait parler plus que sa raison. Nous voici loin de Chapelain et de La Mesnardière.

La poésie. — Nous verrons ailleurs les idées de Fénelon sur notre versification car elles se rattachent à un vaste mouvement d'opposition à la poésie qui sera présenté à part. Sur la poésie elle-même, il y blâme l'abus de l'esprit et y recommande cette simplicité qui n'est dépourvue ni de pathétique ni de pittoresque qu'ont réalisée les meilleurs poètes anciens. Là encore, il s'inquiète peu des principes et ne juge que sur le résultat.

Le théâtre. — Ce prêtre n'a nullement les sévérités de Bossuet à l'égard de la *Comédie ;* on sait que celui-ci, dans sa *Lettre au P. Caffaro* et dans ses *Maximes et réflexions sur la comédie* (1694), avait fulminé contre le théâtre dans son ensemble comme dangereux pour les mœurs. Fénelon juge moins en prêtre qu'en homme de goût et, s'il est hostile à la fade galanterie, à la solennité, aux sentiments artificiels, il admet la peinture de l'amour. Il désire une tragédie plus naturelle que celle qui florissait de son temps : il veut que les personnages parlent d'une manière moins éloignée de la façon naturelle qu'a la passion de s'exprimer ; il condamne le récit de Théramène, hors-d'œuvre invraisemblable et ne convenant en rien à la situation. C'est au nom de la vraisemblance qu'il critique l'outrance des expressions. La vraisemblance ; Racine eût-il pu croire qu'on l'accuserait d'y manquer ? C'est que le mot a changé de sens, ou plutôt que l'objet auquel on l'applique n'est plus le même. Nos théoriciens du XVIIe siècle songeaient avant tout au dessein de l'œuvre, à la situation ; Fénelon, avec son temps, songe surtout à la forme ; ce qui est vraisemblable pour la raison qui construit peut ne pas l'être pour le goût.

C'est au nom du goût également, non de principes d'art, que Fénelon juge Molière. S'il est sévère pour lui, ce n'est pas à la manière dont l'étaient les doctes qui attaquèrent *L'École des Femmes*. Molière manque trop souvent de pureté dans son style, de délicatesse dans son expression. Que n'a-t-il l'élégance suprême de Térence ! Un tel jugement tient bien peu compte des vraies conditions du théâtre ; Fénelon juge en lecteur plutôt qu'en spectateur.

L'histoire. — Là encore, Fénelon ne part pas de principes, mais considère le but du genre : enseigner la politique et la vertu. Il ne semble pas qu'à ses yeux la vérité soit le but de l'histoire. Mais pour donner ces leçons, l'historien doit être impartial. C'est la fameuse formule : « Le bon historien n'est d'aucun temps ni d'aucun pays. » Il doit dépouiller son œuvre de tous les faits inutiles qui sont l'apanage du compilateur érudit. C'est « l'ordre et l'arrangement » qui font « la principale perfection » d'une histoire : on lui demande des vues générales, non l'exposé de tous les faits qui les justifient ; l'ordre ne doit pas être chronologique mais logique. L'historien doit encore rendre avec vie et exactitude les mœurs politiques de l'époque racontée, et respecter cette couleur locale morale dont l'insuffisance serait choquante.

Quant au style, il demande avant tout la simplicité : l'auteur doit s'effacer derrière son objet.

L'œuvre critique de Fénelon marque une étape importante dans l'histoire des idées littéraires en France. A la doctrine abstraite et générale des principes succède, en 1716, la critique de goût, plus personnelle, plus attachée surtout à l'effet produit par l'expression, fondée sur des impressions plutôt que sur la réflexion logique. Elle vaudra ce que vaudra le goût du critique ; elle évoluera avec le temps.

Dans la Querelle des anciens et des modernes, Fénelon prend, à la fin de l'ouvrage une position pleine de prudence qui lui permet d'allier ses croyances de prêtre et son goût pour la perfection des œuvres anciennes. On attendait son avis ; il répondit en normand, avec beaucoup de subtilité. Il est souhaitable que les écrivains modernes ne soient pas découragés par un respect exagéré des anciens, mais il ne faut pas aller jusqu'à mépriser ceux-ci. Les anciens ont des défauts évidents, même les plus grands, même Homère, et Horace le reconnaît. Ils sont souvent grossiers dans leurs plaisanteries. Leurs imperfections tiennent à la grossièreté de leur religion, de leurs mœurs, à la faiblesse de leur morale. Ils sont excusables, il faut les replacer dans leur temps. La relativité du goût doit faire taire leurs critiques. En somme, Fénelon défendait les anciens et toute sa *Lettre* montrait en lui un admirateur fervent de leur art.

L'abbé Dubos, avec ses *Réflexions critiques sur la poésie et sur la peinture* (1719), peut être considéré comme le dernier acteur de la seconde Querelle. Il reconnaît que les modernes, plus instruits, sont plus avancés que les anciens dans les sciences, mais que leur supériorité tient à la masse plus grande de faits qu'ils ont acquis, non à un génie supérieur. Notre raison n'est pas meilleure que celle des anciens, mais elle s'applique à des faits mieux connus et connus en plus grand nombre. Dans le domaine de l'art, au contraire, où « le progrès... dépend plus du talent d'inventer et du génie naturel » que du niveau où sont parvenus les arts dans les époques antérieures, l'expérience plus grande qu'ont les modernes ne leur sert de rien, pourvu toutefois que les anciens aient déjà connu « la méthode » de ces arts. Le génie d'un écrivain disposant d'une méthode rudimentaire fera mieux que la médiocrité d'un moderne soutenu par une doctrine étudiée dans les moindres détails.

> Le secours que donne la perfection où l'art est arrivé ne saurait mener les esprits ordinaires aussi loin que la supériorité de lumières et de vues naturelles peut porter un homme de génie.

L'estime où l'on tient Homère ne doit pas être détruite sous prétexte que celle où l'on tenait Aristote a été anéantie par la philosophie d'un Descartes, car « il est sensé de s'appuyer du suffrage des siècles et des nations pour prouver l'excellence d'un poème ». Un poème mauvais n'aurait jamais pu plaire longtemps ni à toutes sortes de gens. En effet, la réputation d'une œuvre littéraire « s'établit par voie de sentiment » et sans considération de la tradition ou de l'autorité. Si donc tant de siècles ont pris plaisir à lire telle œuvre, c'est qu'ils en ont été constamment touchés, et l'œuvre, *a priori*, doit être estimée. Cela dit en supposant que les hommes soient tous et toujours « à peu près semblables par le cœur et par le sentiment ».

On voit pointer ici la critique sentimentale, et le rôle prépondérant donné, en matière d'art, au cœur sur l'esprit. C'est le cœur qui juge et il ne saurait se tromper. J.-J. Rousseau n'est pas loin. La pensée de l'abbé Dubos, telle que nous l'avons résumée, car l'abbé, s'il est fin, est singulièrement prolixe, vise donc à justifier les anciens.

Mais il faut en présenter un autre aspect, qui fait pendant à celui-là : que le respect pour les anciens n'inquiète pas les modernes ; la nature, qui fait l'objet de l'artiste, est inépuisable, et le génie ne risque jamais de marcher dans les traces de ses prédécesseurs. Les génies en effet « ne permettent point pour modèle les ouvrages de leurs devanciers, mais la nature même » Par là, il ouvrait aux modernes une immense carrière et montrait que l'admiration des anciens n'était nullement, pour le vrai génie, une limitation.

Par l'originalité de sa pensée, par sa dialectique serrée, l'abbé Dubos est un des plus grands critiques du XVIIIe siècle. Nous le retrouverons plus loin. Retenons seulement que à propos de la Querelle il lance deux idées fécondes : le cœur juge du beau et le génie indépendant des modèles et de la tradition.

La seconde Querelle est terminée ; à vrai dire, elle se poursuivra, dans des œuvres éparses, au cours du XVIIIe siècle. Si la question devient moins brûlante au fur et à mesure que la doctrine classique perd de son autorité absolue et de sa cohésion dogmatique, elle n'en reste pas moins éternelle, et l'on ne cessera de se demander si l'art peut progresser comme la science, et dans quelle mesure sa perfection dépend des progrès généraux de la raison et de la culture.

Vauvenargues, en 1745 environ, écrivait son *Discours sur le caractère des différents siècles*. Il y déclarait que, si la science peut perfectionner le jugement, rien ne dit qu'elle en fasse autant du goût, qui dépend de l'âme :

> Tout ce qui ne dépend que de l'âme ne reçoit nul accroissement par les lumières de l'esprit, et, parce que le goût y tient essentiellement, je vois qu'on perfectionne en vain nos connaissances ; on instruit notre jugement, on n'élève point notre goût.

Non seulement ces connaissances accumulées ne perfectionnent pas le goût, mais elles le gâtent. En effet, trop savants en matière d'art, nous oublions la nature :

> Ce n'est pas la pure nature qui est barbare, c'est tout ce qui s'éloigne trop de la belle nature et de la raison.

La naïveté d'Homère est infiniment plus belle qu'un ouvrage « où l'on n'aperçoit que de l'art, où le vrai ne règne jamais dans les expressions et les images, où les sentiments sont guindés, où les ornements sont superflus et hors de place ».

Quelle distance parcourue depuis Perrault ! Homère réhabilité à cause de sa grossièreté même, devenue de la « naïveté », et les modernes blâmés à cause de l'art même dont ils abusent après qu'il eût dû leur assurer la supériorité !

Turgot publie en 1750 son *Second discours sorbonnique sur les progrès de l'esprit humain* où il prend exactement le contre-pied de l'abbé Dubos. Oui, la nature offre un champ infini à l'invention du génie, mais l'art est chose humaine, bornée comme l'humanité, entachée d'imperfections. Il a jadis, du temps d'Auguste atteint sa perfection relative : il ne pourra jamais dépasser se stade.

Marivaux, dans le *Miroir* (1755), dont le titre symbolique désigne cette double glace qui orne le front de la nature et où l'auteur découvre le secret des actions humaines, dit avec esprit que si nous dénigrons les grands hommes de notre temps, c'est par jalousie, et que nous masquons cette jalousie derrière un respect exagéré des anciens. La nature, loin d'être épuisée, n'a cessé de produire des génies capables de créer les plus belles œuvres ; mais ces génies ont été étouffés par la barbarie des siècles où ils ont vécu. La nature nous donne même toujours plus d'esprit, au fur et à mesure que l'humanité avance en âge. Mais le goût ne progresse pas parallèlement aux connaissances :

> Une grande quantité d'idées et une grande disette de goût dans les ouvrages d'esprit peuvent fort bien se rencontrer ensemble et ne sont point du tout incompatibles.

Voltaire ne pouvait manquer de donner son avis sur la question. Au cours de sa longue carrière, il n'a guère changé. Il écrit en 1719, à propos de l'*Œdipe* de Sophocle que, dans les ouvrages « méprisés ou ignorés » (et l'on n'est pas peu étonné de voir qu'il s'agit de Sophocle et d'Euripide), il y a tout de même trop de beautés pour qu'on « les méprise entièrement ». Il nous invite donc à choisir parmi les anciens, et dans le détail même des œuvres de chacun. En 1728, dans son *Essai sur la poésie épique*, même leçon de discrimination : n'admirons pas les anciens en bloc ; ne les suivons pas à la piste ; pas de superstition ; ne fermons pas les yeux à ce que les modernes ont fait d'aussi beau, de plus beau qu'eux. En 1765, dans *Les Anciens et les Modernes ou la toilette de Mme de Pompadour*, il écrit : « Si nous avons d'autres lois de physique que celles (du temps de Cicéron), nous n'avons point d'autre règle d'éloquence ; et voilà peut-être de quoi terminer la Querelle entre les anciens et les modernes. » Et plus loin il énonce cette idée que la qualité des arts dépend en grande partie de la civilisation matérielle.

La Querelle était toujours vivante quand se rédigeait l'*Encyclopédie*, puisqu'à diverses reprises la question est étudiée dans cet ouvrage. Depuis l'article *Épopée*, rédigé par Marmontel en 1755, jusqu'à l'article *Anciens* du supplément de 1776, rédigé partie par le même critique, partie par Sulzer pour les beaux-arts, en passant par l'article *Goût*, datant de 1757 et rédigé sur ce point par d'Alembert, on voit que vingt ans après le

Miroir de Marivaux, Diderot estimait la question assez actuelle pour lui consacrer des développements étendus.

Il va sans dire que la position de l'*Encyclopédie* est celle des modernes. Deux idées principales se distinguent de cet ensemble de textes. D'abord il faut lutter, au nom de la « philosophie appliquée » contre la « superstition littéraire », car le fameux dictionnaire lutte contre toutes les superstitions, évitant seulement avec prudence le sujet de la superstition politique. C'est cette philosophie qui nous permet de juger impartialement des mérites relatifs des anciens et des modernes. C'est elle qui nous permettra de distinguer dans un ouvrage les vraies causes de notre enthousiasme, qui nous fera sacrifier le médiocre ou le monstrueux pour dégager les vraies beautés et nous permettra de tirer les règles de l'art de ces seules beautés ; nous en viendrons ainsi à comprendre qu'il y a bien des moyens d'atteindre à la beauté, mais que sous la diversité des formes réside l'unité foncière des principes ; faisant fi des règles étroites tirées des œuvres anciennes, nous établirons des principes nouveaux, fondés sur l'essentiel des œuvres, non sur des formes passagères, dépendant des mœurs toujours changeantes.

En effet, et c'est la seconde idée à laquelle conduit la première : la philosophie en tant qu'elle nous a habitués à réfléchir sur l'évolution nécessaire et nous a donné le sens de l'histoire, nous permet de juger l'œuvre selon son temps. Sulzer écrit excellemment :

> Un morceau d'éloquence ou de poésie peut être parfaitement beau et s'écarter néanmoins beaucoup de ce qui chez les modernes passe pour être la plus grande beauté. Si l'on néglige de faire cette réflexion, on risque de porter à tout moment des jugements faux. On ne doit pas juger de la beauté d'un habillement persan d'après la mode des Européens ; il faut nécessairement avoir sous les yeux la forme persane : c'est elle seule qui pourra servir de règle dans le jugement que l'on voudra porter.

Nous trouvons ici clairement énoncée cette grande idée de la relativité de goût qui, non seulement apporte une lumière nouvelle dans le débat des anciens et des modernes, mais est une révolution dans l'histoire de la critique. En appliquant cette méthode de jugement on comprendra mieux toute la grandeur des anciens.

Enfin, Condorcet, le dernier avant Mme de Staël, qui inaugure une époque nouvelle de la critique, prend position sur le problème dans son *Esquisse historique des progrès de l'esprit humain* (1794). Il distingue dans les œuvres d'art ce qui appartient « réellement aux progrès de l'art et ce qui n'*est* dû qu'au talent de l'artiste ». Il entreprend de faire voir, suivant sur ce point l'abbé Dubos, que ce n'est que par une illusion que l'on peut avoir l'impression que la matière de l'art est usée, que, au lieu de juger les auteurs, nous devons nous laisser aller à l'admiration pour le génie sans tenir compte du mérite relativement moindre qu'il peut avoir sous prétexte qu'il a pu profiter de l'exemple de ses devanciers, que même il est vraisemblable que la sensibilité morale, source des œuvres d'art, peut se perfectionner indéfiniment.

***

On a vu l'importance du débat. Problème mal posé, incertain dans ses données, il n'a cessé de hanter l'esprit des critiques pendant plus d'un siècle. S'il nous semble vain aujourd'hui, c'est que nous voyons mal, à première vue, l'importance des principes qu'il mettait en jeu. En fait l'évolution des réponses à ce problème de 1683 à 1793 est la meilleure démonstration de l'évolution de la critique dans cette période.

On voit peu à peu s'atténuer l'idée même d'un système dogmatique. Mille questions délicates sont soulevées qui sont autant de brèches dans le système de la doctrine classique. Les réponses qu'on donne à ces questions sont beaucoup moins importantes que le fait même qu'on les pose. Une orthodoxie se détruit moins par des affirmations et des preuves que par des questions auxquelles elle n'était pas préparée à répondre ; d'ailleurs l'orthodoxie classique manquait de défenseurs ; on ne voyait comme champion de cette cause que Boileau, dont la gloire avait rejeté dans l'ombre les vrais théoriciens du classicisme. Or, nous l'avons vu, Boileau, dans son *Art poétique*, n'offre qu'un résumé peu cohérent de la doctrine, sans base philosophique, sans système esthétique, catéchisme aussi facile à retenir que difficile à défendre par lui-même. Voltaire, qui s'en fait le défenseur, était lui-même trop imprégné d'idées nouvelles pour y voir autre chose que des recettes pratiques : sa philosophie le tournait d'un tout autre côté.

Le résultat de la double querelle est donc surtout une série de questions : principes et autorité vont-ils de pair, ou bien peut-on respecter les principes sans avoir la superstition des maîtres ? L'art profite-t-il ou non de l'expérience des siècles ? Le génie créateur a-t-il besoin de l'expérience technique ou peut-il créer des chefs-d'œuvre dans l'ignorance de cette technique ? Doit-on juger des ouvrages littéraires par rapport à un canon préalablement reconnu, ou le plaisir qu'ils procurent suffit-il pour les déclarer excellents ? Est-ce le cœur ou l'esprit qui doit juger l'œuvre d'art ? Est-ce l'âme ou l'intelligence ? La mission du critique est-elle de juger, ou d'expliquer l'enthousiasme que le critique éprouve comme lecteur ? Le progrès des connaissances amène-t-il obligatoirement un progrès de la raison et du jugement ? et si oui, ce progrès entraîne-t-il à son tour celui du goût artistique ? La trop parfaite connaissance des règles ne donne-t-elle pas à l'œuvre d'art quelque chose de trop guindé qui l'éloigne du beau ? Le beau n'est-il pas fait surtout de naïveté, de simplicité ? Et ces qualités ne sont-elles pas plus facilement obtenues par le génie ignorant les règles que par celui qui les possède trop bien ? En dehors des règles, une intelligence trop aiguë ne risque-t-elle pas de surcharger l'œuvre d'idées inutiles ou de beautés de détail incongrues ? L'œuvre d'art n'est-elle pas le fruit d'un contact direct entre le génie et la nature, ou le génie a-t-il besoin de principes, ou, surtout, de modèles comme interprètes préalables de la nature ? L'art peut-il atteindre une perfection absolue ? Cette perfection absolue a-t-elle été atteinte ? L'a-t-elle été du temps des Grecs et des Latins ? L'œuvre d'art n'est-elle pas le produit des circonstances, du raffinement des mœurs, de la protection du souverain, de l'état de paix, autant ou plus que du génie ? Dans une œuvre digne d'admiration, devons-nous faire un choix ? Ou les beautés qu'elle contient sont-elles si liées aux défauts qui nous choquent qu'on ne saurait avoir les unes sans les autres ? Beautés et défauts ne sont-ils pas les conséquences nécessaires et inséparables des circonstances ou de la nature du génie ? Quels sont les rapports entre les principes de l'art, qui doivent être éternels et universels si l'esprit humain est toujours et partout le même, et les formes évidemment si diverses de la beauté ? Le beau, enfin, est-il toujours le même ? Y a-t-il un beau idéal, ou des beautés changeantes, dépendant des temps et des lieux ?

Ces questions sont toutes importantes. Elles montrent le désarroi d'un public qui ne croit plus d'une foi aveugle aux anciens dieux, et dont l'esprit critique exploite la contradiction vivement ressentie entre le corps de doctrine officiel et ses impressions profondes et personnelles. Ce mouvement littéraire est exactement parallèle au mouvement philosophique ; il le précède, ou paraît le précéder, parce que l'esprit critique pouvait sans danger s'exercer dans le domaine littéraire à une époque où il eût été dangereux de l'exercer ouvertement dans le domaine religieux.

La Querelle s'est établie autour d'un problème mal posé, et sur un sujet de fort minime importance, mais c'est à propos de cette Querelle qu'ont été posées des questions capitales, dont le XVIIIe siècle va chercher les solutions et établir les réponses ; c'est en agitant tous ces problèmes esthétiques que se formera peu à peu une nouvelle esthétique, une nouvelle doctrine. C'est ce qui justifie la place importante que nous avons consacrée à la Querelle des anciens et des modernes.

CHAPITRE II

COMBATS AUTOUR DE LA POÉSIE

Nous venons de voir discutées les modalités de la littérature et de la critique ; certains esprits nouveaux, que nous avons déjà rencontrés, vont plus loin et attaquent l'idée même de poésie. Ils veulent insinuer que la poésie est un jeu futile et vain, indigne d'une littérature vraiment moderne, indigne d'esprits vraiment éclairés appartenant au siècle des lumières. Voltaire résistera presque seul à cet assaut, mais son autorité et ses succès de poète lui permettront de triompher.

Le premier grief fait à la poésie porte sur le style. Il ne faut pas oublier ce fait, assez étrange à notre pensée moderne, qu'il existait un style poétique particulier. Ce style consistait non seulement à ne pas appeler les choses par leur nom mais à faire intervenir constamment les divinités antiques et à surcharger l'expression d' « agréments » et d'images toujours les mêmes. Ce style était le résultat d'une tradition déjà longue, puisqu'elle datait de la Pléiade ; il était la conséquence d'un effort légitime pour faire sortir la poésie française du laisser-aller prosaïque où elle s'embourbait ; au début du XVIIIe siècle, il semble une survivance absurde. Pourquoi les poètes ne parlent-ils pas comme tout le monde ? Pourquoi faire intervenir « Neptune et son trident » dans la description d'une tempête ? Pourquoi ne pas donner plutôt dans cette description tous les détails vrais qui peuvent suggérer au lecteur la réalité ? S'il faut absolument des divinités pour répandre l'âme dans la description, pourquoi ne pas personnifier ces forces de la nature (1) ? « Doit-on juger

(1) Fontenelle, *Sur la poésie en général*, 1752.

que La Motte n'est pas poète, sous prétexte qu'on ne voit pas dans ses vers « Flore et les Zéphyrs, Mars et Minerve et tous ces autres agréables et faciles riens de la poésie ordinaire (1). »

Devant le Persan étonné, le Parisien définit les poètes : « Ces auteurs dont le métier est de mettre des entraves au bon sens, et d'accabler la raison sous les agréments... (2) » Pourquoi la poésie admet-elle, impose-t-elle même, trop souvent, « un style où il soit permis de ne pas parler juste » (3) ? Il faut aux vers des images ? « Tant pis pour les vers ; car c'est une grande preuve de leur infériorité à la prose. De deux genres celui dans lequel ce qui est le moins bon est le meilleur, dès lors est lui-même le moins bon (4). » Qu'on fasse l'expérience, conseille l'abbé Trublet : qu'on mette en prose les meilleurs vers ; on aura une prose mal écrite ; « les meilleurs vers ne sont guère bons quant au style » (5). D'Alembert précise le point de vue de ces critiques : « Notre siècle ne reconnaît plus pour bon en vers que ce qu'il trouverait excellent en prose (6). »

Pourquoi tel auteur, qui serait peut-être un excellent prosateur, écrit-il si mal lorsqu'il écrit en vers ? Tous les adversaires de la poésie sont unanimes sur ce point, la faute en est à la versification. D'avance ils paraphrasent abondamment les vers connus de Verlaine :

> Oh ! qui dira les torts de la Rime !
> Quel enfant sourd ou quel nègre fou
> Nous a forgé ce bijou d'un sou
> Qui sonne creux et faux sous la lime (7) ?

La versification française est nuisible ; bien plus, disent certains, elle est totalement inutile pour produire l'effet poétique.

(1) Id., *Réponse à Monseigneur l'évêque de Luçon* (Bussy-Rabutin), (1732).
(2) Montesquieu, *Lettres persanes*, lettre CXXXVII.
(3) La Motte, *L'Ode à Monsieur de La Faye mise en prose* (1730).
(4) Abbé Trublet, *De la poésie et des poètes*, XXVIII (1760).
(5) *Ibid.*
(6) *Réflexions sur la poésie* (1760).
(7) *Art poétique*, écrit en 1874, publié dans *Jadis et Naguère*, en 1884.

Fénelon est le premier, sans sa *Lettre à l'Académie* (1716) à intenter le procès :

> Notre versification perd plus, si je ne me trompe, qu'elle ne gagne par les rimes : elle perd beaucoup de variété, de facilité et d'harmonie. Souvent la rime, qu'un poète va chercher bien loin, le réduit à allonger et à faire languir son discours ; il lui faut deux ou trois vers postiches pour en amener un dont il a besoin. On est scrupuleux pour n'employer que des rimes riches, et on ne l'est ni sur le fond des pensées et des sentiments, ni sur la clarté des termes, ni sur les tours naturels, ni sur la noblesse des expressions (1).

Et Fénelon propose non l'abandon de la rime (« sans elle, notre versification tomberait »), mais son assouplissement. La rime lui semble, en effet, une contrainte beaucoup plus rigoureuse que la scansion de la poésie grecque et latine.

L'attaque est reprise avec beaucoup plus de force par de nombreux critiques. Si on reproche le plus souvent à la rime d'empêcher le poète de dire clairement ce qu'il pense, on lui reproche aussi de créer une impression de monotonie lassante : « la répétition obstinée des mêmes nombres et des mêmes terminaisons est encore pour nous aujourd'hui une source d'ennui », écrit l'abbé de Pons (2). Elle empêche le poète d'user de ses dons d'imagination ou de sensibilité : comment un homme entouré de contraintes aurait-il l'aisance, la souplesse, la variété de gestes d'un homme libre de ses mouvements ? Un danseur de corde donne-t-il une impression d'art aussi riche et aussi parfaite que le danseur de théâtre ? (3) Que goûtons-nous, au fond, dans le poète ? La difficulté vaincue (4). Est-ce là une vraie impression d'art ? « La rime n'est pas l'imitation d'aucune beauté qui soit dans la nature (5). » Difficulté arbitraire, qui ne tient pas aux principes véritables de l'art, elle doit « ainsi que les fiefs et les duels... son origine à la barbarie de nos ancêtres » (6). On pourrait multiplier les textes.

(1) Ve Partie, *Projet de poétique*.
(2) *Dissertation sur le poème épique*, ouvrage posthume publié en 1738.
(3) *Ibid*.
(4) Fontenelle, *Réflexion sur la poétique*, LXX, 1742.
(5) Abbé Dubos, *Réflexions sur la poésie...*, 1719.
(6) *Ibid*.

Gênantes, les contraintes de la versification sont même inutiles. En effet, la vraie beauté poétique est sans rapport avec elles. Elle peut se trouver dans la prose, comme le montre l'exemple du *Télémaque*. Elle s'y trouvera même mieux que dans les vers.

> On s'imagine que les fictions ingénieuses, les figures hardies, les images brillantes sont l'apanage des vers ; que la prose n'a pas même droit à ces richesses ; préjugé le plus déraisonnable, et peut-être le plus universel qui ait jamais obsédé les gens de lettres... Ce n'est point de l'art des vers que vous empruntez le droit de me parler ici avec tant de faste ; c'est de la grandeur de l'action que vous célébrez... Je crois donc que l'art des vers est un art frivole ; que si les hommes étaient convenus de les proscrire, non seulement nous ne perdrions rien, mais que nous gagnerions beaucoup (1).

La prose poétique existe ; on en prend alors conscience. La prose a, ou peut avoir, son harmonie, faite « d'un mélange varié de syllabes faciles, pleines et sonores, tour à tour lentes et rapides, au gré de l'oreille, et dont les suspensions et les repos ne lui laissent rien à souhaiter » (2). Cette harmonie libre est même beaucoup plus flatteuse pour l'oreille que celle des vers, dont la régularité ne saurait se plier à la diversité des sentiments ou des impressions exprimés. La poésie devrait donc rompre ce rythme monotone et pourrait peut-être se sauver par là ; c'est ce que propose Marmontel.

Prenez une tragédie de Racine, mettez-la en prose « avec la même exactitude à conserver ses pensées, ses tours et ses expressions, en ne leur retranchant précisément que l'agrément de la rime et de la mesure..., ces tragédies feraient la même impression de beauté » (3). On a peine à imaginer une semblable abolition du sens esthétique ! Mais La Motte développe son paradoxe avec exemple à l'appui en « traduisant » en prose la première scène de *Mithridate*. On devine la conclusion : puisque la prose obtient exactement le même effet que la poésie, jetons par-dessus

(1) Abbé de Pons, *Dissertation sur le poème épique.*
(2) Marmontel, article *Epopée de l'Encyclopédie* (1755).
(3) La Motte, *Discours à l'occasion d'une scène de Mithridate* (1730).

bord toutes les vaines difficultés de la versification qui ne font que gêner l'écrivain et même lui interdisent certaines beautés.

Ce qui fait la beauté d'un ouvrage, c'est la perfection de l'imitation. Comment imiter les passions, comment rendre leur « naïveté », si on ne leur fait pas parler leur « vraie langue » ?

> Les passions originales n'ont jamais parlé en vers. Cela implique contradiction : elles sont naïves, impatientes de s'énoncer, incompatibles avec toute recherche de tours et d'expressions ; et dès qu'on est vivement ému, on a aussitôt parlé que senti (1).
>
> Que l'amour heureux et tranquille emprunte le langage de la poésie, à la bonne heure. Mais qu'un homme crève de jalousie ou meure de douleur, et que là-dessus, il se mette à faire cent vers, quoi de moins naturel (2) ?

Si la perfection est dans la justesse, dit encore La Motte, cette perfection, jamais les vers ne pourront l'atteindre ; la prose seule y parviendra. Et il cite Pelisson qui déclare que « les vers ne sont jamais achevés ».

Ainsi, on sent avec force que la poésie n'est point la versification, qu'elle consiste à la fois dans une certaine élévation de sentiments, une certaine puissance d'imagination, une certaine harmonie, tous caractères que la prose leur semble pouvoir posséder aussi bien, mieux même, que la poésie. Dans tout ce débat, l'exemple de *Télémaque* est fréquemment invoqué. Cet ouvrage semble à tous ces critiques atteindre à la plus haute poésie et prouver par là que la prose l'emporte sur l'art des vers. Son succès prodigieux, succès universel d'ailleurs, un des plus grands qu'ait connus la librairie mondiale avant 1850, semblait donner raison aux adversaires de la poésie.

Ce qui n'a pas peu contribué à diminuer la poésie dans l'estime des critiques, c'est l'infatuation des poètes ; ceux-ci, sans croire alors encore exercer un sacerdoce, comme purent le penser Ronsard et Victor Hugo, affichaient souvent un orgueil ridicule du fait qu'ils s'exprimaient dans la langue exceptionnelle des vers et que leur pensée pouvait suivre d'autres chemins

(1) La Motte, *L'Ode à Monsieur de La Faye...* (1730).
(2) Abbé Trublet, *De la poésie et des poètes* (1760).

que celle du commun des mortels. Montesquieu se moque d'eux dans les *Lettres persanes* (l. XLVIII) et ni lui, ni l'abbé Trublet ne cachent leur mépris pour ces acrobates, dont l'art repose sur de si misérables difficultés.

Mais le grief le plus profond qui soit fait à la poésie, c'est qu'elle a sa source dans un état d' « enthousiasme » absolument opposé à l'exercice de la claire raison. Montesquieu l'appelle « harmonieuse extravagance » (1). La Motte ironise sur l'enthousiasme :

> (Ce mot) ne signifie autre chose qu'inspiration ; et c'est un terme qu'on applique aux poètes par comparaison de leur imagination échauffée avec la fureur des prêtres lorsque le dieu les agitait et qu'ils prononçaient les oracles... Mais c'est le plus souvent un beau nom qu'on donne à ce qui est le moins raisonnable... (2).

Le poète se croit obligé de ne pas penser comme tout le monde, à plus forte raison est-il éloigné de la pensée claire des gens d'esprit ; or on est méprisable « pour manquer de jugement et de goût, parce qu'ils sont indispensables » (3).

Qu'est-ce qui fait la vraie supériorité de l'homme ? Il faut toujours en revenir à cette idée : c'est la raison, la raison lumineuse, faite de bon sens et de jugement. Or les poètes, par principe, rejettent cette raison. Comment leur accorder quelque valeur ? Les poètes, Eschyle lui-même, selon Fontenelle sont des manières de fous. Comment estimer un génie instinctif, involontaire, qui n'engage en rien la conscience de l'homme, mais repose sur des forces obscures ? « Quoi ! » s'écrie ce même Fontenelle,

> ce qu'il y aura de plus estimable en nous, sera-ce donc ce qui dépendra le moins de nous, ce qui agira le plus en nous sans nous-mêmes, ce qui aura le plus de conformité avec l'instinct des animaux ? Car cet enthousiasme et cette fureur bien expliqués se réduiront à de véritables instincts (4).

(1) *Lettres persanes*, lettre CXXXVII.
(2) *Discours sur la poésie* (1707).
(3) Abbé Trublet, *Suite sur l'esprit* (1754).
(4) Fontenelle, *Réponse à Monseigneur l'évêque de Luçon* (1732).

Ce *délire*, dont les poètes sont si fiers, et cette faculté de ne pas raisonner, qui semble les élever au-dessus de l'humanité, à quoi d'ailleurs s'appliquent-ils ? A s'amuser à des difficultés vaincues, aux règles enfantines d'une versification dépourvue de sens !

Si la poésie doit subsister, qu'au lieu de se contenter des produits d'une imagination échauffée à vide, de sentiments faux, d'expressions outrées et artificielles, elle prenne une matière digne de l'homme moderne : la pensée ; qu'elle devienne poésie philosophique. Alors disparaîtront les reproches qu'on peut lui faire. Encore faut-il entendre par philosophie non seulement un ensemble d'idées qui formerait la matière de la poésie, mais cet ordre dans les pensées, cette clarté, cette justesse (1) qui sont la marque de l'esprit humain dans ce qui fait sa gloire. Et Fontenelle espère un temps où « les poètes se piqueront d'être plus philosophes que poètes, d'avoir plus d'esprit que de talent » (2). Ce temps, hélas ! on ne le sait que trop, ce temps devait venir peu d'années après que ces lignes prophétiques avaient été écrites.

En somme, on veut détruire la poésie au nom de deux conceptions : la raison est le propre de l'homme ; or la poésie est par principe déraisonnable ; donc la poésie est le reste caduc d'un âge révolu de l'humanité. L'art étant fondé sur le naturel les règles de la versification interdisent le naturel. Ne discutons pas ces principes. D'autres y répondront avec pertinence, un Valéry surtout, en cherchant quelle est l'essence de la poésie. Et ne disons pas que ces idées s'expliquent par la médiocrité de la poésie au XVIIIe siècle, puisqu'un Racine se trouve attaqué, en tant que poète, comme ses successeurs, puisqu'on vante un La Motte comme un des seuls poètes supportables. La cause profonde des attaques contre la poésie se trouve dans le nouvel idéal cartésien, qui est seulement alors vraiment vulgarisé et assimilé, déformé aussi parce que généralisé, qui fait de la raison et de la raison seule, la source de la perfection artistique. Une raison étroite, d'ailleurs, qui se révèle avant tout par la clarté,

(1) Fontenelle, *Sur la poésie* (1752).
(2) *Ibid.*

dont le but est de bien enchaîner des idées, dont l'objet est une pensée abstraite. Une autre cause en est dans l'affaiblissement de l'imagination concrète, qui interdit de prendre les images et les autres figures de style pour autre chose que pour des agréments inutilement plaqués. Ajoutons la déficience de la sensibilité musicale, qui ne ressent plus l'harmonie d'un Racine.

***

La poésie ne manqua pas de défenseurs. Voltaire fut le plus illustre d'entre eux ; il ne doit pas nous cacher les autres : Louis Racine, La Faye, Vauvenargues, Marmontel, d'Alembert lui-même, La Chaussée, Diderot.

Justification de la versification, d'abord, de la rime, de la contrainte des vers sous tous ses aspects. C'est d'ailleurs en cherchant à défendre les contraintes de l'art que quelques esprits retrouveront les vrais principes de la poésie.

La prose peut-elle être poétique ? Non, répond nettement Voltaire : « Il n'y a point de poème en prose » (1), et Marmontel le répète comme une évidence (2). La poésie, c'est donc uniquement ce qui s'écrit en vers. La confusion se trouve ainsi dissipée et un grave problème résolu. Puisqu'il n'y a pas à chercher la poésie dans la prose, c'est donc qu'elle est en rapport étroit avec la versification.

En effet, la poésie vaut par un pouvoir incantatoire, fondé sur l'harmonie, la répétition nous disions le rythme. C'est le mathématicien d'Alembert qui écrit :

> Dans un ouvrage de poésie... on doit parler tantôt à l'imagination, tantôt au sentiment, tantôt à la raison, mais toujours à l'organe ; les vers sont une espèce de chant sur lequel l'oreille est si inexorable que la raison même est quelquefois contrainte de lui faire de légers sacrifices. Ainsi un philosophe dénué d'organe, eût-il d'ailleurs tout le reste, sera un mauvais juge en matière de poésie (3).

(1) *Le Temple du goût* (1731).
(2) *Préface pour la Henriade* (1746).
(3) *Encyclopédie*, article *Goût, Réflexions sur l'usage et sur l'abus de la philosophie dans les matières de goût* (1757).

On ne saurait mieux dire ; et par là se trouve réhabilitée la vraie mission de la poésie ; par là son essence se trouve mieux approchée. D'Alembert comprend que cette essence est si étroitement dépendante des mots employés et de l'ordre où le poète les a placés, que « en rompant la mesure, en renversant les mots, on a détruit l'harmonie qui résultait de leur arrangement et de leur liaison » ; il ajoute qu'il serait aussi absurde de mettre de la poésie en prose que de « dénaturer un air fort agréable en transposant au hasard les sons dont il est composé » ; toute la valeur poétique disparaîtrait dans un cas comme toute valeur musicale dans l'autre.

Mais d'Alembert n'est pas le seul à réhabiliter la versification ; La Faye, dans son *Ode en faveur des vers* (1729) avait dit, en excellent esthéticien, sinon en très bon poète :

Ami né de la symétrie
L'homme en recherche l'agrément
Des merveilles de l'industrie
Seule elle fait l'enchantement.
A notre oreille la musique
Offre un mouvement symétrique
Des tons dont l'ordre fait les lois.
L'impression plus délicate
De cet ordre en beaux vers nous flatte,
Et sur l'esprit même a ses droits.

A la valeur incantatoire des vers s'ajoute leur valeur mnémotechnique ; elle en explique l'origine et les justifie historiquement.

Mais dans l'esprit et dans le fond du cœur,
Il n'appartient qu'au vers doux et flatteur
D'insinuer ses charmes et ses grâces,
Et d'y laisser ses plus profondes traces.
Il s'établit au fond du souvenir.
Et par lui-même il sait s'y maintenir
Sans s'altérer ni sans perdre aucun terme
Du tour heureux et du sens qu'il renferme (1).

(1) La Chaussée, *Epître à Clio* (1734).

Louis Racine, en 1736, écrit une *Ode à l'harmonie*, où il blâme les faiseurs de pointes et déclare :

> ... Mais une constante harmonie
> A la Raison toujours unie
> De l'oubli nous rendra vainqueur ;
> Qu'elle soit l'objet de nos veilles ;
> C'est l'art d'enchanter les oreilles
> Qui fait la conquête des cœurs.

Contre ceux qui veulent voir la raison triompher partout, on affirme que la poésie doit plaire à l'oreille et au cœur, et y réussira par la musique et l'harmonie, c'est-à-dire, en somme par la versification.

C'est la rime qui avait subi les plus rudes assauts ; c'est elle qui trouve les défenseurs les plus autorisés et les plus perspicaces. Bizarre invention des âges barbares ? Non : nécessité universelle, affirme Voltaire dans la préface à son *Œdipe* (1730).

> Le retour des mêmes sons est si naturel à l'homme qu'on a trouvé la rime établie chez les sauvages comme elle l'est à Rome, à Paris, à Londres et à Madrid.

Il ajoute que la poésie, c'est-à-dire la versification, est naturelle à tous les peuples, et les plus civilisés, les plus cultivés, oin de l'abandonner, l'ont perfectionnée. Elle n'est nullement incompatible avec les besoins intellectuels des peuples les plus éclairés, car elle n'exclut en rien la précision de pensée nécessaire aux esprits modernes. Contrairement à ce que dit Fénelon, la rime n'offre pas une contrainte plus rigoureuse et plus gênante que les scansions latine ou grecque. D'ailleurs pas de poésie concevable en France sans rime.

Voilà la rime excusée. Voltaire va plus loin, il montre son utilité, et, d'une manière générale, l'utilité de la contrainte technique en art. C'est là une vue esthétique de première importance, qui sera reprise par les Parnassiens, puis surtout par Valéry.

> Ce qui enchante toute la terre, c'est l'harmonie charmante qui naît de cette mesure difficile. Quiconque se borne à vaincre

une difficulté pour le mérite de la vaincre est un fou ; mais celui qui tire du fond de ces obstacles mêmes des beautés qui plaisent à tout le monde est un homme très sage et presque unique (1).

La Faye exprime avec plus de force la même idée :

De la contrainte rigoureuse
Où l'esprit semble resserré,
Il acquiert cette force heureuse
Qui l'élève au plus haut degré.
Telle dans des canaux pressée,
Avec plus de force élancée,
L'onde s'élève dans les airs ;
Et la règle qui semble austère
N'est qu'un art plus certain de plaire
Inséparable des beaux vers.
Non, le travail n'est point servile...
Médite, polis, remanie.
Des dons du Dieu de l'harmonie
Aucun sans peine ne jouit (2).

On croit entendre déjà les vers célèbres de Th. Gautier dans l'art (1857). L'œuvre d'art vit de contrainte ; cette contrainte non seulement oblige l'artiste à serrer de près sa pensée, au sens le plus large du mot, mais, comme le remarque La Chaussée, elle est la cause de ces trouvailles heureuses et imprévues par où se révèle souvent le génie.

Plus d'un artiste a souvent éprouvé
Qu'il cherchait moins que ce qu'il a trouvé...
Ainsi l'esprit dans les difficultés
Semble augmenter encor ses facultés ;
A son profit il tourne les obstacles
Et la contrainte enfante les miracles (3).

Toutes les contraintes de la versification se trouvent donc justifiées au nom d'une loi générale de l'art. Tout au plus Voltaire (4) désire-t-il qu'on autorise des rimes pauvres, et

(1) *Préface d'Œdipe* (1730).
(2) *Ode en faveur des vers* (1729).
(3) *Epître à Clio* (1734).
(4) *Lettres écrites en 1719 à propos d'Œdipe*, lettre V.

proteste-t-il contre la conception tyrannique qui voudrait tout sacrifier à l'oreille, et même exigerait que la rime satisfît aux yeux et pas seulement à l'oreille.

Si la rime est utile pour faire naître le beau, elle n'a pas cet inconvénient tant de fois relevé depuis Boileau, d'empêcher le poète de dire ce qu'il veut dire :

> L'arrangement, la mesure et la rime
> N'empêchent pas, quoi qu'on ose avancer,
> De mettre en vers tout ce qu'on peut penser... (1).

La poésie tire même des difficultés qui lui sont imposées, la faculté de dire plus que la prose :

> Un mérite de la poésie, dont bien des gens ne se doutent pas, c'est qu'elle dit plus que la prose, et en moins de paroles que la prose (2).

***

Dans cette lutte entre la poésie et la prose, où celle-ci nous semblait remporter l'avantage, celle-là est victorieuse. On lui reprochait de demander plus d'imagination que de raison, d'être même par principe déraisonnable ? Vauvenargues répond que la poésie demande au contraire des qualités intellectuelles et une puissance de raison supérieures à celles que demande la prose :

> Un grand poète est obligé d'avoir des idées justes, de conduire sagement tous ses ouvrages, de former des plans réguliers et de les exécuter avec vigueur. Qui ne sait qu'il est peut-être plus difficile de former un bon plan pour un poème que de faire un système raisonnable sur quelque petit sujet philosophique ?

On reproche au poète d'écrire dans un état d'enthousiasme purement animal ? Le même Vauvenargues répond que cet enthousiasme suppose au contraire, lorsqu'il produit de belles œuvres, la possession d'un riche fonds d'humanité, « des lumières

(1) La Chaussée, *op. cit.*
(2) Voltaire, *Dict. philosophique ;* article *Poètes* (1764).

et des passions ardentes qui éclairent l'âme sur toutes les choses du sentiment, c'est-à-dire sur la plus grande partie des objets que l'homme connaît le mieux. Le génie qui fait les poètes est le même qui donne la connaissance du cœur de l'homme » (1).

Le grand poète est donc supérieur au grand prosateur, puisque les qualités intellectuelles que demande la poésie supposent une profondeur de vues et une ampleur de génie dont la meilleure prose peut fort bien se passer, et dont l'objet est le monde du sentiment.

C'est ainsi que commence à se faire le départ entre le monde de la raison, qui est celui de la pensée abstraite, de la philosophie, au sens large du mot, et celui de l'art, où règne le sentiment. Le domaine de la poésie est le pathétique ; il ne faut la juger que sur le degré de perfection avec lequel elle produit l'impression pathétique. Ses lumières sont « des lumières de sentiment », impropres sans doute à la discussion abstraite, mais fort propres à éclairer la nature, en particulier la nature intime de l'homme, véritable objet du génie poétique (2).

Il ne s'agit donc pas d'opposer l'enthousiasme à la raison, et de condamner celui-là au nom de celle-ci, mais de savoir si cet enthousiasme est faux et vide, ou s'il est un état d'exaltation naturel provoqué par la vivacité du sentiment et l'ardeur d'une passion vraie. On doit le juger dans son domaine propre, celui de la sensibilité, sans faire intervenir les lois du royaume voisin, celui de la raison ; une ode harmonieuse et surchargée d'images et d'exclamations figurant l'état de transe où était le poète en l'écrivant, mais vide de sentiments sincèrement passionnés, est une œuvre manquée (3).

D'ailleurs, rien ne s'oppose à ce que cet enthousiasme s'accorde avec la plus pure raison. « L'enthousiasme raisonnable est le partage des grands poètes », écrit Voltaire (4). Il est vrai que celui-ci comprend étrangement la démarche intérieure du poète, quand il le représente dessinant d'abord à froid l'ordonnance générale de son poème, puis s'échauffant jusqu'à

(1) *Sur la poésie et l'éloquence*, fragment 12 (vers 1745).
(2) *Ibid.*
(3) Vauvenargues, *Sur l'ode* (vers 1745).
(4) *Dict. philosophique*, article *Enthousiasme* (1764).

l'enthousiasme dans la rédaction de son œuvre. Il compare le poète au coursier qui s'élance dans une carrière bien tracée, à César « qui formait un plan de bataille avec prudence et combattait avec fureur » (1). N'est-ce pas plutôt évidemment le contraire qui se passe ? Quel que soit l'ordre des facultés mises en jeu, il est certain que la disposition raisonnable et l'enthousiasme doivent ou peuvent s'unir dans le chef-d'œuvre. Marmontel, dans l'article *Beau* du supplément de l'*Encyclopédie* (2), développe les mêmes idées.

Entre 1720 et 1760, environ, s'est donc livrée une grande bataille pour et contre la poésie. Condamnée au nom de la raison et de la philosophie, justifiée au nom de la tradition et d'un principe essentiel de l'art, la nécessité de la contrainte, la poésie se voit peu à peu attribuer son vrai domaine : le cœur humain. Mais si les défenseurs de la poésie ont pour eux l'avenir, ses ennemis ont pour eux le présent. La poésie ne mourra pas de leurs attaques, mais elle deviendra, comme ils le demandent, une prose rimée, dont l'idéal sera celui de la prose d'alors, clarté, ordre, pensée philosophique, sentiments expliqués et non exprimés. Il faudra attendre une centaine d'années pour trouver, avec les *Méditations* (1820) cet heureux mélange d'ordre et d'harmonie, de pensée et de sentiment, de raison et de sensibilité, toutes les qualités d'une prose très pure et toutes celles qui flattent l'oreille et charment le cœur.

(1) *Ibid.*
(2) Paru en 1776.

Chapitre III

A LA RECHERCHE DU BEAU

Pour ou contre les anciens ou les modernes, pour ou contre la poésie, ces luttes ont comme point de départ une incertitude profonde sur la nature de la beauté littéraire. Au fur et à mesure que la connaissance des anciens, submergée d'ailleurs par celle des écrivains du temps de Louis XIV, entre dans l'esprit du moindre écolier, il semble qu'on comprenne moins nettement, moins naturellement en tout cas, la nature profonde de leur perfection. Des passions moins vives rendent moins visible ce qui dans ces œuvres anciennes ou modernes est sensibilité latente. Une raison plus orgueilleuse refuse toute place à l'imagination. Celle-ci est canalisée dans les formes où l'ont fait passer les classiques et s'étonne de se trouver ainsi emprisonnée. Les frontières vont s'effaçant entre une prose qui semble pouvoir posséder toutes les qualités imaginatives ou sentimentales de la poésie, et une poésie qui tend vers la prose par ses sujets, sa syntaxe, sa langue, son style. On sent ainsi que le problème n'est pas seulement de délimiter le domaine de chacun de ces modes d'expression, ni de chercher si la poésie peut ou non atteindre la perfection, mais de chercher en quoi consiste cette perfection, en quoi consiste le beau. La question n'est pas technique ; elle est d'abord esthétique.

Sur ce point, le grand apport de la première moitié du XVIIIe siècle est l'idée capitale et fructueuse de la *relativité du beau*. Tandis que le XVIIe siècle croyait qu'il existait une beauté absolue, indépendante des lieux et des temps, au sujet de laquelle on pouvait légiférer pour l'éternité, la plupart des critiques vont insister sur ce fait qu'il y a des beautés différentes, parfois très opposées, selon les temps et les lieux. Le sentiment exact de cette beauté particulière est le *goût*. C'est lui, et lui seul, qui permettra à l'écrivain d'adapter à son public l'idée générale qu'il se fait de la beauté. L'auteur devra tenir la balance égale entre ces deux forces : un idéal général de beauté, et les goûts particuliers du public. En fait, étant donné la société mondaine pour laquelle il écrit, la nécessité pour lui de recueillir les applaudissements d'un cercle étroit de connaisseurs entièrement soumis à la mode, c'est la notion de goût qui l'emportera sur l'idéal de beauté avec lequel son génie naturel met le poète en contact. Bien des nouveautés, bien des audaces, seront condamnées au nom du goût. Dans leurs recherches pour saisir cet idéal de beauté, rares seront les critiques vraiment désireux de la saisir dans sa forme universelle ; la plupart en chercheront les formes particulières à leur temps.

Dans un art qu'on croyait alors être uniquement d'imitation, comme la littérature ou la peinture, le beau est sans doute la perfection de l'imitation. Mais cette notion de beau pur est ici corrigée par la nature propre de l'objet imité, qui résulte d'un choix impliquant déjà un idéal, et qui, par lui-même, peut être beau ou laid, ou plus ou moins beau. Marmontel (1) comprend que, pour saisir le beau à l'état pur, il faut s'adresser aux arts qui n'imitent point, et il choisit l'architecture. Dans cet art, l'effet de beauté sera obtenu par l'impression d'unité jointe à celle de variété, par les proportions et la symétrie, mais surtout par « la grandeur, la richesse... La force et la richesse sont du côté de l'art les premières sources du beau ». On peut concevoir le beau sans l'intelligence « c'est-à-dire l'esprit d'ordre, de convenance et de régularité », mais non sans la grandeur. Un volcan en éruption, une tempête, donnent une impression de beauté par la seule grandeur du spectacle. Cependant, dans les ouvrages humains, cette intelligence doit y ajouter les qualités intellectuelles d'ordre, d'harmonie, de

(1) *Encyclopédie*, article *Beau* (1776).

rapports, etc. Outre la force et l'ordre, le beau doit avoir la liberté : il doit frapper par son indépendance par rapport à la mode, à l'opinion, à l'habitude : un beau parc sera moins beau qu'une profonde forêt sauvage.

Voltaire, lui, met l'accent sur la simplicité : « Ce n'est pas ce qu'on appelle esprit, c'est le sublime et le simple qui font la vraie beauté (1). » D'Alembert, dans l'article *Élocution de l'Encyclopédie*, Diderot dans l'article *Ingénieux*, insistent tous deux sur cette idée que ce qui est beau ne peut être que simple, c'est-à-dire débarrassé de ces ornements que le bel-esprit avait alors une tendance invincible à introduire dans l'œuvre.

Il existe donc un beau universel et absolu dont les trois grands caractères sont l'ordre, la force et la simplicité. La preuve en est l'admiration continue et universelle éprouvée pour les plus grands des auteurs de l'antiquité. Comment la concevoir s'il n'existait que des goûts variables (2) ? C'est au nom de ce beau idéal que l'on peut comparer Virgile et Thomson et déclarer le premier supérieur au second (3). Il existe un bon goût absolu, qui peut faire légitimement préférer des œuvres d'un autre temps et d'un autre pays que ceux du public (4). Le meilleur criterium de ce beau universel, ce n'est pas l'esprit, éminemment soumis aux contingences de la civilisation, mais le cœur, toujours semblable à lui-même ; et c'est Voltaire qui dit cela (5).

Les idées que nous venons de voir exprimées n'étaient pas nouvelles. L'esthétique classique les supposait comme principes ; elles sont, chez Voltaire et ses amis ou disciples, une survivance du XVIIe siècle. C'est à prouver des vues contraires que s'appliqueront les critiques novateurs, comme l'abbé Trublet.

Le beau est simplicité ? Fontenelle proteste (6). La simplicité n'est pas belle par elle-même ; elle ne l'est que par une heureuse opposition avec la diversité. Il faut se faire entendre

(1) *Dict. philosophique*, article *Esprit*, section 1.
(2) Voltaire, *Essai sur la poésie épique*, ch. I.
(3) Voltaire, *Dict. philosophique*, article *Goût*, section II.
(4) Voltaire, *Dissertation sur l'Héraclius de Calderon* (1764).
(5) *Dictionnaire philosophique*, article *Beau*.
(6) *Réflexions sur la poétique*, XXVII.

de tous, disait la doctrine classique. Que non pas, répond l'abbé Trublet : le grand public est mauvais juge. Certes, la grandeur ou la force, l'ordre et la simplicité sont caractères accessibles à tous. Mais le beau n'a-t-il que ces caractères ? Dans la littérature, en particulier, une certaine finesse ingénieuse n'est-elle pas un des caractères du beau (1) ? Certes les beautés de sentiment sont perceptibles à tous ; mais toute beauté n'a pas sa source dans le cœur ; et le beau de sentiment lui-même, s'il est tant soit peu fin, échappe à la masse du public ; or, cette finesse même « ne consiste souvent que dans une imitation plus parfaite de la nature » (2). Le beau en art est d'autant plus hors de portée du grand public qu'il est meilleur. Donc « le beau le plus beau, si je puis m'exprimer ainsi, c'est le beau le plus singulier, le plus nouveau, le plus éloigné de ressembler à celui qu'on connaît » (3). L'originalité, sinon l'étrangeté, devient un des caractères du beau. Idée qui n'est pas absolument nouvelle, puisqu'elle constitue le principe du style baroque, mais qui paraît nouvelle, et dont on sait la fortune, puisque aujourd'hui, et Valéry s'en plaint, elle est devenue un criterium du beau. Le bon goût étant l'apanage de l'élite, c'est à cette élite seule que l'artiste doit chercher à plaire, et il lui plaira par le côté où son idéal sera original. Le bon goût, critère du beau, c'est « le goût le plus commun parmi les personnes les moins communes » (4). Le précieux est légitimé puisqu'il vise avant tout à atteindre l'extrême finesse dans les pensées (5)... A la définition du beau que nous avons vue, il faut donc ajouter, selon l'abbé Trublet, la *singularité*.

Bien plus, le beau n'est pas cette parfaite justesse, cette exactitude de rapport entre l'objet et l'expression artistique, que semblaient estimer au plus haut point les théoriciens classiques. La beauté en art est faite d'une certaine impropriété dans l'expression, d'une certaine inexactitude dans le rendu,

(1) *Réflexions sur le goût.*
(2) *Ibid.*
(3) *Ibid.*
(4) *Suite des réflexions sur le goût*, VII.
(5) Marivaux, *Le Cabinet du philosophe*, 6e feuillet.

infiniment plus suggestives que la plus parfaite copie (1). C'est cet à-peu-près qui donne naissance à la grâce, et, sans la rendre « plus belle encore que la beauté », en fait sa compagne indispensable. Le délicat et le sublime doivent s'ajouter au juste pour créer le « beau parfait » (2). La beauté n'est donc pas seulement force, ordre, simplicité, singularité, elle est aussi finesse.

On voit à quels résultats aboutit l'abbé Trublet dans son analyse du beau. Sans prétendre définir par là un beau particulier à son temps, on voit qu'il ajoute à la définition un peu simple qui régnait les traits que le goût de son temps semblait imposer. Il définit une beauté du style Louis XV, quoi qu'il en ait.

Mais c'est ouvertement que l'abbé Dubos va nier l'existence d'un beau absolu. Ses *Réflexions sur la poésie et la peinture* (1719) auxquelles nous avons fait plus d'un emprunt sont un ouvrage capital dans l'histoire de l'esthétique en France et dans l'évolution des idées littéraires.

L'idée de beauté est une conception humaine ; le beau n'existe pas dans la nature ; il n'existe que pensé par l'homme. Il est un prolongement idéal des facultés humaines et, comme tel, dépend étroitement de ces facultés. Le beau en art, en particulier, est relatif. On appelle beau ce qui se trouve momentanément en accord avec les goût régnants. Or les hommes ne sont pas toujours et en tous lieux pareils à eux-mêmes ; plutôt que les causes morales, inefficaces, selon l'abbé Dubos, à modifier les facultés essentielles des individus, ce sont les causes physiques qui agissent. Telle faculté intellectuelle se trouve plus naturellement développée dans tel climat ; elle s'épanouit à telle époque et non à telle autre ; rien de commun entre un nègre et un moscovite, entre un Florentin et un Hollandais. Comment pourrait-il exister une beauté absolue à laquelle ils seraient tous également sensibles ? Et qu'on ne parle pas de progrès : la nature

(1) *Des ouvrages d'agrément*, XXXIX ; cf. *Suite sur l'esprit*, XXXIII.
(2) *Remarques sur la préface des œuvres de Monsieur Despréaux.*

procède ici par sauts. Il y a des siècles de beauté, des pays de beauté, des siècles et des pays de laideur.

Cette idée féconde ouvrait la porte aux nouveautés ; elle permettait à la littérature de tenter des voies nouvelles et de créer une beauté nouvelle. Voltaire, à propos de l'épopée, déclare :

> Presque tous les ouvrages des hommes changent ainsi que l'imagination qui les produit. Les coutumes, les langues, le goût des peuples les plus voisins diffèrent ; que dis-je, la même nation n'est plus reconnaissable au bout de trois ou quatre siècles. Dans les arts qui dépendent purement de l'imagination il y a autant de révolutions que dans les États ; ils changent en mille manières, tandis qu'on cherche à les fixer (1).

Helvétius conclut un long développement sur l'évolution des mœurs et son incidence sur le goût par cette phrase : « Tout changement arrivé dans le gouvernement ou dans les mœurs d'un peuple doit nécessairement amener des révolutions dans son goût (2). » Mais il fallut attendre longtemps pour que ces idées s'imposent. Mme de Staël les reprit, avec toute l'expérience politique qui manquait à l'abbé Dubos, à Voltaire, à Helvétius, et les fit triompher quelque cent ans après les *Réflexions ;* c'est qu'entre temps les défenseurs du beau universel en avaient tant appauvri la substance qu'un artiste fort et impétueux ne pouvait s'en contenter.

***

Partisans traditionalistes d'un beau universel exprimé dans les œuvres anciennes et dans celles de nos classiques, mais qu'ils n'eussent osé trouver dans celles d'un Shakespeare, et partisans de beautés multiples, particulières à tel âge et à tel pays, s'affrontèrent dans la première moitié du XVIIIe siècle ; les traditionalistes l'emportèrent d'abord, tant était minime la connaissance des œuvres étrangères qui eussent pu vérifier et vivifier la théorie de leurs adversaires. Mais ceux-ci eurent leur revanche à la fin du siècle, et au début du siècle suivant. Le Romantisme a en eux sa racine la plus profonde et la plus ignorée.

(1) *Essai sur la poésie épique*, ch. I (1728).
(2) *De l'Esprit*, *Discours II*, ch. XIX (1748).

Chapitre IV

VERS DE NOUVEAUX PRINCIPES

Une des grandes causes de l'élargissement progressif du goût littéraire et de l'avilissement de la doctrine classique au XVIIIe siècle fut la révélation de la littérature anglaise. Jusqu'à la fin du XVIIe siècle, l'influence italienne s'était constamment mêlée à celle des œuvres antiques, tantôt pour l'appuyer, tantôt pour la combattre. C'est en songeant au Tasse ou à l'Arioste que beaucoup d'irréguliers protestèrent contre la discipline classique, tandis que Pétrarque offrait un modèle des mêmes qualités qu'Horace. Mais, à part une plus grande fantaisie d'imagination, soit dans le détail, soit dans l'ensemble de l'œuvre, l'influence italienne n'avait pas à modifier sensiblement les principes de l'art classique. Au contraire, les modèles anglais, sans révéler des principes nouveaux, contribuèrent fortement à renforcer des tendances que l'évolution générale des mœurs avait déjà fait naître en France.

L'humanisme se mourait ; la notion du beau qu'il impliquait s'estompait ; les anciens, toujours révérés, n'avaient plus la même autorité ni le même crédit. Le cadre étroit de la littérature classique n'était plus à la mesure des aspirations déjà si amples de l'âme moderne. La religion n'offrait plus à cette âme un aliment suffisant ; comme l'âme inquiète cherchait sa vérité dans la philosophie, l'art se cherchait un idéal nouveau. Il va se transformer, mais par l'intérieur plutôt que par la forme. La forme restera, dans l'ensemble, ce qu'elle était au siècle précédent. Ce n'est pas proprement une nouvelle doctrine littéraire qui va s'établir ; ce sont des principes nouveaux et très généraux qui vont donner une vie nouvelle à un art traditionaliste. Le goût du public sera partagé entre les genres traditionnels, où on demandera moins d'originalité que d'habileté et où la qualité technique sera l'objet de la principale curiosité, et des genres nouveaux, qu'aucune tradition ne limite, et où l'on cherchera surtout le reflet de la vie morale, des aspirations nouvelles, de la réalité, plus encore que de la vérité.

De plus, par un phénomène aussi régulier en littérature qu'en physiologie, il faut constamment forcer la dose pour produire le même effet. Le spectacle ou le récit qui faisait pleurer en 1670, ne fait plus qu'effleurer la sensibilité en 1750. Sans doute Rousseau tomba malade d'émotion après avoir assisté à la représentation d'*Alzire ;* mais il avait vingt-cinq ans et n'était guère blasé sur le spectacle tragique. Les effets doivent être renforcés constamment et Crébillon l'a bien senti, qui prétendit doter la tragédie du ressort nouveau de l'horreur. Et sur ce point, le drame anglais offrait un modèle. L'abbé Prévost loue les Anglais « pour cette force tragique qui remue le fond du cœur et qui excite infailliblement les passions dans l'âme la plus engourdie, pour l'énergie des expressions... » (1). Muralt proteste parce que, sur la scène anglaise, « on représente les exécutions », parce qu'il y a vu « tenailler un homme en croix pendant une demi-heure » (2) ; mais une partie du public attendait ces spectacles violents. Voltaire loue les poètes anglais de « leur énergie et de leur profondeur » (3). Mais l'abbé Trublet tire une autre leçon de l'étude de la littérature anglaise. Il y voit la preuve de l'opposition entre l'esprit créateur, le génie inventif, et l'esprit de méthode, c'est-à-dire le goût artistique (4). Cette opposition une fois trouvée, il n'est pas difficile de donner l'avantage aux premiers sur les seconds et de sacrifier la perfection artistique à la puissance imaginatrice. Cette opposition féconde sera à la base des idées de Mme de Staël, mais Diderot, avant elle, la prendra à son compte et en développera les conséquences.

(1) *Mémoires d'un homme de qualité* (1728).
(2) *Lettres sur les Anglais*, 2e lettre (1725).
(3) *Siècle de Louis XIV*, ch. XXXIV (1751).
(4) *De la Tragédie et de la Comédie*, XXIX (1760).

> Le goût, écrit-il, est souvent séparé du génie. Le génie est un pur don de la nature ; ce qu'il produit est l'ouvrage d'un moment ; le goût est l'ouvrage de l'étude et du temps ; il tient à la connaissance d'une multitude de règles établies ou supposées ; il fait produire des beautés qui ne sont que de convention. Pour qu'une chose soit belle selon les règles du goût, il faut qu'elle soit élégante, finie, travaillée sans le paraître ; pour être de génie, il faut quelquefois qu'elle soit négligée, qu'elle ait l'air irrégulier, escarpé, sauvage. Le sublime et le génie brillent dans Shakespeare comme des éclairs dans une longue nuit, et Racine est toujours beau ; Homère est plein de génie, Virgile d'élégance.
>
> Les règles et les lois du goût donneraient des entraves au génie ; il les brise pour aller au sublime, au pathétique, au grand... La force et l'abondance, je ne sais quelle rudesse, l'irrégularité, le sublime, le pathétique, voilà dans les arts le caractère du génie ; il ne touche pas faiblement, il ne plaît pas sans étonner, il étonne encore par ses fautes (1).

Voltaire, si respectueux des œuvres classiques, sinon de la dogmatique classique, proteste aussi contre les règles et revendique les droits du génie :

> Tant de prétendues règles, tant de liens ne serviraient qu'à embarrasser les grands hommes dans leur marche. Il faut courir la carrière et non s'y traîner avec des béquilles... Il faut dans tous les arts se donner bien garde de ces définitions trompeuses par lesquelles nous osons exclure toutes les beautés qui nous sont inconnues... Tel est le privilège du génie d'invention : il se fait une route où personne n'a marché avant lui ; il court sans guide, sans art, sans règle ; il s'égare dans sa carrière, mais il laisse loin derrière lui tout ce qui n'est que raison et qu'exactitude.

Son ennemi Fréron s'écrie : « Doit-on prescrire à l'art des limites, quand la nature n'en a pas (2) ? »

Une des principales idées nouvelles sur l'art est donc qu'il existe deux forces opposées, dont l'une seulement est vraiment créatrice : le goût et le génie ; que la première n'a qu'une fonction limitative, mais qu'elle serait impuissante, à elle seule, à créer la beauté artistique ; que la seconde, au contraire, est

(1) *Essai sur la poésie dramatique*, XVIII (1759).
(2) *Lettres sur quelques écrits de ce temps*, t. IV, liv. 1 (1751).

la vraie source de la beauté, et que, si le goût, c'est-à-dire l'ensemble des règles traditionnelles auxquelles devrait se plier l'écrivain, risque de gêner le génie, celui-ci doit le jeter par-dessus bord et courir librement au gré de son inspiration. C'est là une profonde racine de la doctrine romantique.

Une seconde idée se fait jour, au cours du XVIIIe siècle ; moins originale que la précédente, moins riche en conséquences, elle constitue cependant un principe important de l'art nouveau qu'on prétend instaurer. La littérature du XVIIe siècle devait être morale ; il n'est aucun de nos théoriciens ni de nos auteurs, ou presque, qui n'affirme ou du moins n'admette implicitement cette mission morale de la littérature. En fait, ce qui se dégage des œuvres et ce que recommandent les critiques, c'est une morale très générale, universelle et abstraite, plus négative que positive et d'une application bien indirecte. La littérature du XVIIIe siècle prétend être moralisatrice, ce qui n'est pas la même chose. Les enseignements moraux qu'on charge l'œuvre littéraire de répandre sont strictement adaptés au public qui la lit et au temps où il la découvre ; elle est en étroit rapport avec les mœurs du temps et suppose une représentation directe de la société réelle. Le pur artiste du XVIIe siècle était comme un prêtre révélant les vérités suprêmes sur l'homme et ses passions, ou comme un savant exposant froidement ses découvertes et le résultat de ses analyses dans le domaine du cœur humain. Ce prêtre, ce savant, doivent devenir instituteurs, adapter leurs leçons au public qui les écoute, c'est-à-dire à la bourgeoisie moyenne qui forme de plus en plus la masse des lecteurs.

Au lieu de faire rire de vices rares et peu dangereux pour la société, l'auteur comique « *réservera* son pinceau pour ceux dont la source est dans les abus accrédités par le préjugé, ou dans des vices consacrés par le monde ». La meilleure manière d'améliorer les hommes, et de leur faire aimer la vertu, c'est « de la leur montrer sous des images touchantes et dans des situations à peu près semblables à celles qui se répètent tous les jours sur la scène ordinaire de la société » (1). C'est ainsi que Bougainville félicite La Chaussée d'avoir « inspiré aux hommes le goût d'une morale bienfaisante et de les *avoir convaincus* par le sentiment que le devoir est le fondement du bonheur ». Diderot déclare que l'objet d'une composition dramatique, est « d'inspirer aux hommes l'amour de la vertu, l'horreur du vice » (2). « Je le répète donc, écrit-il ailleurs, l'honnête, l'honnête (3). » « Rendre la vertu aimable, le vice odieux, le ridicule saillant, voilà le projet de tout honnête homme qui prend la plume, le pinceau ou le ciseau (4). » Cette vertu n'est pas un concept abstrait ; l'auteur doit la peindre dans des cas particuliers, et agiter des questions qui se posent dans la vie réelle, sinon quotidienne : « La question du suicide, de l'honneur, du duel, de la fortune, des dignités, et cent autres (5). » En proposant son « genre sérieux », Beaumarchais le loue de ce qu'il offre « un intérêt plus pressant, une moralité plus directe que la tragédie héroïque, et plus profonde que la comédie plaisante » (6). Mercier veut que le drame qu'il propose

> serve à lier entre eux les hommes, par le sentiment victorieux de la compassion et de la pitié. Ce n'est donc pas assez que l'âme soit occupée, soit même émue ; il faut qu'elle soit entraînée au bien ; il faut que le but moral, sans être caché ni trop offert, vienne saisir le cœur et s'y établir avec empire...
>
> Qu'est-ce que l'art dramatique ? C'est celui qui... ouvre les trésors du cœur humain, féconde sa pitié, sa commisération, nous apprend à être honnête et vertueux ; car la vertu s'apprend, et même avec quelque effort (7).

S'il s'agit du poème épique, et non du théâtre, Mme Dacier le définit en disant entre autres choses qu'il est « inventé pour former les mœurs » (8). Le roman ? Diderot loue Richardson

(1) De Bougainville, *Discours de réception à l'Académie française* (éloge de La Chaussée) (1754).
(2) *Dorval et moi*, IIIe Entretien (1757).
(3) *Essai sur la poésie dramatique*, II (1759).
(4) Diderot, *Essai sur la peinture*, V (publ. en 1795).
(5) *Essai sur la poésie dramatique*, III.
(6) *Essai sur le genre dramatique sérieux* (1767).
(7) *Du Théâtre...*, introduction (1773).
(8) *L'Odyssée d'Homère*, préface (1716).

de ce qu'il a écrit des ouvrages « qui élèvent l'esprit, qui touchent l'âme, qui respirent partout l'amour du bien » (1) et il oppose ces leçons concrètes, qui excitent la sympathie, à ces maximes froides et inutiles qui contenaient auparavant la morale des ouvrages littéraires.

L'efficacité morale de l'œuvre littéraire vient donc moins de la leçon implicite qu'elle contient que de la chaleur que sauront provoquer dans le cœur du lecteur le récit ou la peinture des caractères. La grande différence entre la morale que prétendent enseigner les auteurs du XVIIe siècle et la moralité que veulent susciter ceux du XVIIIe, c'est que les uns semblent croire qu'il suffit de présenter un spectacle moral par la conclusion qui s'en dégage, tandis que les autres, faisant appel à la sensibilité, et non à la raison, veulent mettre le lecteur dans un état de réceptivité préalable propre à rendre la leçon efficace. C'est en provoquant un état sentimental propice qu'ils pourront agir sur les mœurs ; il faut pour ainsi dire chauffer d'abord à blanc le cœur humain pour lui donner ensuite la forme voulue. Sans cet état d'enthousiasme pour la vertu, point de leçon de vertu efficace. On ne conçoit pas la leçon morale sans l'attendrissement. D'autre part, cette leçon sera positive et non négative ; on peindra la vertu plus que le vice ; on fera aimer l'une plutôt que haïr l'autre ; on provoquera des pleurs émus au spectacle du bien, plutôt qu'un rire plein de malignité au spectacle des ridicules, plutôt même que les cris de l'indignation ou de l'épouvante au spectacle des malheurs mérités ou immérités.

Un troisième principe, c'est que l'art doit représenter la vie réelle. Non pas indirectement, à travers les affabulations traditionnelles, mais directement ; c'est l'amorce du réalisme ; et ce principe est en étroite liaison avec le précédent : comment donner une utile leçon, si le lecteur doit d'abord traduire les

(1) *Eloge de Richardson* (1761).

événements étrangers à son état pour les appliquer à sa situation, s'il doit transposer en bourgeois les princes que lui présente la tragédie ; si les beaux sentiments dont le roman lui offre l'analyse ou la peinture lui demeurent à peu près étrangers, dans leur délicatesse ou leur caractère dépouillé des contingences qui l'enserrent lui-même ? De noble, la littérature doit devenir bourgeoise ; de figurée, directe.

Les caractères généraux doivent au théâtre faire place aux caractères particuliers, tels que les forment les situations ; l'intrigue doit être « domestique » (1) ; elle doit dépendre des conditions plus que des caractères ; les conditions varient constamment, les caractères, toujours les mêmes, sont vite épuisés. Dans l'opéra même, genre artificiel s'il en est, Grimm et Diderot veulent que le sujet soit tiré de la vie réelle. L'églogue doit abandonner les faux bergers, et peindre, comme Gessner l'a fait, des bergers « frères, enfants, époux, amis » ; il faut les représenter pauvres, nous montrer leur vieillesse, leurs sentiments de générosité, leur bienfaisance, leur tendresse filiale ou paternelle (2). Le roman doit dédaigner « ces événements extraordinaires et tragiques », ces héros pris par les Turcs, ces morts imprévues, ces souterrains (3) ; il doit peindre la nature humaine dans sa réalité contemporaine.

Les personnages dont les aventures sont racontées ou mises en scène doivent donc être d'une condition voisine de la nôtre :

> Le véritable intérêt du cœur, sa vraie relation est donc toujours d'un homme à un homme et non d'un homme à un roi. Aussi, bien loin que l'éclat du rang augmente en moi l'intérêt que je prends aux personnages tragiques, il y nuit au contraire. Plus l'homme qui pâtit est d'un état qui se rapproche du mien, et plus son malheur a de prise sur mon âme... Si notre cœur entre pour quelque chose dans l'intérêt que nous prenons aux personnages de la tragédie, c'est moins parce qu'ils sont héros ou rois que parce qu'ils sont hommes et malheureux... Que me font à moi, sujet paisible d'un état monarchique du XVIIIe siècle,

(1) Diderot, *Dorval et moi*, IIIe Entretien.
(2) Turgot, *Avertissement en tête de la traduction des Idylles par Huber* (1779).
(3) Crébillon fils, *Les Egarements du cœur et de l'esprit*, préface (1736).

> les révolutions d'Athènes et de Rome ? Quel véritable intérêt puis-je prendre à la mort d'un tyran du Péloponèse, au sacrifice d'une jeune princesse en Aulide ? Il n'y a dans tout cela rien à voir pour moi, aucune moralité qui me convienne (1).

Mercier propose qu'on mette sur la scène « un tisserand, un ouvrier, un journalier ». Marivaux, en tant qu'auteur de la *Vie de Marianne*, l'abbé Prévost, J.-J. Rousseau, dans leurs préfaces, défendent leur décision de donner au roman des personnages bourgeois ou populaires.

Les sentiments qui sont le ressort des œuvres littéraires doivent également être ceux qu'éprouve le commun des mortels dans le cours d'une vie normale ; un père est inquiet de l'avenir et du sort de ses enfants, un honnête homme de son honneur, un commerçant se préoccupe avant tout de son commerce, un employé de son emploi. Ces préoccupations qui remplissent la vie des citoyens, pourquoi ne pas en faire la matière de l'œuvre, au lieu de ne traiter que d'amour ou de politique ?

Le langage, le style, devront, dans tous les genres, se rapprocher du langage véritable des hommes du temps ; la prose remplacera les vers, même dans les genres d'où elle était exclue ; cette prose même se fera familière.

Au théâtre, la diction des acteurs, au lieu d'être cette mélopée traditionnelle, cette déclamation artificielle qui régnaient alors, devra, par la variété du ton, jointe aux mouvements naturels d'une âme émue, ressembler à l'expression spontanée des sentiments vrais.

Il n'est point de domaine, point de parties de l'œuvre littéraire qui ne doive se rapprocher de l'humble et quotidienne réalité, non pour en souligner la platitude, au contraire, pour en dégager le tragique et surtout l'émouvant. Il est évident qu'une telle conception fait perdre à l'art son caractère de stylisation ; le plaisir éprouvé par le spectateur ou le lecteur sera moins purement artistique ; la notion d'art tend même à s'abolir. L'auteur, certes, intéressera et plaira ; mais il s'adressera dans l'homme à tous ses sens, sauf à son sens esthétique.

(1) Beaumarchais, *Essai sur le genre dramatique sérieux* (1767).

Aussi bien est-ce ce que réclamait une société nouvelle partagée entre le cœur et la raison, mais peu préparée à saisir les beautés d'un art dépouillé.

Ce qui compte dans l'œuvre d'art, c'est sa portée sentimentale ; c'est au cœur qu'elle doit parler, non à l'esprit ; c'est dans le cœur que réside le génie ; c'est la sensibilité qui est dans l'homme, et spécialement dans l'écrivain, la partie vraiment féconde et l'élément vraiment original. La raison analyse, le sentiment crée. La raison comprend, mais c'est par le cœur seul que l'homme peut assimiler l'œuvre d'art. Voilà un quatrième principe, qui fait, en particulier, du XVIIIe siècle, l'époque du préromantisme.

Certes, la doctrine classique déclarait que le poète doit toucher et susciter une émotion. Mais l'émotion provoquée restait très intellectuelle, comme l'acte de l'artiste créateur. Ou plutôt, comme nous l'avons dit, l'émotion était, du temps de Louis XIV, suggérée à moindres frais dans un public moins blasé. « Pour me tirer des pleurs, il faut que vous pleuriez », écrivait Boileau ; mais les pleurs qu'il réclamait étaient, sinon intérieurs, du moins fort discrets. Il faut, au XVIIIe siècle, dans le roman comme au théâtre, une émotion plus directement exprimée, et avec plus de force, pour « toucher ».

L'art, nous l'avons vu, doit se rapprocher de la vie ; il sera donc dans un rapport plus étroit avec le tempérament de l'auteur, dans ce qu'il a de particulier, avec sa sensibilité plus qu'avec ses dons purement intellectuels. Non seulement on accepte cette présence de l'auteur dans son œuvre, mais on la sollicite ; on l'invite, en affirmant que le génie est supérieur au goût, à dévoiler ce qu'il y a en lui d'instinctif, et à échauffer son œuvre des mouvements spontanés de son cœur. Du public, c'est l'adhésion du cœur et non de la seule intelligence qu'on désirera obtenir. L'œuvre littéraire sera ainsi comme le lieu d'un courant dont les pôles seront deux sensibilités, et non deux intelligences. Quand Boileau conseillait à l'auteur dramatique de parler au cœur de son public, il entendait que cet auteur eût avant tout l'intelligence des moyens d'agir presque mécaniquement sur ce cœur. Quand Diderot demande la même chose de tout écrivain, de tout artiste, il croit que la sincérité sentimentale et la naïveté d'expression obtiendront cet effet plus sûrement, et suffiront à l'obtenir. Le génie consistera donc avant tout dans une sensibilité débordante dont la chaleur excite l'imagination ; non seulement une tendresse douce et délicate, mais, et de plus en plus à mesure que le siècle s'avance, un état de passion parfois forcenée, un enthousiasme véritable. Les caractères de l'inspiration lyrique auront tendance à devenir ceux de toute création littéraire.

Enfin, la littérature devra se mettre au service de la philosophie. C'est par ce biais qu'un Fontenelle pense pouvoir sauver la poésie. Si la poésie a, en effet, plus que la prose, la faculté de pénétrer l'esprit par son harmonie, ne doit-elle pas, mieux que la prose, répandre les grandes vérités que l'homme a conquises sur le mystère de la nature ? Devant un public en grande majorité passionné d'idées et de faits, ne doit-elle pas exposer, en les parant de ses agréments, des idées nouvelles et des faits importants ou curieux ? Ce sera le genre didactique. Sans doute, les auteurs ont à excuser sa froideur. Mais, en prose et en vers, on veut instruire, on veut « dire quelque chose » ; philosophie, morale, agriculture, éducation, histoire naturelle, physique, astronomie, peinture, il est peu de matière que l'art ait jugées indignes de lui ou qu'on ne lui ait conseillé de traiter, et de traiter avec précision, avec efficacité, sans fausse pudeur, sans respect exagéré d'une tradition timorée.

On veut donc une littérature où le génie l'emporte sur la règle, qui soit moralisatrice, réaliste, sensible, rêveuse, didactique. Ce ne sont point là les éléments d'une doctrine cohérente ; ce ne sont point, surtout, des principes d'art. Il s'agit de tendances parfois contradictoires, dont certaines n'ont été formulées par aucun théoricien, mais qui vont diriger la littérature française, pendant quelque cent ans. L'ensemble de ces tendances s'oppose à la doctrine classique d'abord en ce qu'elles s'intéressent au contenu de l'œuvre et non à sa forme, en ce qu'elles proclament les droits du cœur, supérieurs à ceux de la raison, et ceux du tempérament individuel, supérieurs à la règle ; la raison elle-même, quand on se réclame d'elle, est moins la faculté d'ordre, de discipline, d'équilibre qu'elle était pour les classiques qu'une philosophie critique opposée aux préjugés et à la tradition, un bon sens réaliste qui tient plus compte de l'état des mœurs que des lois générales de l'humanité intellectuelle. Les théoriciens de la littérature écrivirent surtout dans la première moitié du siècle. Comme le résultat de leurs travaux fut de détruire les fondements de la doctrine classique et d'écarter même tout idéal doctrinal, ceux qui les suivirent crurent suffisant d'émettre quelques directives très générales. Ce n'est qu'au sujet des genres puissamment constitués par une tradition encore respectée que nous retrouverons non une doctrine, mais la discussion des règles littéraires.

CHAPITRE V

NOUVELLES THÉORIES DRAMATIQUES

A) LE RAJEUNISSEMENT DE LA TRAGÉDIE

La tradition tragique était faite de l'œuvre dramatique de Racine plus que de la théorie qu'avait donnée Boileau, seul théoricien littéraire toujours connu et apprécié. Racine avait, de l'avis unanime, atteint la perfection. Ceux qui tentaient de l'imiter trop respectueusement sont jugés médiocres ; ceux qui voulaient rivaliser avec lui durent innover. Ces innovations furent timides. On n'osa recommander rien qui touchât au principe même de la tragédie classique ; on proposa seulement des améliorations discrètes sur des points de détail, qui touchaient au fond plus qu'à la forme. Voltaire est dans ce siècle le plus grand théoricien de la tragédie, mais d'autres, quoique avec moins d'autorité, proposeront également leurs réformes.

L'admiration de Voltaire pour Racine est totale et ne souffre aucune restriction : « *Athalie* est peut-être le chef-d'œuvre de l'esprit humain (1)... Racine, celui de nos poètes qui approcha le plus de la perfection (2). » Son article *Art dramatique* du *Dictionnaire philosophique* n'est qu'un éloge indirect de Racine. Louer Racine, c'est demander que la tragédie parle avant tout au cœur, que l'amour y soit une passion souveraine (3) et non l'ornement d'une action politique ; c'est demander qu'à côté de l'amour, l'auteur peigne « la douloureuse situa-

(1) *Discours historique et critique* à propos des *Guèbres* (1769).
(2) *Lettre à l'Académie française* à propos d'*Irène* (1778).
(3) Cf. *Epître à la duchesse du Maine* à propos d'*Oreste* (1750).

tion d'une mère prête de perdre son fils » (1) et bien d'autres émotions naturelles. C'est respecter complètement la règle des trois unités. Voltaire (2) les justifie après tant d'autres non seulement par la tradition (à laquelle il fait à peine appel), mais par la vraisemblance. L'unité d'action ? Parce que « l'intérêt qui se partage s'anéantit aussitôt » ; l'unité de lieu ? parce qu' « une seule action ne peut se passer en plusieurs lieux à la fois » ; l'unité de temps ? parce qu'il est matériellement impossible au poète de mettre sous les yeux du spectateur ce qui s'est passé pendant les quinze jours par exemple qui sépareraient deux moments de l'action ; parce que le « spectacle est de trois heures à la comédie, il ne faut donc pas que l'action dure plus de trois heures » ; mais ces trois heures peuvent, par convention, être portées jusqu'à vingt-quatre. Les unités assureront la simplicité, qui fait le vrai mérite de la tragédie. Quant au vers, nul doute qu'il ne faille absolument le garder dans la tragédie ; il en fait la plus grande beauté, car les beaux vers comprennent et supposent une foule de qualités morales et intellectuelles nécessaires au chef-d'œuvre (3). Encore est-il dangereux d'user des rimes croisées, comme lui-même l'a fait dans *Tancrède*, parce qu'ainsi le style « approche de la prose » (4).

Cependant, la fidélité de Voltaire à Racine ne l'empêche pas de désirer pour la tragédie diverses innovations. En effet,

> quiconque approfondit la théorie des arts purement de génie doit, s'il a quelque génie lui-même, savoir que les premières beautés, ces grands traits naturels qui appartiennent à ces arts, et qui conviennent à la nation pour laquelle on travaille, sont en petit nombre... Il en est de même dans l'art de la tragédie (5).

Puisqu'on ne peut inventer indéfiniment, ni dans le domaine des grandes passions, ni dans celui des situations, il faut renouveler l'art par un autre côté. D'abord, et, sur ce point, Voltaire est d'accord avec La Motte et Crébillon, il faut donner la pre-

(1) *Dissertation sur la tragédie* à propos de *Sémiramis* (1748).
(2) Dans la *Préface* écrite pour l'édition de 1730 d'*Œdipe*.
(3) *Discours historique et critique* à propos de *Don Pèdre* (1774).
(4) *Epître dédicatoire* de *Tancrède* (1760).
(5) *Siècle de Louis XIV*, ch. XXXII (1751).

mière place à l'action. « Toute la tragédie doit être action (1). » S'il faut des épisodes pour enrichir un sujet trop simple et pauvre par lui-même, qu'ils soient formés d'événements, non de « déclamations » (2). Ces actions doivent, de plus, être « frappantes » et demander « de l'appareil et du spectacle ». Le grand reproche fait à la tragédie classique, c'est d'abonder en « déclamations », en récits, en « morceaux de parade », en monologues. Qu'on supprime les confidents, et l'on supprimera du coup les confidences (3). Qu'on ne mette en scène que les personnages essentiels à l'action. En réponse à Voltaire, La Motte déclare n'accepter que l'unité d'action ; les deux autres « pourraient... glacer les spectateurs » (4), et leur suppression permettra de diversifier l'action, de mettre sous les yeux du public ce qui n'était que raconté. Sans aller si loin, Voltaire veut, tout en sauvegardant les unités, réagir contre « l'excessive délicatesse » de la scène française (5) et il admire dans le *Jules César* de Shakespeare « Brutus tenant encore un poignard teint du sang de César, assembler le peuple romain et lui parler ». Il réclame du spectacle ; le jeu des acteurs doit se faire plus vivant, plus audacieux dans l'expression des sentiments et surtout des émotions (6). Le décor doit être vaste, pompeux, frappant ; il doit être débarrassé des spectateurs qui l'encombrent et interdisent toute illusion (7)... « Il faut frapper l'âme et les yeux à la fois (8). »

Plus vivante, plus spectaculaire, la tragédie doit également se renouveler par les sujets : non pas que les cas psychologiques puissent être bien nouveaux, selon Voltaire, mais au moins le cadre peut-il être emprunté à des périodes historiques ou à des civilisations non encore exploitées, moyen âge français et « ancienne chevalerie, contraste des Mahométans

(1) La Motte, *Discours* à l'occasion de *Romulus* (1730).
(2) Crébillon, préface à *Electre* (1715).
(3) La Motte, *Discours* à l'occasion d'*Inès* (1730).
(4) *Réponse à Monsieur Voltaire* (1730).
(5) *Discours sur la tragédie* (1731).
(6) *Préface des Scythes* (1767).
(7) *Dissertation sur la tragédie* (1748).
(8) *Epître dédicatoire* de *Tancrède* (1760).

et des Chrétiens, celui des Américains et des Espagnols, celui des Chinois et des Tartares... tableau contrasté des anciens Scythes et des anciens Persans » (1).

Enfin, la tragédie doit avoir une mission ; elle doit se faire tribune, et propager les idées que l'auteur croit utiles : la vraie humanité et la religion éclairée (2), la tolérance politique (3), « la charité universelle, le respect pour les lois, l'obéissance des sujets aux souverains, l'équité et l'indulgence des souverains pour leurs sujets » (4), l'abolition des lois injustes (5).

Marmontel dans les articles *Unités* (1777), *Confident* (1776), *Décoration* (1754), *Déclamation* (1754), *Tragédie* (1777) de l'*Encyclopédie*, réclame avec une certaine timidité l'élargissement des unités, la suppression des confidents, l'enrichissement du spectacle, et même admet (en 1754) l'emploi de la prose, ou du moins plus de variété dans la versification.

Crébillon et La Chaussée, plus audacieux, veulent « conduire à la pitié par la terreur » (6) et ajouter au tragique des sentiments celui du spectacle. L'amour sera encore le principal sentiment présenté dans la tragédie, mais il sera dépeint, sous la forme la plus violente, la plus atroce. « Melpomène en fureur » doit répandre « l'effroi, l'épouvante et l'horreur », faire « ruisseler le sang avec les larmes » (7).

Dans un sens contraire, certains auteurs estiment que la tragédie doit se renouveler non pas par l'accentuation du tragique, mais par un plus grand naturel, une plus grande ressemblance avec la vie. Les héros tragiques doivent nous paraître proches par leur caractère ; ils doivent appartenir à cette humanité moyenne à laquelle appartient le spectateur (8). Le style doit être débarrassé de toute « vaine enflure », défaut dont Racine lui-même n'est pas exempt, et les héros, même dans les

(1) *Préface des Scythes* (1767).
(2) *Discours préliminaire d'Alzire* (1736).
(3) *Mahomet*, avis de l'éditeur (1743).
(4) *Les Guèbres ou la Tolérance*, préface de l'éditeur (1769) ; cf. *Discours historique et critique sur la même pièce* (1769).
(5) *Les Lois de Minos*, note à la scène II de l'acte I (1773).
(6) Crébillon, *Préface d'Atrée et Thyeste* (1715).
(7) La Chaussée, *Epître à Clio* (1731).
(8) La Motte, *Discours à l'occasion de Romulus* (1730).

plus grands événements, doivent joindre la simplicité à la noblesse et à la force (1). La poésie doit être celle que les personnages sont susceptibles d'avoir, non celle d'un poète qui se laisse aller à son inspiration et oublie le caractère de ses héros, et la situation où ils se trouvent (2). De là à supprimer l'usage des vers dans la tragédie, il n'y a qu'un pas, et La Motte le franchit allègrement (3). Ne peut-on être excellent auteur dramatique, concevoir de grandes actions, imaginer des situations prenantes, avoir le don de l'observation psychologique et de l'expression des passions, sans pour cela être habile versificateur (4) ? D'ailleurs les beaux vers eux-mêmes détournent l'attention des spectateurs du conflit sentimental vers l'habileté de l'auteur, et rien n'est plus invraisemblable que de faire parler en vers les personnages (5).

Ainsi, Voltaire en tête et certains critiques avec lui veulent conserver le principe de la tragédie, mais lui apporter diverses modifications qui la rendent plus intéressante et plus nouvelle. Au fond, on voit une tendance à transférer de la tragédie à la comédie le pur jeu psychologique ; la tragédie a tendance à perdre sa valeur d'œuvre d'art ; on ne comprend plus son essence dramatique, lors même qu'on y réclame plus d'action. Le modèle idéal qu'on se propose dans ce genre, est si précis, qu'on ne peut guère que tenter de le copier ; si l'on s'en écarte, on le trahit. On sent le besoin de genres dramatiques nouveaux ; on les propose, on les pratique peu. L'emprise de la tradition tragique est trop forte. La révélation de Shakespeare, qui eût pu être féconde, s'est révélée inopérante. Il a effrayé plus qu'il n'a séduit. On a voulu lui emprunter une action plus riche et des sentiments plus intenses, mais sans oser assouplir assez les règles de la tragédie pour utiliser ces nouveautés. Cependant certains esprits audacieux cherchent à secouer cette emprise.

(1) Fénelon, *Lettre à l'Académie* (1716).
(2) La Motte, *Discours à l'occasion d'une scène de Mithridate* (1730).
(3) Id., *Réponse à Monsieur de Voltaire* (1730).
(4) Id., *Discours à l'occasion de la tragédie d'Œdipe* (1730).
(5) Abbé Trublet, *Réflexions sur la prose et les vers*, XIV (1760).

B) Élargissement de la comédie

Molière domine la tradition de la comédie comme Racine celle de la tragédie ; cependant ce modèle unique se révèle moins gênant : la comédie est un genre plus libre que la tragédie ; Molière est plus varié que Racine. Aussi les faiseurs de théories ont-ils à lutter contre une tradition moins étroite et une autorité moins puissante.

Pour adapter la comédie de Molière au goût nouveau du siècle, on veut d'abord lui donner plus de finesse et de distinction. On renie ce que la comédie molièresque contient encore de la farce. Voltaire réclame « du ridicule fin, des portraits délicats » ; il veut « qu'on soit plaisant sans vouloir faire rire » (1), et blâme non seulement toute grossièreté, mais même toute plaisanterie un peu appuyée dans la comédie en vers, en restant plus tolérant pour la comédie en prose (2). Fénelon pas plus que Boileau, ne reconnaît « l'auteur du *Misanthrope* » dans celui des *Fourberies de Scapin* (3). Fontenelle félicite Destouches de n'avoir point cherché à « exciter bassement un rire immodéré dans une multitude grossière », mais d'avoir voulu « élever cette multitude presque malgré elle à rire finement et avec esprit » (4).

De même, nous l'avons vu, que certains critiques voulaient incliner la tragédie vers le naturel de la comédie, certains veulent conduire la comédie vers le pathétique de la tragédie ; l'amour « naïf et attendrissant » est l'apanage de la comédie, et c'est à tort qu'on en a fait trop souvent la matière de la tragédie ; la comédie « peut donc se passionner, s'emporter, s'attendrir, pourvu qu'ensuite elle fasse rire les honnêtes gens » (5).

Sa vraie nature sera le mélange d'un pathétique et d'un comique également discrets comme dans la vie courante. Et si le naturel est la principale qualité de la comédie, c'est dans cet harmonieux mélange qu'elle le trouvera (6). Voltaire se

(1) *Prologue de l'échange* (1747).
(2) *Dictionnaire philosophique* art. *Art Dramatique, comédie* (1764).
(3) *Lettre à l'Académie* (1716).
(4) *Réponse à Destouches* (1723).
(5) Voltaire, *Préface de Nanine* (1749).
(6) *Ibid.*

borne à cette recommandation ; mais La Chaussée et Fréron vont plus loin ; bannissant de la scène comique les intrigues invraisemblables, les portraits-charges, le premier recommande une peinture de la société moins haute en couleur, mais plus exacte (1). Le second loue la comédie larmoyante du premier, mais choqué par le mélange du « comique et du plaintif », propose qu'on fasse des pièces « purement attendrissantes, sans aucun mélange de comique » ; il veut, en somme, une tragédie bourgeoise, mais où les sentiments resteraient sans violence et dans une note moyenne de tendresse émue. Ce n'est plus là une comédie, mais une « pièce de sentiment » (2). Fontenelle propose de créer, entre la vraie tragédie et la vraie comédie, deux genres intermédiaires où le tendre et le sentimental tiendraient la première place, mêlés dans des proportions diverses au tragique et au comique. Genres nouveaux assurés de succès, puisque « le pitoyable et le tendre sont ce qui cause les plus fortes impressions au théâtre » (3). Voltaire, lui, n'admet pas la comédie larmoyante, qui lui semble un « genre faux » et proteste contre le « comique pleureur » (4).

D'une manière générale, les critiques sont d'accord pour estimer que les sentiments modérés, exclus de la tragédie et de la comédie, doivent former la matière d'un genre nouveau, qui se rattachera à la comédie par la situation sociale des personnages et par les intérêts mis en jeu.

C) Les genres nouveaux

Diderot et le genre sérieux. — Adoptant à peu près les idées de Fontenelle, Diderot divise la création dramatique en quatre genres :

> La comédie gaie, qui a pour objet le ridicule et le vice ; la comédie sérieuse, qui a pour objet la vertu et les devoirs de

(1) *Prologue de la Fausse Antipathie* (1733).
(2) *Lettres sur quelques écrits de ce temps*, t. IV, lettre I (1751).
(3) *Préface générale de la tragédie et des six comédies* (écrit entre 1747 et 1750).
(4) *Les deux siècles* (1771).

l'homme ; la tragédie bourgeoise, qui aurait pour objet nos malheurs domestiques ; la tragédie, qui a pour objet les catastrophes publiques et les malheurs des grands (1).

C'est la tragédie bourgeoise, ou *genre sérieux*, dont il s'est fait le promoteur et le théoricien. L'auteur y doit « prendre le ton que nous avons dans les affaires sérieuses » et l'action s'y avancer « par la perplexité et par les embarras » (2). Ce genre comporte un sujet « important », une intrigue « simple, domestique et voisine de la vie réelle » ; pas de valets-confidents, mais des monologues, pas de personnages épisodiques (3). Ce genre suivra naturellement la règle des trois unités (4). La grande originalité de Diderot dans ce domaine est de vouloir remplacer la peinture des caractères par celle de la condition, avec « ses devoirs, ses avantages, ses embarras » ; on peindra ainsi les différentes professions, les différents états, les différentes situations familiales (5). Pour forcer l'émotion du spectateur, il ne faudra pas craindre les coups de théâtre représentant concrètement un moment décisif de l'action (6). Plus qu'un autre, ce genre sera naturel, parce qu'il aura comme sujet les situations où peut se trouver plongé un bourgeois dans sa vie quotidienne, affaires d'argent, affaires de famille, affaires d'honneur. Il va sans dire que pour sauvegarder au maximum la vraisemblance, une semblable pièce sera écrite en prose (7).

Ces vues fécondes, d'où devait sortir une bonne partie du théâtre moderne, ne furent pas approuvées par tous. Palissot, l'ennemi des philosophes, dont Diderot passait pour un des chefs, blâme le *genre sérieux*. Il lui reproche ses « déclamations pédantesques », ses personnages artificiels, purs « êtres de raison », ses « froides moralités », son ton trop soutenu pour plaire au grand public, et jusqu'à l'idée de peindre les condi-

(1) *Essai sur la poésie dramatique*, II, *De la comédie sérieuse* (1759).
(2) *Dorval et moi*, IIIe Entretien (1757).
(3) *Ibid.*
(4) *Ibid.*, Ier Entretien.
(5) *Ibid.*, IIIe Entretien.
(6) *Observations sur Garrick* (1770).
(7) *Dorval et moi*, IIe Entretien.

tions, comme s'il pouvait exister un personnage dont tout le caractère fût celui de sa condition (1).

Cependant Beaumarchais, une dizaine d'années après les attaques de Palissot, devait reprendre à son compte les directives de Diderot, et si les réalisations qu'il a tentées dans le genre sérieux, avec *Eugénie* ou *Les deux Amis*, sont aussi médiocres que celles de Diderot, la théorie du genre, qu'il développe dans l'*Essai sur le genre dramatique sérieux* (1767) et la *Lettre modérée sur la chute et la critique du Barbier de Séville* (1775), ne laisse pas d'être fort intéressante.

Il exclut d'abord toute idée de tradition : le nouveau a autant de droit à l'estime que l'ancien ; d'ailleurs le genre sérieux a déjà été traité, sans que l'étiquette y soit, par bien des auteurs, de Voltaire à Sedaine. De plus, le rang des personnages n'a jamais rien ajouté à l'intérêt humain de la scène ; au contraire, plus le héros est proche du spectateur par sa condition, plus celui-ci s'appropriera la moralité qui se dégage de la pièce : « Il est de l'essence du genre sérieux d'offrir un intérêt plus pressant, une moralité plus directe que la tragédie héroïque, et plus profonde que la comédie plaisante (2). » Beaumarchais suit d'ailleurs absolument Diderot sur la question de la forme : une pièce du genre sérieux ne peut être écrite qu'en prose.

Sébastien Mercier et le drame. — Les idées si neuves de Mercier sur le théâtre sont contenues dans son ouvrage : *Du Théâtre, ou Nouvel essai sur l'art dramatique* (1773). On y distingue une partie négative et une partie positive. Dans la première, Mercier accumule les raisons qui justifient le mépris pour la tragédie classique. Peu sensible aux beautés de forme, il en blâme la construction, le but, les moyens. Il rassemble les critiques que nous avons déjà rencontrées souvent au XVIIIe siècle : le genre est factice et faux parce que nous avons maladroitement mêlé les aventures des héros antiques avec nos sentiments modernes ; il résulte de ce mélange des œuvres bâtardes absolument éloignées des goûts du grand public populaire. La tragédie est devenue une « sorte de farce

(1) *Discours préliminaires des Tuteurs* (1754) et *Deuxième des Petites Lettres sur de grands philosophes* (1757).
(2) *Lettre modérée...*

sérieuse » reposant sur une série de traditions incompréhensibles dans leur essence. Mercier met avec force le doigt sur le caractère purement artificiel de la tragédie devenue un jeu aux règles strictes sans rapport avec l'humanité, ni surtout avec la société moderne. Et que de faits invraisemblables et indépendants des caractères pour soutenir l'action ! Comment ne pas en être choqué ? Veut-on rendre la tragédie vivante ? Il faudrait qu'elle fût « entendue et saisie par tous les ordres de citoyens » ; elle devrait

> ... avoir un rapport intime avec les affaires politiques, et... tenant lieu de tribune aux harangues, éclairer le peuple sur ses véritables intérêts, les lui offrir sous des traits frappants, exalter dans son cœur un patriotisme éclairé (1).

C'est revenir en principe aux Grecs ; c'est, en fait, accentuer les défauts de la tragédie voltairienne.

La comédie traditionnelle ne trouve pas davantage grâce aux yeux de Mercier. Elle flatte notre orgueil sans nous guérir de nos vices ; que ne s'attaque-t-elle franchement aux vices profonds de la société ou de l'humanité ? Il blâme la comédie de caractère « fausse et aride » ; la comédie doit s'élargir pour peindre, non l'individu, mais *l'espèce*, dans ses masses opposées, avec « l'action simultanée et réciproque de tous les personnages ».

Ni la tragédie artificielle, ni la comédie étriquée ne sont à la mesure de la société moderne. Il faut leur substituer le Drame. Seule cette nouvelle forme dramatique utilisera le mensonge, qui est l'essence du théâtre, pour la vérité, seule utile, et qui justifie son existence. Seul il sera à la portée du « plus grand nombre » et liera les hommes par « la compassion et la pitié » pour les entraîner au bien. Qu'est-ce, en effet, que l'art dramatique ? Nous l'avons vu (p. 115-7), c'est avant tout, un art moral, qui améliore la moralité par le moyen de la sensibilité. La division tragédie-comédie est arbitraire et nuisible.

> Tombez, tombez, murailles, qui séparez les genres ! Que le poète porte une vue libre dans une vaste campagne, et n'y sente pas son génie resserré dans ces cloisons où l'art est circonscrit et atténué (2) !

(1) *Op. cit.*, III.
(2) *Op. cit.*, IX, p. 105, n. *a*.

Victor Hugo ne dira pas autre chose, cinquante ans plus tard, dans la *Préface de Cromwell*. Le drame, selon Mercier,

> ... qui résulte de la tragédie et de la comédie, ayant le pathétique de l'une et les peintures naïves de l'autre, est infiniment plus utile, plus vrai, plus intéressant, comme étant plus à la portée de la foule des citoyens (1).

Seul le drame peut présenter de ces caractères moyens qui forment la masse de l'humanité, où le bon se mêle au mauvais, et la bassesse d'âme à la grandeur, et offrir ces « nuances des vertus et des vices... variées à l'infini ». Seul le drame peut mettre en scène, dans une situation tragique, la classe moyenne à laquelle appartient le public, et révéler ainsi « les mœurs, le caractère, le génie, de notre nation et de notre siècle, les détails de notre vie privée ».

> Il est donc temps de peindre les détails, et surtout les devoirs de la vie civile... Vivons avec nos compatriotes, formons une république où le flambeau de la morale éclairera les vertus qu'il nous est encore permis de pratiquer... Ces pièces (les drames) qui traiteront de la science des mœurs... nous apprendront à nous connaître nous-mêmes... (2).

Le drame sera vraiment le théâtre total, réunissant tous les avantages des deux genres traditionnels. Il sera plus vrai qu'eux ; il offrira une peinture plus complète de l'homme en société ; il sera seul capable de faire germer ces semences de vertu que le peuple recèle en lui ; d'ailleurs, sa sensibilité, beaucoup plus vive qu'on ne le croit généralement, est toute prête à subir l'influence d'une propagande qui agira sur son cœur. C'est au peuple qu'il faut parler, c'est pour le peuple qu'il faut écrire ; puisque personne ne s'intéresse à son instruction morale et sociale, que l'auteur dramatique entreprenne de se faire son maître de morale, à l'aide d'un genre qui puisse lui plaire et le toucher. Qu'importent les unités ! Qu'importent les vers ! Autant de gênes à la liberté d'inspiration.

(1) *Ibid.*, VIII
(2) *Ibid.*, IX.

On saisit toute l'originalité de Mercier. Peu artiste, il voit surtout dans l'œuvre théâtrale un moyen de propagande morale et sociale et cette conception dirige toutes les vues de détail qui lui font transformer les genres dramatiques traditionnels. Son œuvre, malheureusement, n'est pas à la hauteur de ses théories. Mais en lui, le théoricien est singulièrement audacieux, voire prophétique ; à peu près seul, il ose, constatant la décadence de la tragédie, en jeter à bas le pompeux édifice, et le remplacer par un monument utile au public, plaisant à ses yeux, capable de servir la nation. Son vif sentiment de la patrie et de l'humanité lui fait désirer une œuvre qui soit avant tout efficace ; mais, malgré sa grande influence sur les jeunes auteurs dramatiques allemands des années 1770, il ne sera pas suivi en France. L'emprise de la tradition était, au théâtre, toute puissante. Le théâtre révolutionnaire lui-même reprendra impavidement le moule de la tragédie pour y couler des idées nouvelles.

Grimm et l'opéra. — Aucun héritage de tradition ne gênait le développement de l'opéra. Genre nouveau, qui datait de Louis XIV, il n'avait été codifié par aucun théoricien littéraire, et si la musique d'opéra avait été, au milieu du XVIIIe siècle, l'objet de sensationnelles disputes, l'ensemble du genre semblait pouvoir évoluer librement. Bien des esprits cependant, entreprirent d'en saisir les caractères véritables et de juger des œuvres d'après des théories plus ou moins établies *a priori*.

Et d'abord ce genre bâtard est élevé à la hauteur des deux autres. Il sert même à un La Motte (1) à justifier ses attaques contre la tragédie : pourquoi serions-nous choqués, dans ce dernier genre, d'une liberté qui nous ravit à l'opéra ? Si Voltaire (2) blâme un genre fondé sur le merveilleux, malgré son admiration pour Quinault qui rivalise presque à ses yeux avec Racine, il n'en espère pas moins qu'un jour un auteur pourra donner à ce genre « la dignité et les mœurs qui lui manquent ». Si Diderot blâme l'opéra, c'est que les auteurs se contentent d'un merveilleux enfantin au lieu d'introduire dans ce genre l'observation et l'exactitude qui font le mérite des tragédies ou

(1) *Discours sur les Macchabées et Romulus* (1730).
(2) *Connaissance des beautés et des défauts de la poésie...* (art. *Opéra*, 1749).

des comédies, de la danse même et de la musique. Il propose, précurseur toujours inventif et génial, un opéra réaliste (1).

Mais Grimm, dans l'article *Poème lyrique* de l'*Encyclopédie* (1765), le déclare « le plus noble et le plus brillant des spectacles modernes ». Il devine que le chant n'est qu'une transposition naturelle des sentiments, aussi naturelle que celle des mots, et qu' « un spectacle où les héros meurent en chantant » n'est pas au fond si absurde qu'il peut paraître. Il établit avec précision les rapports de la musique, qui traduit les états de l'âme et du cœur, et de la poésie qui instruit des événements et explique les sentiments. Il comprend l'emprise suprême qu'a sur la sensibilité cette langue universelle qu'est la musique. C'est donc sur cette double base de la « vérité de l'imitation » des sentiments et de « la nature de nos organes » (entendez l'effet physique des sons sur nous), qu'il fonde sa « poétique élémentaire » du théâtre lyrique. Dans l'opéra, le musicien est roi, le poète est son ministre. C'est lui qui bâtit le sujet, visant avant tout à la simplicité, établissant une série de « situations » propices au chant, et économise les paroles pour laisser au chant toute sa place. Il n'a que faire du merveilleux, mais doit suivre fidèlement la voie de la nature et de la vérité.

Il s'oppose par là à Marmontel (2) qui, fidèle à la doctrine selon laquelle l'opéra français est l' « épopée mise en action », demande que le merveilleux tienne une grande place dans l'opéra. En effet, l'emploi du chant dont, plus superficiel et moins musicien que Grimm, il ne voit que l'artifice, étant invraisemblable, il convient que le sujet le soit aussi ; il est moins choquant d'entendre chanter dans un monde de féerie.

Quant à Beaumarchais, il revendique pour le poète une place au moins égale à celle du musicien (3) ; la musique n'est en effet à ses yeux qu'un agrément, comme la poésie, qui ne doit pas étouffer le drame lui-même, œuvre du poète. Quant à celui-ci, il doit chercher son sujet entre le pur merveilleux et l'histoire authentique, de façon à laisser libre cours à son imagination.

(1) *Entretiens sur le fils naturel*, IIIe Entretien (1757).
(2) *Eléments de la littérature*, art. *Opéra* (1787).
(3) *Tarare*, *Avertissement* (1787).

Ces efforts si divers pour renouveler les genres traditionnels, pour en créer d'autres, pour légiférer sur ceux qui, trop récents, répondaient au goût du public sans l'estampille de la critique, n'ont abouti qu'à la fin du premier tiers du XIXe siècle. Pourquoi ? C'est que, si certains esprits avertis se trouvaient las de l'artifice d'une littérature dramatique raidie dans la tradition, la majorité du public bourgeois goûtait encore beaucoup les genres traditionnels. Les réformes de Voltaire, malgré leur timidité, semblent représenter tout ce que ce public bourgeois pouvait supporter en fait d'innovations. D'ailleurs, nous l'avons dit, l'esprit général du siècle allait à l'encontre de toute idée de règle, et surtout de loi esthétique ; la règle se confondait avec la tradition ; on n'était plus soucieux d'en chercher les motifs profonds. Nous avons ainsi, dans le domaine du théâtre, grande abondance de théories particulières, grande pauvreté de systèmes cohérents, et ce caractère s'accentue au fur et à mesure que le siècle s'avance, de La Motte à Mercier, de Fontenelle à Beaumarchais. La présence de Voltaire est aussi gênante que l'ombre de Racine.

Chapitre VI

NOUVELLES THÉORIES DES GENRES POÉTIQUES

Le théâtre, par l'extraordinaire abondance de la production, par l'actualité toujours renouvelée du genre, par l'importance primordiale que le public parisien lui a toujours attribuée, domine tous les autres genres littéraires, et a suscité plus de discussions qu'aucun d'eux. Néanmoins, le besoin de renouvellement s'est fait sentir dans bien d'autres parties du champ poétique.

L'épopée d'abord ; nous avons vu quelle place a tenue cette forme de poésie dans les discussions littéraires ; ces discussions se sont poursuivies tout au long du xviiie siècle, parce que l'épopée était enserrée dans un réseau de règles aussi rigoureuses que celles du théâtre et dominée par une tradition plus lointaine mais aussi puissante. L'immense succès de *Télémaque*, épopée en prose, l'autorité de l'auteur de la *Henriade*, épopée moderne, ne pouvaient manquer de réveiller les vieilles querelles. Enfin on ne put admettre que le genre le plus ancien ne participât point à la modernisation de toute notre littérature.

Mme Dacier, traductrice d'Homère, adopte pour l'épopée la définition la plus respectueuse de la tradition : « Un discours en vers, inventé pour former les mœurs par des instructions déguisées sous l'allégorie d'une action générale et des plus grands personnages (1). » Elle ajoute que le but de l'épopée est non de plaire mais d'instruire. Théorie classique, nous l'avons vu.

Mais nombreux sont au xviiie siècle ceux qui ne craignent pas d'innover, à commencer par son adversaire dans la Querelle, La Motte. Celui-ci (2) ne voit d'essentiel dans l'épopée que « le

(1) *L'Odyssée d'Homère traduite en français* préface (1716).
(2) *Discours sur Homère* (1717).

récit d'une action » ; à part cela, le poète épique est totalement libre ; merveilleux, vraisemblance, mœurs, tout varie avec les siècles ; rien de tout cela ne saurait être imposé au poète par une loi quelconque. Fontenelle, toujours si moderne dans ses tendances, refuse à l'épopée l'usage du merveilleux païen, incroyable et usé (1). L'abbé Dubos, qui ouvrit la route à Voltaire et à sa *Henriade*, demande qu'on choisisse un sujet historique, mais neuf, par exemple « la destruction de la Ligue par Henri IV » et ce qui s'en est suivi ; encore faudrait-il bien du génie pour ajouter à l'histoire « toutes les beautés nécessaires » ! Mais « les effets de la poudre à canon » ne sont-ils pas matière poétique plus riche que les jeux d'Anchise dans Virgile ? Un sujet moderne ne touchera-t-il pas plus les compatriotes de l'auteur ? Henri IV n'est-il pas lui-même plus attachant qu'Achille ou Énée (2) ? Arrière les fausses divinités païennes, s'écrie aussi Rollin, qui ne veut cependant pas sacrifier les « récits curieux, descriptions vives, comparaisons nobles, discours touchants, incidents nouveaux, rencontres inopinées, passions bien peintes » (3). Diderot ne manque pas de trouver toute espèce de merveilleux inadmissible (4). Dans l'*Encyclopédie*, Marmontel condamne le merveilleux païen, ensemble de noms « sans réalité » pour nous, le merveilleux par personnification d'abstractions que recommandait Boileau, et même le merveilleux chrétien dont il aperçoit avec finesse la faiblesse :

> Mais ce qui manque au merveilleux moderne *(entendez : chrétien)*, c'est d'être *passionné*. La divinité est inaltérable par essence ; et tout le génie des poètes ne saurait faire de Dieu qu'un homme, ce qui est une impiété ou une ineptie. Nos anges et nos saints, exempts de passions, seront des personnages froids si on les peint dans leur état de calme et de béatitude, ou indécemment dénaturés, si on leur donne le mouvement tumultueux du cœur humain. Nos démons, plus favorables à la poésie, sont susceptibles de passions, mais sans aucun mélange ni de bonté ni de vertu.

(1) *Sur la poésie en général* (1752).
(2) *Réflexions critiques sur la poésie* (1719).
(3) *Traité des Etudes*, III, 1 (1726).
(4) *Dorval et moi*, IIIe Entretien (1757).

> Voilà les véritables raisons pour lesquelles on serait insensé de croire pouvoir substituer sans un extrême désavantage le merveilleux de la religion à celui de la mythologie (1).

Sans doute, Marmontel, « philosophe » modéré, est-il poussé par sa philosophie à blâmer *a priori* le merveilleux chrétien, quoiqu'il connaisse Milton. S'il n'a pas deviné le parti que pouvaient tirer les romantiques de la religion chrétienne, il a bien vu une des causes de la faiblesse des poèmes épiques où elle était jusqu'alors employée.

L'abbé Batteux, au contraire, malgré Boileau, est persuadé qu'un auteur de génie ne saurait trouver plus magnifique objet que l' « enchaînement et la subordination des causes, et l'homme, ou plutôt tout l'univers qui se remue sous les yeux et dans la main même de l'Être suprême ». A vrai dire, il ne s'agit pas là seulement du merveilleux, c'est-à-dire d'un ornement traditionnel de l'épopée, mais du sujet même de l'œuvre, de la matière. Dieu ne serait plus le faiseur de miracles intervenant dans l'action ; il serait le personnage essentiel, à la hauteur de qui le génie poétique s'élèverait constamment. Les héros humains ne seraient que des reflets de la divinité :

> Le merveilleux de l'épopée, s'il est sensé et raisonnable, se réduit... à tirer le voile qui couvre les machines qui font jouer la nature, et à représenter la conduite de Dieu par rapport aux choses humaines (2).

Vaste perspective, inspirée sans doute par l'exemple de Milton, qui annonce Chateaubriand et ses *Martyrs* et révèle une compréhension toute nouvelle des richesses poétiques de la religion chrétienne.

La Harpe (3) osant pour une fois, lui aussi, désobéir à Boileau, admet l'emploi du merveilleux chrétien, mais d'une manière étroite, et non pour le fond du sujet ; ses convictions voltairiennes

(1) *Encyclopédie*, article *Merveilleux* (1765 et 1777).
(2) *Cours de Belles-Lettres ou Principes de littérature*, II, art. 3e *De l'Epopée*, VI (1753).
3) *Le Lycée*, I, IV 1797).

s'accordent ainsi avec ce qu'autorisent à ses yeux les exemples du Tasse ou de Milton.

Sur la question de l'épopée, comme sur celle du théâtre, Voltaire domine de toute son autorité les critiques dont nous venons de résumer les idées. Hanté, durant toute la première partie de sa carrière, par le rêve de devenir le grand poète épique de la France (et même son seul poète épique), il a beaucoup écrit sur les conditions de l'épopée, surtout dans son *Essai sur la poésie épique* de 1728, résumé des réflexions qui l'ont guidé dans l'élaboration de la *Henriade*. D'abord il pose en principe que, dans le genre épique comme dans les autres, la règle doit se soumettre au goût, c'est-à-dire au sentiment des convenances ; or ce goût varie selon les lieux et les temps (1), et l'obéissance aux règles n'est pas, dans l'épopée en particulier, une garantie de réussite. L'épopée est avant tout un « récit en vers d'aventures héroïques » ; c'est là sa seule règle ; tout le reste est affaire de goût, en particulier la nature des épisodes et du merveilleux ; or notre goût ne saurait supporter les inventions naïves d'Homère et de Virgile ; le lecteur moderne, tout entier tourné vers le respect de la raison, vers l'exercice du jugement, n'admettra qu'un merveilleux plein de sagesse, qui ne puisse paraître ridicule à ceux de l'avenir : « Le merveilleux même doit être sage ; il faut qu'il conserve un air de vraisemblance et qu'il soit traité avec goût. » Cependant, cette « invention fabuleuse » est nécessaire à l'épopée. Elle oblige le poète à choisir un sujet point trop récent, alors qu'il doit, d'autre part, choisir un héros connu de tous et intéressant. Et Voltaire conclut que, comme « de toutes les nations polies, la nôtre est la moins poétique », c'est une entreprise bien difficile que de donner une épopée aux Français. Nous sommes trop profondément raisonnables pour nous plaire à des fables, et il est peut-être impossible de respecter à la fois les frontières étroites de notre goût et le principe essentiel de l'épopée.

(1) Cf. p. 110.

*
* *

La poésie lyrique n'était pas astreinte à des règles aussi précises que le théâtre ou l'épopée. Aussi les discussions, en ce qui concerne ce genre, visent-elles à une mise au point de la tradition, plutôt qu'à une réforme de la théorie du genre.

Comment concilier deux tendances en apparence absolument opposées, et dont l'opposition n'éclate nulle part mieux qu'à propos du genre lyrique noble : l'enthousiasme et la raison ? Nous avons vu que cet effort pour concilier l'inspiration et le bon sens est celui de tout le siècle et constitue un des drames le plus aigus de sa pensée littéraire.

D'Alembert souligne cette incompatibilité dans la suite de ses *Réflexions sur la poésie et sur l'ode en particulier* (1760) lorsqu'il écrit : « On y veut de l'inspiration, et l'inspiration de commande est bien froide ; on y veut de l'élévation, et l'enflure est à côté du sublime ; on y veut de l'enthousiasme et en même temps de la raison ; c'est-à-dire, non pas tout à fait, mais à peu près, les deux contraires. » Aussi, poursuit-il, ne nous occupons pas des règles d'un genre où tout vient des dons du poète. De l'oreille, un « choix heureux d'expressions », et « surtout des idées et de l'âme », et on sera poète lyrique. Il n'est pas de théoricien du lyrisme romantique qui n'eût pu contresigner cette définition. Diderot, d'ailleurs, dans ses *Réflexions sur l'ode* (1770), insiste sur l'incompatibilité enthousiasme-raison ; il s'efforce seulement d'attribuer à chaque élément son rôle propre, et cela, avec une grande intelligence de la fonction créatrice en poésie.

La Motte déclare :

> ... Marchons sur de plus sûrs vestiges ;
> Malgré l'éclat de ses prestiges,
> L'Erreur n'est jamais de saison.
> Dans le bon sens soyons plus fermes
> Et n'employons jamais de termes
> Qu'avec l'aveu de la Raison (1).

(1) *Ode : Les Poètes ampoulés* (1707).

Et il s'adresse là aux « poètes ampoulés », ne considérant que l'expression poétique. Mais ailleurs, s'adressant à Polymnie, il s'écrie :

> Viens me frapper d'un trait de flamme;
> Et remplis aujourd'hui mon âme
> De tes plus sublimes fureurs.
> Affranchi des timides règles
> Fais-moi prendre l'essor des aigles.

A quoi la Muse lui répond qu'elle n'est ni une Pythie ni une Ménade ; elle ajoute :

> ... Tes chants ne pourront me plaire
> Qu'autant que la Raison sévère
> En concertera les accords.
> Ne songe qu'à charmer les sages...
> Mais pourquoi du hardi Pindare
> S'imposer l'exemple bizarre ?...
> Il est des routes plus sensées...
> Reçois après une erreur vaine
> La Raison que je te ramène,
> Ingrat, et ne la quitte plus (1).

Le poète lyrique doit donc tout subordonner à la Raison. Même « effet de l'art », le « beau désordre » doit disparaître. L'idéal est un lyrisme élevé, mais sage. L'essence de l'ode n'est point le délire de l'imagination que Boileau cherchait encore — en vain — dans l'*Ode sur la prise de Namur*. Elle est avant tout disposition strophique régulière, rythme, cadence, mais le poète peut y parler « autrement que le commun des hommes » sans nuire à la clarté, et tenter d'audacieuses images ; il peut même établir entre les pensées un lien qui ne soit pas absolument logique, mais cela même avec beaucoup de méthode : « L'art doit régler le désordre même de l'art (2). » L'*Encyclopédie*, dans l'article *Ode* rédigé par Sulzer (1777), laisse entendre, sans aller tout au fond de la question, que l'incompatibilité que nous avons signalée n'est peut-être qu'apparente et qu'une raison profonde

(1) *L'Enthousiasme* (1711).
(2) *Discours sur la poésie en général et sur l'ode en particulier* (1707).

et cachée peut guider le poète, malgré lui, dans la conduite, en apparence désordonnée, de son œuvre.

Plus audacieux, moins désireux d'atteindre à l'équilibre entre l'enthousiasme déréglé et la raison, J.-B. Rousseau, dont le nom domine toute la poésie lyrique élevée du siècle, propose comme modèle les *Psaumes* de David et proclame l'ode comme le « véritable champ du sublime et du pathétique ». Quant à Le Franc de Pompignan, spécialiste du genre, et non sans mérite, il voit dans l'harmonie et le rythme, dans la qualité des rimes, le principal mérite de l'ode (1) ; ce qui explique le caractère souvent laborieux de son œuvre lyrique.

Écouchard-Lebrun, autre lyrique célèbre en son temps, se dégage mieux de l'emprise de l'art, du « compas géométrique », en donnant dans l'ode toute la place à ces « caprices heureux » que l'art ne saurait prévoir, à ces fougues du génie, qui souvent arrive à son but sans trop connaître lui-même les sentiers qu'il a pris (2). Il isole le lyrisme pur de tous les autres genres, de tous les autres aspects du lyrisme. L'esprit en doit être absent, qui règne partout ; l' « attirail guindé de la petite éloquence » est ce qu'il y a de plus éloigné de l'essence du lyrisme élevé. Conception déjà très romantique, où éclate plus clairement qu'à propos d'aucun autre genre que nous ayons vu, le triomphe du « génie » sur l'art, de l'inspiration sur le métier ; conception qui s'oppose parfaitement à celle de La Fontaine : « (L'ode) veut de la patience, et nos gens ont du feu (3). »

A vrai dire, beaucoup de théoriciens, qui, presque tous furent aussi des praticiens (La Motte, J.-B. Rousseau, Le Franc de Pompignan, Écouchard-Lebrun) ont senti que le cas de l'ode offrait un problème d'esthétique capital, où se trouvaient en jeu des idées de première importance sur les droits respectifs du génie instinctif et de la raison clairvoyante. Mais aucun d'eux n'a été au fond de la question. Ils ont cru la résoudre en quelques mots ; ils connaissaient trop peu le lyrisme grec, semblaient ignorer Malherbe, et n'avaient pas sous les yeux de modèle assez

(1) *Discours prononcé dans l'Académie de Montauban* (1747).
(2) *Réflexions sur le génie de l'ode* (1736).
(3) *Epître à Huet*, v. 92 (1687).

parfait pour y trouver par l'analyse la solution de ce mystère. La question sera reprise beaucoup plus tard, au XXe siècle, par Valéry, qui y apportera d'incomparables clartés.

***

Ainsi, ni à propos de l'épopée, ni à propos du grand lyrisme (nous avons laissé de côté les genres mineurs comme l'églogue, la poésie didactique et descriptive, la poésie légère, etc.) on ne voit se dégager un système qui rattache les vues partielles à une vue esthétique d'ensemble, ni une théorie profonde qui cherche, dans l'essence d'un genre, l'origine de ses lois. Au théâtre on tentait de sortir de l'impasse en inaugurant des genres nouveaux ; il n'en est pas de même pour les deux genres que nous venons de considérer. Le malaise des auteurs et des critiques se laisse voir sans fard ; on désire la création d'une épopée sans réussir à la définir d'abord ; on aspire au grand lyrisme sans saisir ses caractères essentiels. Entre un passé mal connu et peu étudié et des aspirations nouvelles mais mal reconnues encore, les théoriciens flottent de détail en détail. Cette incertitude sera d'ailleurs peut-être favorable à l'éclosion du Romantisme en lui laissant toute liberté, en ne lui imposant aucune doctrine récemment constituée. Dans aucun genre les théoriciens de la poésie n'avaient osé aller à la racine du mal qui la stérilisait, c'est-à-dire au style. Tout le génie de Chénier ne lui permettra pas, né trop tôt, de se dégager du style classique qu'aucun de ses devanciers n'avait osé indiquer comme essentiellement responsable de la médiocrité de la poésie française. Du moins, le style restait-il désormais le seul obstacle au renouvellement poétique ; tout le reste, règles et traditions, se trouvait désormais ébranlé et vacillant.

Chénier pourtant, exposant sa méthode de travail, ouvre à l'imitation un vaste champ : que les poètes, comme il fait lui-même, prennent le modèle de leur style chez les Grecs et chez les Romains, chez les Anglais, chez les Italiens. La méthode n'est pas nouvelle en apparence ; elle l'était en fait. D'abord parce que les auteurs qu'il imite sont très variés et que, pour les Grecs en particulier, les alexandrins et tous les lyriques seront à utiliser autant qu'Homère ou Sophocle ; ensuite parce que le détail des expressions de ces poètes est chez lui beaucoup mieux connu et compris. L'imitation, avec Chénier, change d'ailleurs d'objet ; il ne parle pas en esthéticien qui dégage des œuvres antiques des lois, des règles, des procédés d'art, des principes d'organisation ; il parle en praticien, en poète en lutte avec la matière verbale, et il donne des conseils de détail sur la manière d'imiter les expressions en les renouvelant. Il y a donc dans l'*Épître IV* à Lebrun une véritable théorie nouvelle de l'imitation. D'où vient qu'elle a été peu efficace, même dans l'œuvre de son auteur ? De ce qu'il n'a pu dégager ces excellentes nouveautés de l'imitation inconsciente de formes poétiques et stylistiques beaucoup plus récentes, dont il ne sentit pas le caractère désuet, aujourd'hui trop visible.

Théorie nouvelle des sujets aussi ; dans l'*Invention*, il recommande aux poètes de traiter tout ce qu'offre de neuf la science moderne, quand ses découvertes sont par elles-mêmes propres à la poésie : découvertes géographiques, d'histoire naturelle, de physique. Il faut en somme faire en vers, et dans un domaine très vaste, ce qu'ont fait en prose Fontenelle avec ses *Entretiens sur la pluralité des Mondes* et Buffon avec ses *Époques de la Nature*. C'était aller dans le sens naturel de la poésie didactique du temps, en lui donnant un objet plus digne et plus propice à ses élans. Mais ce qui est original, c'est de recommander au poète de s'imprégner d'abord de l'atmosphère de liberté politique et d'enthousiasme populaire que respiraient les anciens Grecs et Romains. Imités auparavant dans les conceptions de leurs poètes, ces peuples doivent, selon Chénier, nous inspirer par leur âme, qu'il se représente comme enivrée d'un large souffle, qu'il oppose implicitement à l'atmosphère étouffée des salons de son temps. Imprégné avant tout de la culture gréco-latine, et le dernier de nos grands poètes à l'être, Chénier trouve en elle tout autre chose que ce qu'y avaient trouvé ses devanciers, non des préceptes, mais une âme.

Arrivant enfin à l'essence de la poésie, Chénier insiste, dans le même texte, sur cette idée qu'elle ne consiste pas dans l'inspiration tirée de faits bizarres ou dans l'outrance baroque des expressions, mais dans l'art d'exprimer des émotions communes :

> Ainsi donc, dans les arts l'inventeur est celui
> Qui peint ce que chacun peut sentir comme lui.

Sans doute, cette idée que Victor Hugo devait reprendre, est-elle sous-entendue par tout l'art classique (1). Mais en fait, Chénier est le premier à la poser en pleine lumière.

Il ramenait par là le lyrisme au rôle que les romantiques lui ont conservé, lui faisant gagner en vérité humaine ce qu'il perdait en rareté, le détournant de l'artificiel du langage vers le naturel de l'expression, et de la bizarrerie des inventions vers la vérité des émotions. Une grande partie de la bataille romantique eût été gagnée si son œuvre avait été connue des gens de lettres, sinon du public, à la veille de la Révolution. Mais ses idées réformatrices, appuyées sur son œuvre poétique, ne furent connues qu'au moment où Lamartine achevait ses *Méditations*, où Hugo et Vigny cherchaient leur voie ; elle les aida tous trois.

(1) Cf. Horace, *Art poétique*... « communia dicere »..., v. 128.

Chapitre VII

THÉORIES DES GENRES EN PROSE

Les genres en prose étaient relativement libres ; aucun *Art de la prose* ne faisait pendant à l'*Art poétique*. Cette liberté même appelait la réflexion des théoriciens qui tentèrent d'établir les limites et les lois essentielles des différents genres. Trois genres appelaient cet effort régulateur : l'éloquence, l'histoire, le roman.

L'éloquence religieuse avait connu, au XVIIe siècle, de nombreux théoriciens qui avaient multiplié contraintes et limitations dans un fatras d'érudition pédantesque ou de minuties puériles. Mais l'éloquence sous sa forme générale n'avait pas eu de rhétorique qui s'imposât. Fénelon, dans sa *Lettre à l'Académie*, avait simplement donné maint conseil judicieux (1) d'où se dégageait un idéal de simplicité et de naturel. C'est Buffon, dans son *Discours sur le Style* (1753) qui nous donne un véritable *Art de la prose* ou, plus précisément, une théorie de la prose classique. S'il n'a pas la vertu de la nouveauté, il a celle d'une conclusion. Conclusion à plus d'un siècle d'admirable prose, et à laquelle de plus modernes théoriciens ajouteront peu de chose, en somme ; mais précisons qu'il ne s'agit ici que de la prose d'idées, non de la prose descriptive ou narrative. Buffon distingue l'éloquence, qui est un art, de la facilité de parole, qui est un don, comme Boileau avait distingué *l'amour de rimer* du véritable don poétique. L'éloquence véritable demande moins le ton, les gestes, l'abondance verbale, que « des choses, des pensées, des raisons », qu'il faut savoir « présenter, nuancer, ordonner ». C'est par l'es-

(1) Cf. p. 81.

prit, dit-il, que l'orateur atteindra son but, qui est de toucher le cœur et l'âme. Or, l'intelligence est avant tout une puissance d'ordre, à qui rien ne peut plaire plus que l'ordre.

Et c'est la formule fameuse : « Le style n'est que l'ordre et le mouvement qu'on met dans ses pensées. » Le style n'est pas un vêtement d'apparat qu'on jette sur la pensée pour en masquer la nudité ou ajouter à sa vertu propre le charme d'une diction agréable ; le style n'est autre chose que la pensée ordonnée et douée de cette force logique, mystérieuse mais tout intellectuelle, qui pousse le lecteur à passer d'une affirmation à une autre par un enchaînement logique auquel il ne peut se refuser. Buffon distingue parfaitement deux ordres différents ; l'un est celui qui lie ensemble les grandes parties d'un sujet ; il est inhérent à la matière ; il en constitue l'armature essentielle ou plutôt il est l'essence même de toute matière intellectuelle un peu vaste. L'écrivain, comme l'orateur, ne possède son sujet que s'il aperçoit dans un trait de génie, ou découvre par un lent travail de réflexion, cet enchaînement des parties. C'est d'abord cet ordre profond dont il doit se pénétrer. Mais il est un autre ordre, souvent sans rapport avec le premier, qui est l'ordre de présentation ; celui-ci doit tenir compte non seulement de la réalité profonde de la matière, mais aussi de la nature intellectuelle du lecteur ou de l'auditeur ; il sera le fruit du tact et du goût ; il donnera l'aisance dans le mouvement et l'agrément dans la suite des pensées ; il corrigera ce qu'aurait de trop systématique la multiplicité hiérarchisée des divisions et subdivisions qu'aurait créées la réflexion dans son travail d'analyse, en rétablissant l'unité dans le discours. Aussi loin qu'on pousse l'analyse du style, on voit que, jusque dans le détail, il n'est qu'ordre ; tous ses défauts, enflure ou préciosité, gaucherie ou bel esprit, ne sont au fond, que défaut d'ordre et de proportions.

Buffon donne des conseils valables pour tous les temps, sinon pour toutes les matières ; mais il pense évidemment par réaction contre les défauts de son temps ; or les grands ouvrages de prose du XVIIIe siècle, sont incontestablement fort désordonnés ; qu'il s'agisse de l'*Esprit des Lois* ou du *Siècle de Louis XIV*, le désordre est évident. Un autre défaut, auquel Voltaire échappe beaucoup plus que Montesquieu, c'est l'abus de l'*esprit*. On comprend pourquoi Buffon réclame avec tant d'insistance l'ordre et la gravité unie du ton.

Quant au vocabulaire, Buffon prétend que tout peut être dit à l'aide de termes généraux : un vocabulaire pauvre peut suffire s'il est formé de termes de vaste compréhension dont le jeu, bien conduit, doit suffire à exprimer toute pensée, si complexe et précise qu'elle soit. Buffon pose ici avec force un des grands principes de l'art d'écrire en général.

Une des idées les plus intéressantes de l'esthétique de Buffon est celle de la supériorité du style sur la pensée dans la valeur intellectuelle de l'œuvre. Les idées passent, elles sont vite dépassées par d'autres idées nouvelles. Mais les rapports entre les idées, qui constituent le style, subsistent quelle que soit la valeur intrinsèque de ces idées ; non seulement la beauté d'un style venu de l'ordre parfait des pensées est toujours vivante, mais, intellectuellement, ce parfait enchaînement de pensées qui forme l'excellence du style comporte en soi une vérité d'ordre psychologique, intellectuel et esthétique, une vérité supérieure et essentielle d'une richesse incomparable.

Buffon a donc codifié la prose intellectuelle ; mais ni le roman, ni l'histoire ne sont de pures œuvres intellectuelles ; la peinture des passions dans l'un, l'évocation du passé dans l'autre imposent d'autres règles : le rapport de l'œuvre avec la réalité fictive ou véritable pose des problèmes nouveaux.

L'histoire. — Lenglet-Dufresnoy (1) en reste, sur ce genre, à des vues bien traditionnelles depuis Cicéron. L'histoire a un but : enseigner la vertu, détourner du vice ; elle a un moyen, qui est non l'érudition, mais la psychologie. Elle enseignera la morale par la psychologie et donnera en conséquence la plus grande place aux portraits. Mais ses leçons ne seront efficaces que si l'historien sait rester impartial, et s'écarter également de la crédulité qui lui ferait croire à des fables absurdes, et du scepticisme

(1) *Méthode pour étudier l'histoire* (1713).

qui l'empêcherait de s'appuyer sur des faits incontrôlables ou étonnants mais rapportés par des garants éprouvés. Enfin, il doit savoir qu'il n'y a aucune commune mesure entre l'importance des faits et celle de leur cause, et que le hasard joue son rôle dans la suite des actions humaines.

Même opinion chez Fénelon (1) sur le but de l'histoire ; enseigner la vertu, mais aussi la politique. Même qualité essentielle chez l'historien : l'impartialité : « Le bon historien n'est d'aucun temps ni d'aucun pays. » Mais Fénelon insiste sur la nécessité de dépasser les menus faits pour mettre en valeur les idées générales, le « fond des choses », et pour hâter le dénouement ; les « circonstances » sont plus importantes que les faits, qui ne sont que le « squelette de l'histoire ». Dominant les faits, l'historien donnera à son récit l' « ordre et l'arrangement » qui en feront une œuvre d'art et de pensée ; il imposera à la réalité infiniment morcelée une vue générale instructive qu'il éclairera de quelques faits caractéristiques. Enfin l'historien ne sera vrai que s'il a conscience des différences de mœurs qui séparent les époques et les nations et s'il rappelle ces différences au lecteur ignorant.

Par l'importance, non seulement de son œuvre historique, mais aussi des pages de théorie qu'il a consacrées à l'histoire, Voltaire domine tous ceux qui en ont écrit en son siècle. L'histoire a un double but : être utile, être vraie. Utile, elle le sera moins en enseignant la vertu qu'en faisant réfléchir ; son utilité sera intellectuelle et non morale ; ou plutôt elle ne sera morale qu'indirectement.

> Quelle serait l'histoire utile ? Celle qui nous apprendrait nos devoirs et nos droits, sans paraître prétendre à nous les enseigner (2).

Œuvre d'un philosophe, non d'un érudit, elle répandra de grandes idées de justice et d'humanité, détruira la superstition et diminuera la crédulité populaire, source de grands maux.

(1) *Lettre à l'Académie* (1716).
(2) *Dictionnaire philosophique*, art. *Histoire*, sect. II.

Vraie, elle devra se contenter de la seule vérité approchée et probable (1) ; mais elle ne devra pas négliger la vérité, même inutile en apparence, parce qu'à elle seule la vérité a quelque chose de « précieux » et de « respectable » (2) ; l'historien devra débarrasser l'histoire de toutes les fables qui l'encombrent et dont l'ont chargée « le fanatisme, l'esprit romanesque et la crédulité ». Pour cela, faire la critique des sources (3), ne se fier qu'aux monuments authentiques.

Tout le réel n'est pas, selon Voltaire, matière à histoire. Il faut choisir dans les faits également vrais ; il faut laisser de côté tout ce qui est généalogie des princes, détail des guerres, pour ne s'intéresser qu'aux faits qui éclairent la vie économique des nations et l'état de la civilisation matérielle ou intellectuelle à une époque donnée (4) ; c'est donc l'histoire des peuples et non des princes à laquelle il faut se consacrer. « Ma principale idée est de connaître, autant que je pourrai, les mœurs des peuples et d'étudier l'esprit humain (5). »

Cette réalité choisie, l'historien doit l'organiser selon une idée directrice, qui sera sa « philosophie de l'histoire ». Et Voltaire commence par blâmer la philosophie historique de Bossuet qui expliquait le cours des événements par la providence divine (6). A son avis, l'enchaînement des faits est causé par l'action des grands hommes, qui, en peu de temps, font faire un immense progrès à la civilisation humaine. Les faits les plus importants sont dus à des rencontres fortuites ou à des causes infimes (7). Les faits historiques sont dans une étroite interdépendance ; on ne saurait écrire l'histoire d'un seul peuple sans faire, au moins en partie, celle de ses voisins (8). L'histoire est une lutte entre une force brutale, une folie destructrice inhérente à la nature humaine

(1) *Ibid.*
(2) *Supplément au siècle de Louis XIV*, IIIe Partie (1753).
(3) *Essai sur les mœurs*, ch. CXCVII (1756).
(4) *Nouvelles considérations sur l'histoire* (1744) ; cf. avant-propos de l'*Essai sur les mœurs* (1756).
(5) *Introduction à l'Abrégé de l'Histoire universelle* (1753).
(6) *Le Pyrrhonisme de l'histoire* (1768) ; cf. *La Philosophie de l'histoire*, XVI (1765).
(7) *La Philosophie de l'histoire*, LI.
(8) *Essai sur les mœurs*, avant-propos.

et une volonté toujours vivace d'ordre et de reconstitution qui a permis à l'humanité de subsister (1).

Homme de théâtre, Voltaire veut que l'histoire participe à l'intérêt dramatique, qu'une intrigue intéressante conduise au dénouement à travers le jeu de forces contraires ; comme l'œuvre dramatique, le récit historique doit être débarrassé des détails inutiles ; certes, il faut des anecdotes, mais significatives. Par contre, point de ces harangues inventées où l'historien, oubliant son personnage, étale son savoir-faire oratoire et prête à tel homme d'action ses vues philosophiques. Point de portraits non plus, reconstructions arbitraires de psychologues ingénieux. Le style ? Simplicité et gravité.

A la veille de la Révolution, Mably (2) incline l'histoire vers l'utilité sociale et politique. Les « hommes supérieurs » y doivent puiser « les lumières nécessaires pour gouverner la République », et les hommes ordinaires s'y instruiront « des devoirs du citoyen » (3) ; par la comparaison du passé et du présent, le lecteur devra conclure « que la politique ne conduit au bonheur qu'autant qu'elle puise ses principes dans la morale ». Pour être à même de dégager ces leçons, le futur historien devra étudier le droit naturel, le droit politique, le droit international ; il devra aussi étudier la psychologie. Car l'historien « doit exercer une sorte de magistrature » ; il a des devoirs sacrés vis-à-vis de ses lecteurs. Mais pour agir, il doit intéresser, émouvoir comme un auteur de tragédie, s'attacher aux sujets nobles, où l'on voit agir de grandes âmes contre de grands obstacles ; prendre un sujet qui ait de l'unité, résumer les faits antérieurs avec rapidité, raconter avec clarté sans s'attarder à la diversité des opinions, sans discuter, sans étaler le travail critique préalable à la narration. Mably, contrairement à Voltaire, approuve les harangues inventées, mise au point commode et vivante, et les portraits à la Plutarque, qui passionnent le lecteur, surtout intéressé par l'humain.

La théorie de l'histoire s'établit, au XVIIIe siècle, indépen-

(1) *Ibid.*, ch. CXCVII.
(2) *De la manière d'écrire l'histoire* (1783).
(3) *Ibid. Entretien I.*

damment de toute tradition historique ou théorique ; les historiens antiques ou les prédécesseurs français ne sont guère utilisés que comme des exemples à ne pas imiter. Elle se construit par la seule réflexion philosophique, d'après le but du genre, et en appliquant les méthodes nouvelles de critique et de pensée à l'étude du passé. L'érudition est délibérément sacrifiée, l'histoire n'est pas encore conçue comme science. Mais l'art n'est plus sa raison d'être, comme pour Cicéron. Elle est soumise à la morale et à la politique, à la philosophie en un mot. La notion même de vérité historique, qui perce chez Voltaire, est étouffée chez les autres. On ne donne guère à l'histoire la mission de découvrir, on lui donne seulement à raconter un passé dépouillé de fables.

La vague croissante du roman suscite maintes réflexions sur ce genre nouveau, genre libre par excellence, auquel les critiques ne peuvent qu'indiquer des buts très généraux. Instruire indirectement par le tableau varié de l'humanité, voilà toute la prétention de Le Sage (1). Conduire à la vertu par l'expérience indirecte et en distrayant le lecteur, voilà celle de l'abbé Prévost (2).

Crébillon fils lui-même a une prétention analogue (3). C'était là le but avoué de tout auteur classique, quelque soit le genre traité.

Ce qu'offre de nouveau la théorie du roman du XVIIIe siècle, c'est la volonté de faire naturel, de côtoyer la vie de tous les jours, d'abandonner les aventures fantastiques et les héros prestigieux de Mlle de Scudéry ou de La Calprenède, pour des aventures véritables ou vraisemblables, contemporaines ou toutes récentes, et pour des héros bourgeois ou nobles, parfois populaires, mais tels qu'en offre la société, par le caractère, les mœurs, les sentiments. « Puiser ses caractères et ses portraits dans le sein de la nature », voilà la grande règle (4). L'in-

(1) *Allégorie* au début de *Gil Blas* (1715) et préface au *Diable Boiteux* (1726).
(2) *Manon Lescaut*, avis de l'auteur (1733).
(3) Préface des *Egarements du Cœur et de l'Esprit* (1736).
(4) *Ibid.*

telligence du cœur humain ne suffit pas au romancier ; il lui faut la sensibilité. Richardson semble à Diderot, comme à Rousseau, donner le modèle du genre : il émeut par le récit d'événements peu dramatiques, mais dont la vérité est frappante, et pousse les cœurs à la vertu par les émotions qu'il y fait jaillir (1).

Le roman était resté, malgré Mme de La Fayette, bien en retard, par rapport aux autres genres, dans la réforme qui, au milieu du XVIIe siècle, ramenait la littérature vers le naturel. Il semblait qu'une autorisation particulière lui permît de s'épanouir dans l'invraisemblable et l'artificiel. Ce n'est qu'au XVIIIe siècle qu'on l'invite à suivre la route qu'avaient déjà empruntée en partie les autres genres, celle de l'observation de la nature ; mais il doit subir en même temps les goûts nouveaux et peindre l'homme dans sa condition sociale et avec les élans de sa sensibilité.

De l'ensemble de la critique du XVIIIe siècle, à qui la Querelle des anciens et des modernes a donné la première occasion de se dégager, ressortent des tendances profondes dont l'incidence sur les œuvres se discerne peu à peu dans l'évolution des genres traditionnels ; mais certaines de ces tendances sont contradictoires, puisque les unes poussent à la souveraineté toujours accentuée de la raison, les autres à l'emprise de la sensibilité. De là vient l'impression de confusion que laisse l'étude des idées littéraires de cette époque. Dans le domaine de l'expression, de l'art proprement dit, même lutte obscure entre le respect d'une forme surannée et le désir de libérer le style pour en faire l'expression plus exacte des mouvements du cœur ou de l'imagination. Aucune école d'art n'apparaît alors qui ne soit la continuation d'un classicisme mal compris. Il va falloir attendre qu'entre ces tendances contraires le XIXe siècle choisisse, avec Mme de Staël et surtout avec Chateaubriand, pour refaire un corps de doctrine plus cohérent.

(1) *Eloge de Richardson* (1761).

TROISIÈME PARTIE

LES THÉORIES ROMANTIQUES (1800-1850)

L'établissement de la doctrine romantique se fera en deux temps. La première période est celle que domine Mme de Staël : aux modèles antiques enfin sacrifiés sont préférés les modernes étrangers et ceux des écrivains français, comme Rousseau, qui annonçaient l'âme moderne. Cette révolution n'est pas une révolution artistique, mais une révolution morale ; on renouvelle les sources d'inspiration, non les principes de l'art d'écrire. La seconde période est dominée par Hugo, de 1820 à 1830 ; il cherche à renouveler la technique du théâtre et à approfondir la nature essentielle de la poésie, à donner à la prose un nouvel idéal. Une troisième période serait à considérer, si nous ne nous bornions à l'étude des doctrines littéraires, c'est celle qui va de 1830 à 1850, et où se renouvelle le contenu de l'œuvre littéraire, où le social remplace l'individuel, où s'établit une philosophie romantique.

D'une manière générale, la période romantique marque un recul incontestable de la notion de doctrine littéraire et de loi esthétique. Ce sont ceux qui avaient voulu établir des lois dans l'art, plus encore que les lois qu'ils ont établies, que combattent les théoriciens romantiques. Les objets nouveaux que Mme de Staël propose aux écrivains pourraient s'accommoder des règles classiques ; la poésie de Hugo s'accommode parfaitement de celles de Malherbe et de Boileau. Mais l'art a soif de liberté et s'il se donne ensuite des lois, c'est après avoir honni ceux qui en avaient donné auparavant de bien semblables, souvent, à celles qu'il s'est choisies. Comme dans beaucoup de révolutions, sinon dans toutes, il s'agit de principes plus que de réalités. S'il y a un ennemi précis, c'est le goût plus encore que la règle, et c'est sa tyrannie discrète et vague, mais impitoyable, qu'on veut secouer au nom du génie et du tempérament individuel. Révolution contre le goût classique, contre le goût pseudo-classique, plus tyrannique encore, le Romantisme répugnera à édicter d'autres lois que celles qui proclament la liberté ; cela ne veut pas dire qu'il n'en suit pas, et de fort proches de celles de ses devanciers. Le Romantisme aura aussi son goût, Baudelaire et les réalistes en sauront quelque chose ; mais il ne se l'avouera pas. En fait, nous l'avons dit ailleurs (1), le Romantisme est la continuation et l'élargissement du classicisme.

(1) Cf. Ph. Van Tieghem, *Le Romantisme français*, Presses Universitaires, 1944.

Chapitre Premier

POUR UNE ESTHÉTIQUE OUVERTE
Mme DE STAËL

L'esthétique classique est fermée ; quelques anciens choisis, quelques modernes, un public étroit, une matière propre au travail d'analyse, mais très limitée, voilà alors les cadres de la création littéraire. Cet ensemble pouvait se soutenir, et il prétendait pouvoir se passer de points d'appui. Il pouvait ignorer le monde extérieur ; on voyait en lui le séduisant tableau d'un monde fermé, mais accompli, digne d'être imité, mais imperméable aux influences étrangères. C'était un salon qui a ses rites, son protocole, ses hiérarchies, ses sujets habituels de conversation, où un public homogène et peu curieux cherche à bien dire ce qu'on a cent fois dit, et écarte *a priori* une foule de sujets ou d'expressions qui choqueraient un goût scrupuleux ; une chapelle d'initiés au langage convenu.

Mais le monde extérieur s'infiltre peu à peu dans cette société close. Il choqua d'abord, et dut prendre le costume de cour pour y pénétrer respectueusement. Quelques esprits nouveaux se demandèrent si le code des convenances sur lequel elle vivait avait des bases bien solides, si les droits qu'elle s'arrogeait sur le monde de l'art avaient un fondement bien légal. Mais son rayonnement était tel que ces novateurs durent composer avec elle, et, à part quelques exaltés comme Diderot, quelques auteurs affectant la rusticité comme Mercier, n'osèrent pas fonder un groupe indépendant, où régnât la liberté des manières et du langage. La Révolution éparpilla les membres de ce salon ; ils visitèrent des pays étrangers ; ils revinrent déchus de leur ancienne réputation et privés de leur auréole ; ils n'étaient pas les plus forts. Ils s'aperçurent qu'il y avait en eux une âme qui n'avait pas pu s'exprimer dans ce cercle poli où le cœur commençait seulement à être toléré, et parfois, une sorte d'élan mystérieux, jaillissant des profondeurs de leur être, qu'ils avaient dû comprimer. A l'esthétique fermée du XVIIIe siècle succéda une esthétique ouverte, qui s'alimenta à des sources étrangères à l'art pur, qui trouva sa fin dans autre chose que l'art, qui porta ses regards à la fois sur le monde extérieur, et sur les profondeurs mystérieuses du moi.

L'artisan de cette transformation fut Mme de Staël. C'est dans ses œuvres que puisèrent la plupart des théoriciens du Romantisme tant son apport était riche en suggestions. Nous considérerons d'abord les grands principes qu'elle propose : nous verrons ensuite les idées particulières qu'elle émet sur les différents genres.

Les anciens et les modernes. — Tant que les anciens restaient les modèles, avoués ou non, directs ou indirects, de l'art littéraire, la littérature, et en particulier la poésie, ne pouvait sortir de l'ornière où on la voyait poursuivre en vain sa route. La Querelle avait posé la question ; nous l'avons vu : elle l'avait mal posée ; on avait discuté du plus ou du moins de mérite, on avait comparé, on parlait *a priori ;* nul n'avait été au centre de la question. Mme de Staël essaie d'y parvenir. Elle montre que la poésie antique a pu atteindre sa perfection, qui est d'une certaine espèce : « la description animée des objets extérieurs. » Mais les modernes peuvent en atteindre une autre par la peinture des « mouvements de l'âme », qui est un des autres éléments de la poésie. Et ils acquerront par là une évidente supériorité sur les anciens parce que cet élément sentimental est beaucoup mieux connu chez les modernes qu'il ne l'était chez les anciens.

Du coup, la poésie se trouve débarrassée du fatras mythologique, utile personnification de sentiments encore obscurs, pour les poètes anciens, inutile maintenant que l'objet personnifié est directement présent à notre conscience. De plus, il y a une disparate foncière et nécessaire entre l'imagination des anciens et la mentalité moderne (1).

(1) *De la littérature*, Ire Partie, ch. I ; IIe Partie, ch. V.

Perfectibilité indéfinie de l'esprit humain. — Le progrès évident de l'esprit humain dans le domaine des sciences peut-il agir sur celui de l'art ? Oui, répond Mme de Staël ; en effet, les progrès les plus matériels entraînent ceux de la raison et de toute civilisation intellectuelle. La réflexion, quel que soit son objet, ne peut que profiter du progrès scientifique ; la morale se fortifie nécessairement au fur et à mesure que la puissance matérielle de l'homme augmente (1). Sans doute l'imagination perd-elle ce que gagne la raison ; mais elle ne fait pas seule la poésie ; tout le reste croît en qualité : raison, morale, sensibilité, psychologie.

Le goût et le génie. — Certains principes du goût sont universels, mais la plupart sont étroitement liés à un état de civilisation ; le goût peut donc, et doit varier. Mais jamais on ne doit lui sacrifier le génie. Il faut pour cela élargir le goût : « Il faut, en littérature, tout le goût qui est conciliable avec le génie », car l' « important en littérature... c'est l'intérêt, le mouvement, l'émotion, dont le goût à lui tout seul est souvent l'ennemi » (2). Cet élargissement du goût était la première réforme à proposer après que les modèles anciens eussent été remis à leur vraie place. Si le goût est un ensemble de règles tantôt nettes, tantôt vagues et faites d'une infinité de rapports entre l'œuvre et la mentalité d'un public, ces règles n'ont été nécessaires que parce que les écrivains classiques, imitateurs d'une littérature étrangère aux mœurs de leur temps, devaient être guidés par des règles extérieures. Mais une littérature directement inspirée des émotions spontanées d'une âme moderne trouvera tout naturellement en elle les règles, ou plutôt toute règle deviendra inutile (3).

La littérature et la société. — L'esprit d'un peuple est profondément influencé, et presque créé par la nature de la vie sociale, elle-même dépendant étroitement du climat, des institutions politiques, de la religion, des lois (4). Si l'ensemble de ces conditions vient à changer, la littérature, qui elle-même

(1) *Ibid.*, préface de la 2e édition.
(2) *De l'Allemagne*, IIe Partie, ch. XIV.
(3) *Ibid.*, ch. XI.
(4) *De la littérature*, Ire Partie, ch. I, ch. XIV, ch. XVIII.

dépend de la mentalité du public, et surtout de celle des classes dirigeantes, doit évoluer à son tour. La société française a été bouleversée par la Révolution ; *a priori* une nouvelle littérature doit lui être proposée, dont les principes et la matière seront tout à fait différents de ceux qui régnaient auparavant. Le renouvellement littéraire, dont on sentait la nécessité depuis si longtemps, se trouve enfin justifié.

Littératures du Midi et littératures du Nord. — Ceux même qui, depuis le début du XVIIIe siècle, voulaient secouer le joug de la littérature gréco-romaine ne savaient où regarder pour trouver d'autres modèles. La France était trop imprégnée de la tradition antique pour se renouveler par elle-même dans sa littérature. Mme de Staël pose deux types de littérature face à face, et leur accorde des mérites égaux. Le premier type est la littérature classique, qui, même lorsqu'elle émane d'écrivains modernes, est d'inspiration antique, et, en fait, imprégnée d'un état d'esprit en étroit rapport avec les climats méridionaux où elle est née. Le second est la littérature romantique, de création moderne, même si certaines œuvres datent du moyen âge, moderne parce qu'elle ne doit rien à la tradition gréco-latine, et dont la source est dans les pays du Nord de l'Europe. A Homère correspond la barde Ossian ; à Racine, Shakespeare ou Schiller (1).

Or, de ces deux littératures, la seconde est la seule à offrir l'écho de l'âme moderne en tant qu'elle se distingue de l'esprit français d'avant la Révolution. La première est caractérisée par la simplicité, la pureté, la clarté, le don du mouvement, une certaine fraîcheur d'imagination, la volupté ; celle du Nord, par la rêverie, par le goût pour la méditation vague, la philosophie, l'exaltation, le retour sur soi. L'une s'adresse à notre esprit pour parvenir à notre cœur, l'autre s'adresse directement à celui-ci. La littérature romantique seule est susceptible encore d'être perfectionnée parce que seule elle est « indigène », qu'ayant ses racines dans notre propre sol, elle est la seule qui puisse croître et se vivifier de nouveau (2).

(1) *De la littérature*, Ire Partie, ch. XI.
(2) *De l'Allemagne*, IIe Partie, ch. XI.

L'âme moderne. — Objet essentiel de l'art littéraire, c'est parce qu'elle est nouvelle qu'il sera nouveau. Qu'est-ce donc qui oppose cette âme moderne à l'âme antique que nos classiques se sont obstinés à peindre, dit-elle, sans tenir compte des transformations qui se produisaient en elle ? Après la Révolution, ses traits nouveaux se dégagent enfin. Et comme la littérature « dérive non seulement des causes accidentelles, mais aussi des sources primitives de l'imagination et de la pensée », c'est de la nature de cette âme nouvelle que dépendra la littérature moderne ou romantique. Tandis que chez les anciens, l'homme « réfléchissant peu, portait toujours l'action de son âme au dehors » et donnait plus de place à « l'événement ».

> Le caractère tient plus de place dans les temps modernes, et cette réflexion inquiète, qui nous dévore souvent comme le vautour de Prométhée, n'eût semblé que de la folie au milieu des rapports clairs et prononcés qui existaient dans l'état civil et social des anciens... Les modernes ont puisé dans le repentir chrétien l'habitude de se replier continuellement sur eux-mêmes (1)...

Ce qui caractérise l'âme moderne, c'est le « sentiment douloureux de l'incomplet de sa destinée » ; c'est là en tout cas ce qui en fait la grandeur ; ce « besoin d'échapper aux bornes qui circonscrivent l'imagination » caractérise ces âmes « à la fois exaltées et mélancoliques, fatiguées de tout ce qui se mesure, de tout ce qui est passager, d'un terme enfin, à quelque distance qu'on le place (2). Or, les littératures du Nord sont seules à traduire ces aspirations.

Le cosmopolitisme. — Il faut donc obtenir des Français qu'ils connaissent et apprécient les littératures étrangères sans se choquer de ne les voir point obéir à l'étroitesse de notre goût. Depuis Voltaire, on commence à connaître la littérature anglaise ; il faut aussi étudier celle des Allemands, pour guérir la nôtre de sa stérilité, de sa froideur, de sa monotonie. Par l'étude d'une littérature imparfaite mais pleine de traits de génie,

(1) *Ibid.*
(2) *De la littérature*, Ire **Partie**, ch. XI.

l'esprit sera « excité par des combinaisons nouvelles, l'imagination... animée par les hardiesses mêmes qu'elle condamne ». Notre goût s'ajoutera au génie un peu sauvage des étrangers (1). « On se trouvera donc bien en tout pays d'accueillir les pensées étrangères, car, dans ce genre, l'hospitalité fait la fortune de celui qui reçoit (2). » L'Allemagne, en particulier, pourra nous révéler l' « amour de la nature..., et la philosophie » (3).

Par ces idées générales, Mme de Staël ouvrait à la littérature une voie nouvelle. Reprenant les vieilles disputes, elle y apportait les lumières de son génie et sa connaissance des traditions littéraires autres que la tradition classique. Elle justifiait bien des idées et des tendances qu'un La Motte ou un Diderot avaient confusément entrevues ou ressenties. Elle montrait pourquoi on doit choisir d'autres modèles que les anciens, pourquoi les règles deviennent inutiles, pourquoi les fautes de goût des étrangers ne doivent pas nous empêcher de prendre chez eux des vues nouvelles. Son grand mérite est d'avoir philosophé sur les principes généraux de l'art au lieu de discuter seulement sur les genres particuliers, d'être remontée aux causes au lieu de ne considérer que les effets, d'aller à la racine du mal, au lieu de n'en corriger que les conséquences. Mais son défaut est de n'avoir envisagé le renouvellement littéraire que par le fond et de n'avoir pas assez vu combien certaines traditions formelles empêchaient d'utiliser les nouveautés qu'elle proposait.

Les idées particulières de Mme de Staël en ce qui concerne les différents genres sont l'aboutissement des tendances que nous avons vu s'exprimer au cours du XVIIIe siècle. Elle les systématise et les justifie, allant jusqu'au bout des réformes, libérée, plus que ses devanciers, de la tradition classique.

La tragédie. — La mollesse constante de l'expression et des personnages, la gêne de la versification, des règles et des unités,

(1) *Préface* de *Delphine* (1802).
(2) *De l'Allemagne*, IIe Partie, ch. XXXI.
(3) *Ibid.*

la peinture des seules passions, les sujets toujours antiques, voilà contre quoi avaient déjà protesté nombre de critiques ; Mme de Staël reprend ces points et les attaque à son tour, mais avec un esprit beaucoup plus élevé, qui discerne les motifs profonds de la tradition et leur oppose des raisons tirées de l'essence de l'art dramatique tel qu'elle le conçoit. L'ensemble de sa critique de la tragédie classique est fondé sur l'idée de la relativité du goût et des rapports étroits de la tradition dramatique avec l'objet de la tragédie. Toute son argumentation consiste à montrer que, si l'objet de la tragédie doit changer dans son essence, les traditions extérieures doivent changer elles aussi. Cette attitude lui permet de louer sans réserves la tragédie classique, cohérente dans tous ses éléments, tout en proposant une tragédie nouvelle, également cohérente et mieux adaptée au goût du siècle nouveau.

« La tendance naturelle du siècle, c'est la tragédie historique (1). » La tragédie moderne, dont Voltaire, De Belloy, Benjamin Constant et enfin Raynouard, ont donné des exemples, doit présenter une vaste action politique, authentique et moderne. Si l'on part de cette opinion, il en résulte forcément que la nature intime de la tragédie sera changée : la tragédie classique peint des passions ; la tragédie historique peindra des caractères. Or, si les passions, présentées surtout à leur paroxysme, s'accommodent d'un style noble et tendre, la peinture des caractères complexes, comme sont ceux de tous les hommes, même, et peut-être surtout, les plus grands, demandera dans le style et dans le ton une variété qui permette d'en mettre en lumière tous les aspects, des plus nobles aux plus mesquins. Le nouveau thème imposera également le mélange des genres, le ton de la comédie devant parfois se mêler à celui de la tragédie. De plus, tandis que la tragédie classique est rapide et court vers son dénouement, la tragédie historique doit se permettre des lenteurs apparentes qui offrent à l'auteur l'occasion de peindre, autour des personnages, les événements, le milieu, l'atmosphère morale, sociale, politique où ils s'agitent. Par suite, les unités, nécessaires pour resserrer encore une action déjà étroite, et lui

(1) *De l'Allemagne*, IIe Partie, ch. XV.

donner tout son effet, doivent disparaître, sauf l'unité d'action. La dignité de la pièce sera obtenue non par celle des personnages, mais par celle des sentiments ; sans qu'il y ait à changer la nature des sentiments dépeints, il faut aller plus loin dans l'analyse, découvrir leur intensité profonde : tout sentiment puissant contient en soi sa noblesse, quelle que soit la situation sociale de celui qui l'éprouve ou l'objet de ce sentiment. Il faudra donner leur rôle, et parfois le premier, à des personnages de petite condition, non pas comme une concession arrachée au bon goût par la vague nécessité de faire naturel, mais par une nécessité intime du nouveau genre. En effet la noblesse des personnages est un obstacle insurmontable à l'expression des sentiments dans toute leur sincérité et leur profondeur ; cette noblesse de condition suppose en effet dans les rapports humains une réserve et une politesse qui l'interdit absolument ; mille nuances de la vie sentimentale et surtout mille drames intimes sont exclus de la tragédie, alors qu'ils forment l'élément principal de la vie humaine, l'élément, en tout cas, le plus capable de créer chez les spectateurs l'émotion dramatique. Si le rang des protagonistes se justifiait au théâtre par l'état de la société, en réservant aux grands de la terre les nobles préoccupations et le maniement des grandes affaires, il n'en est plus de même dans un peuple habitué par « quinze ans de révolution » à être mêlé à ce que la vie du pays offre de plus dramatique. Ce sera l'art du grand poète que de donner, comme ont su le faire les grands dramaturges anglais et allemands, de la noblesse aux circonstances communes. Les « circonstances vulgaires » produisent « de grands effets » et il faut reculer les bornes de l'art pour les y faire entrer — sans cependant « choquer le goût ». En ce qui concerne la versification, critiquée par un Fénelon ou un La Motte comme simplement gênante, et au nom de bien faibles raisons, Mme de Staël la blâme à son tour, mais pour des raisons autrement profondes, et dépendant de sa nouvelle conception dramatique. Le vers, avec son harmonie, avec sa beauté propre, interdit l'expression de certains sentiments dans leur spontanéité, dans leur profondeur humaine ; les vers les meilleurs ajoutent en effet au sentiment, et cela d'autant plus peut-être qu'ils sont meilleurs, un fini, une beauté, une noblesse, qui en changent profondément la nature. Et surtout la versification interdit une foule d'expressions simples et naturelles dont, par le contraste, le poète peut tirer les plus grands effets (1).

La comédie. — Elle doit se transformer comme se sont transformées nos mœurs politiques et sociales. Une foule de préjugés, qui étaient sous la monarchie une source indirecte de comique, par le ridicule que prenaient ceux qui tentaient de les outrepasser, sont aujourd'hui abolis ; les ridicules qui en découlent ne sont donc plus matière à comédie. La nouvelle matière de ce genre, ce seront les « vices de l'âme qui nuisent au bien général » ; l'idéal n'est plus le respect de certaines traditions sociales, mais un ensemble de solides vertus civiques et sociales. Il faut attaquer et ridiculiser ceux qui croient pouvoir s'en passer, et ceux qui sont dénués des qualités véritables qui font la valeur d'un homme dans une société où cette valeur ne vient plus du respect des convenances (2).

La poésie. — Pour comprendre les idées de Mme de Staël sur la poésie, il faut d'abord considérer la notion de poésie qui lui est propre, notion qui lui est suggérée par la connaissance et l'étude des textes poétiques et des critiques allemands. La vraie poésie ne réside pas dans la versification, si habile, si parfaitement harmonieuse qu'elle soit. La poésie est un état intime du cœur, qui peut s'exprimer ou ne pas s'exprimer, qui peut se traduire par la prose comme par le vers, et qui, en fait, s'est, dans notre littérature, mieux traduit par la prose que par le vers.

> Il est difficile de dire ce qui n'est pas de la poésie ; mais si l'on veut comprendre ce qu'elle est, il faut appeler à son secours les impressions qu'excitent, une belle contrée, une musique harmonieuse, le regard d'un objet chéri, et par-dessus tout un sentiment religieux qui nous fait éprouver en nous-même la présence de la Divinité (3).

La poésie, c'est « l'apothéose du sentiment » ; pour atteindre à l'état poétique, il faut « errer par la rêverie dans les régions

(1) Les éléments de cette synthèse sont empruntés aux passages suivants : *De la littérature*, IIe Partie, ch. V et *De l'Allemagne*, IIe Partie, ch. XV, XVIII, XXVI.
(2) Cf. *De la littérature*, IIe Partie, ch. V.
(3) *De l'Allemagne*, IIe Partie, ch. IX.

éthérées, oublier le bruit de la terre en écoutant l'harmonie céleste, et considérer l'univers entier comme un symbole des émotions de l'âme ». L'objet toujours présent à la pensée du poète, c'est « l'énigme de la destinée humaine ». La poésie « donne de la durée à ce moment sublime pendant lequel l'homme s'élève au-dessus des peines et des plaisirs de la vie ». Elle est donc essentiellement un état d'*enthousiasme ;* le génie poétique est une disposition de l'âme, et non de l'intelligence, et tout l'art poétique consiste à « dégager le sentiment prisonnier au fond de l'âme », à donner « la traduction naturelle d'affections vives et profondes ».

Le meilleur poète sera donc celui dont la sensibilité sera la plus vive, l'âme la plus capable de ressentir ces transports presque religieux ; l'imagination, l'habileté technique passent au second plan. Elles peuvent s'ajouter à l'état poétique, mais elles peuvent lui manquer complètement, parce que le génie inspiré est souvent très maladroit dans l'art qui doit lui servir d'interprète. Sans doute la forme poétique, loin d'être un artifice inventé par les civilisations avancées, est-elle une invention primitive et naturelle à tous les peuples, qui commencent à écrire en vers avant d'écrire en prose. Mais la versification française, à cause des rapports délicats qu'elle suppose entre la rigidité syntaxique de notre langue et la nécessité de la rime, est de toutes les formes poétiques la plus difficile et la moins naturelle à l'expression des grands sentiments. La preuve en est, aux yeux de Mme de Staël, que ceux de nos écrivains qui ont au plus haut point le tempérament poétique sont des prosateurs, Bossuet, Pascal, Fénelon, Buffon, Rousseau.

Mme de Staël ne pouvait prévoir que des poètes allaient venir qui sauraient enfin allier un fond poétique aussi riche qu'elle le souhaitait à une parfaite habileté de versificateur. Mais sa sévérité pour notre versification s'explique, si on considère l'état de notre poésie dans le siècle qui l'a précédée. Boileau avec son *Art poétique* est à ses yeux responsable de cette stérilité, parce qu'il a confondu versification au sens le plus large du mot, avec poésie.

La conception que se fait Mme de Staël de la poésie implique cette idée que le lyrisme est seul la véritable poésie ; les autres genres lui empruntent ses procédés mais négligent son essence. Elle implique aussi une abdication remarquable de la notion d'art et de technique et fait table rase de toutes les conquêtes faites dans ce domaine depuis la Pléiade (1).

La critique. — Rendre Boileau responsable de la décadence de notre poésie, c'est affirmer l'importance de la critique dans l'évolution de la littérature. La critique dogmatique que nous avons vue s'établir au cours du XVIIe siècle et régner encore au XVIIIe malgré les tentatives de rébellion, impliquait un monde fermé et immuable, pour lequel on pouvait légiférer définitivement. Du moment que l'on conçoit, comme fait Mme de Staël, la littérature comme quelque chose de mouvant, soumis aux variations des mœurs et de la politique, le rôle de la critique ne peut pas être d'établir des dogmes. Cette fonction lui est encore interdite, en ce qui concerne la poésie, par le fait que celle-ci est conçue comme un état individuel et non comme un art régulier. Sa mission sera donc tout autre ; elle sera « la description animée des chefs-d'œuvre » ; elle partira des œuvres, en dégagera les beautés sans se soucier de savoir si elle sont d'accord avec les lois de l'art, et, par la chaleur de l'admiration, tentera d'initier le lecteur à ces mêmes beautés. Il faudra donc au critique une manière de génie qui lui permette de s'élever à la hauteur des plus grandes œuvres, c'est-à-dire des plus grandes âmes, et une éloquence pleine d'imagination qui lui permette de faire saisir à son public les beautés qu'il aura découvertes. Le critique cessera d'être un régent de collège frappant de sa férule les mauvais auteurs, qu'il se contentera d'ignorer, ou soulignant avec complaisance les défauts des bons auteurs, pour devenir un initiateur dont l'influence sera féconde pour ces mêmes auteurs dont les traits de génie trouveront en lui un appréciateur qui saura les encourager. Sans la réforme de la critique, aucune réforme littéraire n'est possible, l'auteur le plus sûr de son génie se trouvant empêché dans son libre développement par la perspective du blâme et de l'incompréhension (2).

Le roman. — Le roman doit être moral, sinon moralisateur.

(1) Voir, pour plus de détails, *De l'Allemagne*, IIe Partie, ch. IX et X.
(2) Cf. *De l'Allemagne*, IIe Partie, ch. XXX.

Mais la leçon qu'il contient ne doit pas s'exprimer par des événements plus ou moins arbitraires ; elle doit ressortir de l'état sentimental des personnages, ce qui sera obtenu si la peinture est assez vraie, et si les sujets sont empruntés à un monde assez proche du nôtre pour que nous ressentions comme nôtres les circonstances de la vie privée qui y sont évoquées. Le vrai sujet en est ce qui fait « au fond de l'âme le bonheur ou le malheur de l'existence ». L'amour n'est qu'une partie de cette matière ; il y a une foule d'autres sentiments « profonds et tendres », qui ne sont peut-être que des aspects de l'amour, mais qui doivent être représentés. Ses modèles sont Richardson et Fielding, *La Nouvelle Héloïse* et *Werther*. L'originalité de cette théorie du roman réside surtout dans ce que Mme de Staël dit de la matière du roman, qui consiste moins dans les caractères ou les passions que dans les états d'âme (1).

Le grand mérite de Mme de Staël, pour l'ensemble de son œuvre critique, est d'avoir proposé un renouvellement des tendances littéraires générales et des différents genres en s'appuyant sur des principes nouveaux qui donnent à ses réformes une base philosophique solide. Ce qui avait manqué à ses nombreux prédécesseurs du XVIIIe siècle, c'était d'avoir dégagé en eux l'âme nouvelle qui devait créer une littérature nouvelle et des principes esthétiques assez profonds et assez généraux pour systématiser les réformes de détail qu'ils envisageaient seules. Son influence sera considérable, beaucoup plus que celle de Boileau ; elle s'inspire constamment des littératures anglaise et allemande et des chefs-d'œuvre qu'elle y a découverts, mais elle écrit une préface et non une conclusion ; en France, la littérature qu'elle envisageait était à créer, et c'est en grande partie d'après ses directives qu'elle s'est créée.

(1) Cf. *Essai sur les fictions*, III (1795), préface de la première édition de *Delphine* (1802) ; *De l'Allemagne*, IIe Partie, ch. XXVIII.

Chapitre II

CHATEAUBRIAND RESTAURE LA NOTION D'ART

Le grand reproche qu'on peut faire aux vues de Mme de Staël est qu'elles renouvellent le fond de la littérature sans aborder les questions d'art proprement dites ; c'est ce qui eût rendu ses idées peu efficaces, si, en même temps qu'elle, un artiste de premier ordre, théoricien d'occasion, n'eût au contraire subordonné la question de l'inspiration aux considérations artistiques.

C'est en effet, d'après leur efficacité dans le domaine du beau que Chateaubriand va juger de la valeur respective de l'inspiration antique et de l'inspiration chrétienne, de l'art impersonnel et de l'art personnel. Les idées de l'artiste s'ajouteront à celles du philosophe pour achever de dessiner les grands traits de la littérature nouvelle.

Le but de l'artiste est de produire la beauté, beauté dans les caractères ou beauté dans les objets ; *beauté morale* ou *beauté physique*. Dans les deux cas, l'art consiste à *choisir*, et ce choix est d'autant plus nécessaire que la société est plus civilisée et s'écarte plus de la nature. Dans l'état de nature, en effet, le beau et le naturel se confondent, mais on ignore le *beau idéal*, qui est le résultat d'un choix effectué dans le réel. L'objet de l'art une fois dépouillé de ce qui l'accompagne dans la réalité mais le dépare aux yeux de l'artiste, encore faut-il que celui-ci place artificiellement son objet dans la lumière la plus propre à en faire valoir la beauté et trouve ainsi des *formes* plus parfaites que celles de la nature. Rien de plus opposé au réalisme que cette conception hautement affirmée (1).

(1) *Génie du Christianisme*, IIe Partie, liv. II, ch. XI (1802).

La puissance émotive d'une œuvre n'est pas le critérium de sa valeur. Sans doute, l'artiste doit avoir comme but d'émouvoir, mais non directement. L'émotion qu'il doit chercher à produire est uniquement celle qui résulte de la beauté ; le lecteur doit pleurer sans doute, mais de cette pure jouissance que fait naître dans les âmes bien nées la beauté d'une œuvre d'art. « On n'est point un grand écrivain parce qu'on met l'âme à la torture. Les vraies larmes sont celles que fait couler une belle poésie ; il faut qu'il s'y mêle autant d'admiration que de douleur (1). » Bien plus, ce qui touche, ce n'est pas ce qui est nature brute, c'est la nature humanisée par l'art, adaptée par lui à notre cœur ou à notre âme (2). C'est ainsi que, comparant l'Andromaque de Racine et celle de l'antiquité, Chateaubriand met celle-là au-dessus de celle-ci parce que l'auteur qui l'a fait parler a montré plus d'art que ses prédécesseurs en lui donnant des sentiments moins naturels, une « nature plus belle » sur le plan de l'art (3).

La valeur littéraire du christianisme vient donc de ce que les sujets tirés de l'inspiration chrétienne sont plus propres à l'art et non de ce que cette religion est la seule vraie, ou la seule vivante dans notre état de civilisation (4). On se rappelle que ce sont ces deux arguments que faisaient valoir au XVIIIe siècle les partisans de l'inspiration chrétienne. En effet, le christianisme allant « plus loin que la nature » est d'essence idéaliste. L'âme chrétienne est habituée, par définition, à transcender ou à transposer le réel ; elle contient, par sa religion même, un principe d'art que n'offrent pas les religions antiques.

C'est au nom de l'art, et de son opération essentielle, le choix, que Chateaubriand justifie l'existence des genres et l'établissement des règles propres à chaque genre. Si l'on admet qu'il y a un art, on doit admettre que cet art comporte des règles qui sont parfaitement naturelles, puisqu'elles sont de la nature même de l'art, qui est lui-même une fonction naturelle de l'esprit humain. C'est ainsi qu'il peut écrire que « Racine dans toute

(1) Préface à la première édition d'*Atala* (1801).
(2) *De l'Angleterre et des Anglais* (1800), dans *Mélanges littéraires*.
(3) *Génie du Christianisme*, IIe Partie, liv. II, ch. VI.
(4) Cf. remarque 32 au livre XXIV des *Martyrs* (1810).

l'excellence de son art est plus naturel que Shakespeare » (1).

En dehors de son idéalisme profond, la religion chrétienne est propre à l'art et, en particulier, à la poésie, par le détail de ses rites, de ses monuments, de sa doctrine, de ses dogmes. Sa morale est, si même l'on néglige sa vérité divine, la plus propre à créer cette vie intérieure, ce « jeu des passions », qui sont la matière de l'œuvre littéraire. En particulier, c'est d'elle qu'est né ce « vague des passions » inconnu aux anciens et plus propre qu'aucun autre état moral à susciter la vraie inspiration poétique. La conception chrétienne d'un Dieu unique et tout-puissant peut seule faire naître ce profond sentiment de la nature qui est un des éléments essentiels de la vraie poésie.

> Oh ! que le poète chrétien est plus favorisé dans la solitude où Dieu se promène avec lui ! Libres de ce troupeau de dieux ridicules qui les bornaient de toute part, les bois se sont remplis d'une Divinité immense. Le don de prophétie et de sagesse, le mystère et la religion semblent résider éternellement dans leurs profondeurs sacrées (2).

Ainsi une âme, sinon profondément chrétienne, du moins imprégnée de la tradition chrétienne, sera naturellement poétique, en ce qui concerne tant l'état d'esprit favorable à la création, que l'idéal proprement esthétique.

Aucune littérature, si nouvelle qu'elle se prétende, ne peut se passer de modèle. En fait, jusqu'à la fin du XVIIe siècle, et pour ceux même qui en soulignaient les défauts, notre littérature descendait d'Homère. Protester contre la royauté d'Homère et proposer celle de Racine, c'était au fond rester fidèle à la tradition dont Homère était la source. A Homère, Mme de Staël avait opposé Ossian, sans d'ailleurs oser égaler celui-ci à celui-là. Par une vue plus féconde, c'est la Bible que Chateaubriand oppose à l'*Iliade* ou à l'*Odyssée*, pour montrer combien la Bible et la tradition littéraire qui en découle à l'étranger sont pour la poésie une source infiniment plus riche que la tradition gréco-latine. Sous le rapport de la simplicité, de l'antiquité, des mœurs,

(1) *Shakespere ou Shakespeare* (1801), dans *Mélanges littéraires*.
(2) *Génie du Christianisme*, IIe Partie, liv. IV, ch. I.

de la narration, des descriptions, des images et des comparaisons, du sublime enfin, la Bible emporte la palme. Notons que Chateaubriand, dans ce parallèle, se place uniquement au point de vue de l'art. C'est aux poètes qu'il s'adresse, c'est en leur nom qu'il juge (1).

Le sentiment religieux qui anime l'auteur lorsqu'il rédige son *Génie du Christianisme* ne prend jamais le pas sur le sentiment esthétique. Considère-t-il l'épopée ? Il recommande de ne pas donner la religion comme *fond* de l'œuvre, mais de n'en faire qu'un accessoire, parce que la loi du genre veut que ce soient les « hommes et leurs passions » qui « occupent la première et la plus grande place » (2). Si les dieux du paganisme pouvaient entrer comme personnages dans le poème, parce que leur caractère était au fond tout humain, la colère de Jéhovah, la pitié de Jésus, les pures émotions que font naître dans le cœur de la Vierge ou des anges les misères humaines, ne sont-ce pas aussi des sentiments humains ? L'enfer « garde ses dieux passionnés et puissants dans le mal » qui peuvent encore mieux devenir les personnages d'une épopée. Si le surnaturel du christianisme peut entrer dans l'épopée, c'est donc, là encore, non parce qu'il est vrai, mais parce qu'il s'accorde avec la loi du genre (3).

D'une manière plus générale, « tout est créé pour l'âme dans les peintures de la religion chrétienne ».

> Quel charme de méditation ! quelle profondeur de rêverie ! Il y a plus d'enchantement dans une de ces larmes que le christianisme fait répandre au fidèle que dans toutes les riantes erreurs de la mythologie. Avec une *Notre Dame des Douleurs*, une *Mère de Pitié*, quelque saint obscur, patron de l'aveugle et de l'orphelin, un auteur peut écrire une page plus attendrissante qu'avec tous les dieux du Panthéon. C'est bien là aussi de la *poésie !* C'est bien là du *merveilleux !...* Nous osons le prédire, un temps viendra que l'on sera étonné d'avoir pu méconnaître les beautés qui existent dans les seuls noms, dans les seules expressions du christianisme (4).

(1) *Génie du Christianisme*, liv. VI, ch. III.
(2) *Ibid.*, liv. I, ch. II.
(3) *Ibid.*, liv. IV, ch. IV.
(4) *Ibid.*, ch. XVI.

En ce qui concerne la critique, Chateaubriand semble abandonner le point de vue purement esthétique en conseillant « d'abandonner la petite et facile critique des *défauts* pour la grande et difficile critique des *beautés* (1) » ; la critique ne va-t-elle pas se réduire à l'enthousiasme individuel d'un goût ou d'une âme pour une œuvre, indépendamment de sa valeur esthétique ? Non pas, car cette critique compréhensive sera fondée sur les nécessités proprement esthétiques qui lient dans toute œuvre les qualités aux défauts.

Même attitude en ce qui concerne l'éloquence. L'éloquence chrétienne est mise au-dessus de l'éloquence païenne parce qu'elle atteint seule cette sublime beauté de forme dont la source ne se trouve que dans l'ardeur d'un sentiment religieux imprégné de l'idée de la mort et de l'éternité. Et quand les païens atteignaient à la parfaite beauté dans leurs discours, c'est qu'ils étaient animés d'un profond sentiment religieux.

Les valeurs esthétiques, subordonnées par Mme de Staël aux valeurs morales, sentimentales, spirituelles, reprennent leurs droits avec Chateaubriand. Selon lui le renouvellement de la poésie française se fera sans doute par la matière de la poésie, mais uniquement dans la mesure où une inspiration nouvelle pourra agir heureusement sur la beauté formelle.

(1) *Sur les Annales littéraires de Monsieur Dussault* (1819) dans *Mélanges littéraires*.

Chapitre III

ÉBAUCHES D'UNE DOCTRINE ROMANTIQUE

Ni Mme de Staël, ni surtout Chateaubriand, n'avaient conscience de fomenter une révolution littéraire, ni même de jeter les bases d'une doctrine nouvelle. Tout au plus pensaient-ils continuer à assouplir la littérature classique et à l'enrichir. C'est après 1816 seulement que les écrivains et les critiques comprirent qu'en fait une ère nouvelle s'ouvrait pour la littérature et particulièrement pour le théâtre et la poésie, et que le code des règles classiques devait faire place à un nouveau système littéraire. Mais il arriva ceci, que la très grande majorité des critiques restaient fidèles à l'idéal classique : que ceux donc qui avaient l'habitude ou qui eussent pu être capables de jouer avec les abstractions de l'esthétique n'employèrent leur autorité ou leur science qu'à défendre l'idéal classique contre la montée de l'opinion. Ce furent ainsi les poètes eux-mêmes qui durent dessiner les traits généraux de l'art nouveau qu'ils voulaient inaugurer ; ils le firent en transposant en théorie leurs tendances propres. D'où l'aspect chaotique de ces essais de doctrine romantique ; d'où leur insuffisance logique ; d'où leur échec final.

Ajoutons que, tandis que la doctrine classique contenait avant tout l'idée d'ordre et de discipline et voulait s'opposer à un passé moyenâgeux où la liberté individuelle et l'absence de système artistique apparaissaient comme le plus grave défaut, les romantiques, s'opposant aux ravages que causait l'étroitesse du goût, confondue à tort avec la sévérité des règles, eurent pour premier soin de proclamer l'indépendance de l'art, son caractère individuel et primesautier, c'est-à-dire en somme, la négation de toute théorie un peu systématique.

Cependant, ils eussent pu, continuant l'œuvre de Mme de Staël, trouver dans les philosophes allemands, et dans un examen critique approfondi des œuvres étrangères qu'ils se proposaient comme modèles, les bases intellectuelles, psychologiques, sociales, et proprement esthétiques d'une doctrine nouvelle. Mais, outre leur nature intellectuelle généralement peu propre à l'abstraction, une des tendances de cette nouvelle génération d'écrivains était précisément de fuir l'abstrait pour le concret, de s'opposer au fatras des théories et de suivre leur imagination créatrice plutôt que leurs facultés dialectiques.

De plus, comme ce sont des auteurs, des créateurs, et non des critiques, qui cherchèrent à définir la littérature nouvelle, ce sont des œuvres nouvelles, non des systèmes nouveaux qu'ils furent poussés à créer. Or nous avons vu, au cours du Livre I, à propos de l'établissement de la doctrine classique, que l'œuvre constructive la plus efficace fut celle de purs critiques, de purs théoriciens, par ailleurs, parfois, comme Chapelain, détestables poètes ; nos grands artistes, loin d'ajouter quelque chose à la doctrine classique, ou bien, comme Corneille, lui opposèrent la leur ou bien, comme ceux de la génération de Louis XIV, en assouplirent les principes pour les accorder à leur tempérament ou pour y ajouter la notion nouvelle du goût.

Toutes ces raisons expliquent pourquoi nous ne trouvons pas en face de la doctrine classique une doctrine romantique digne de ce nom.

***

Ce que nous trouvons, c'est d'abord une série de définitions de la littérature romantique, où divers auteurs tentent de dégager l'essence de la littérature nouvelle ; c'est ensuite un ensemble de vues plus précises et plus particulières touchant deux genres, le théâtre et la poésie lyrique.

Les définitions du romantisme ont été données, pour la plupart, à une époque où la littérature nouvelle se cherchait sans s'être encore trouvée, où, en tout cas, elle n'avait pas encore donné ses fruits les plus riches. Par une erreur bien compréhensible, en face de l'idéal classique, réduit, cent cinquante ans après son triomphe, à des formules que ses premiers et meilleurs champions eussent été bien incapables de dégager, on voulut poser d'autres formules impossibles à émettre à l'orée de la période qu'elles prétendaient définir. Ce sont des conclusions rédigées avant que l'ouvrage ne fût écrit.

Ces formules, d'ailleurs, considèrent leur objet dans son intimité morale ou psychologique plus que dans les formes d'art qui sont sa vraie nouveauté littéraire. Ce sont moins des définitions de l'art romantique que de l'âme romantique, et aucun auteur ne pouvait y trouver des directives bien nettes.

L'état d'âme romantique, le mal du siècle, le vague des passions, nul ne l'a mieux dépeint, plus subtilement analysé, que Sénancour dans son *Obermann*. Mais rien dans ce livre n'indique une conception littéraire, sinon les quelques lignes des *Observations* que l'auteur ajoute à l'ouvrage qu'il est censé publier, pour en excuser ou en justifier les longueurs, le décousu, l'irrégularité dans la forme.

Stendhal, qui n'a nullement l'âme romantique à la Chateaubriand, se place sur un terrain plus proprement littéraire lorsqu'il écrit :

> Le *romantisme* est l'art de présenter aux peuples les œuvres littéraires qui, dans l'état actuel de leurs habitudes et de leurs croyances, sont susceptibles de leur donner le plus de plaisir possible (1)...

définition éminemment relative, qui s'applique, même aux âges les plus classiques, à tous ceux qui, au lieu de suivre une tradition morte, ont su s'adapter exactement à leur temps.

Shakespeare, selon lui, n'est pas plus à imiter que Racine ; il a écrit pour « les Anglais de 1590 » comme Racine pour les « marquis de la Cour de Louis XIV » ; et le Français de 1820 n'est pas plus semblable aux uns qu'aux autres.

> A le bien prendre — écrit-il encore — tous les grands écrivains ont été romantiques de leur temps. C'est, un siècle après leur mort, les gens qui les copient au lieu d'ouvrir les yeux et d'imiter la nature, qui sont classiques (2).

(1) *Racine et Shakespeare*, ch. III (1822).
(2) *Ibid.*, IIe Partie, lettre II (1825).

Émile Deschamps, dans la préface de ses *Études françaises et étrangères* (1828) déclare de son côté que le romantisme est, à toutes les époques littéraires, ce qui est nouveau.

L'ouvrage anonyme *Essai sur la littérature romantique* (1825) (1), contient une définition analogue. La littérature romantique doit être l'expression de la société nouvelle. Quelle est donc « cette civilisation moderne dont le romantisme serait l'expression littéraire ? » se demande le critique Desprès (2). Elle est fondée d'abord sur la tradition chrétienne, dont le principe est le spiritualisme. Pour un autre critique du *Globe*, Vitet, c'est la liberté individuelle qui est le signe de l'âge moderne ; son correspondant dans le domaine de l'art sera l' « indépendance en matière de goût » ; c'est le protestantisme dans les lettres et les arts (3).

Selon Guiraud (4), l'époque nouvelle est caractérisée par la vie et la jeunesse, et en même temps, par le sérieux des pensées, par l'importance de la vie intime de l'âme, par l'énergie des sentiments ; tout cela étant l'aliment naturel de la poésie. Hugo, en 1830, dans la Préface d'*Hernani*, rejoindra Vitet, en écrivant sa célèbre définition : le romantisme, c'est « le libéralisme en littérature », qui fait pendant au libéralisme politique, instauré selon lui par la monarchie de juillet.

C'est encore l'état mental de la société qui justifie la littérature *fantastique*, proposée par Nodier (5). En effet, la génération du début du XIXe siècle est « blasée » sur l'analyse minutieuse des passions ; elle demande « des sensations à tout prix ». L'idéal romantique sera non « les perfections de notre nature », mais « nos misères ». Les règles de l'art, dit-il ailleurs, doivent s'écrouler parce que se sont écroulées toutes les règles politiques de l'ancien régime (6).

Défini comme un rapport constant entre la littérature et la

(1) On sait aujourd'hui que l'auteur était Julien Castelnau.
(2) Article du *Globe*, octobre 1825.
(3) Article du *Globe*, avril 1825.
(4) *Nos doctrines*, dans la *Muse française* de 1824.
(5) A propos du *Vampire* de Byron (1820) dans *Mélanges de littérature et de critique*.
(6) *Du fantastique en littérature* (1822).

société, le romantisme sera également défini d'une manière plus absolue. Pour Deschamps (1), c'est l'esprit poétique par opposition à l'esprit prosaïque. Pour Soumet, c'est la littérature qui prétend « pénétrer plus avant dans les mystères de notre propre cœur » et dont les auteurs possèdent « le génie des émotions », parce que des émotions comme le souvenir, « la religion, l'enthousiasme des dévouements sublimes, la contemplation de la nature et de la divinité sont aujourd'hui les plus chers objets de la rêverie des muses » (2).

De là cette idée que le romantisme a pour objet la seule vérité individuelle « les mystères de *la* propre nature » de l'auteur : le premier devoir de l'écrivain sera d'être pleinement lui, de « croire à *son* cœur » (3). Hugo, en 1824, rendant compte de l'*Eloa* de Vigny, propose le même idéal :

> Osons donc le dire un peu haut. Ce n'est point réellement aux sources d'Hippocrène, à la fontaine de Castalie, ni même au ruisseau du Permesse que le poète puise son génie, mais tout simplement dans son âme et dans son cœur (4).

Un des traits qui caractérisent la littérature romantique, selon A. W. Schlegel, dont le *Cours de littérature dramatique* a eu tant de retentissement en France (5), c'est l'union des contraires, le mélange « des genres hétérogènes ».

> L'esprit romantique... se plaît dans un rapprochement continuel des choses les plus opposées. La nature et l'art, la poésie et la prose, le sérieux et la plaisanterie, le souvenir et le pressentiment, les idées abstraites et les sensations vives, ce qui est divin et ce qui est terrestre, la vie et la mort se réunissent et se confondent de la manière la plus intime dans le genre romantique.

Cette union des contraires se fait non sur le terrain de l'intelligence pure, dont le rôle est de discriminer par l'analyse, mais

(1) Article *La Guerre en temps de paix*, dans la *Muse française* de 1824.
(2) A propos des *Nouvelles Odes* de Hugo, dans la *Muse française* de 1824.
(3) Guiraud, *Nos doctrines*, 1824.
(4) Cf. Préface de 1826 aux *Odes et Ballades :* « Le poète... ne doit pas écrire avec ce qui a été écrit, mais avec son âme et son cœur. »
(5) Traduit en 1814 par Mme Necker de Saussure cousine de Mme de Staël.

sur celui du sentiment qui, « embrassant tout, pénètre seul le mystère de la nature » (1).

Hugo est à peu près le seul à affirmer le caractère formel de la nouvelle littérature et à comprendre qu'il faut changer les préceptes du goût en même temps que le fond des œuvres ; que le détail de l'expression est aussi important que l'âme exprimée, et qu'il importe de débarrasser le style et le vocabulaire de ces éléments « empruntés à des mœurs, à des religions ou à des époques trop étrangères au sujet » (2). Pour *faire vrai*, il faut peindre un état d'âme véritable ; mais il faut aussi l'exprimer avec des mots et des tournures qui ne soient pas empruntés à des âges révolus et imités d'une littérature caduque. Toute idée de règle traditionnelle est essentiellement contraire à la volonté de créer une littérature nouvelle ; à plus forte raison toute obédience trop respectueuse a un goût périmé (3).

L'idée principale qui se dégage de ces textes est que le romantisme est la littérature d'une société nouvelle ; c'était l'idée de Mme de Staël. La divergence des opinions vient de l'incertitude où sont les auteurs sur ce qui caractérise le mieux cette société nouvelle, au point de vue moral et intellectuel.

Comme ce qui oppose l'âge moderne à l'âge classique, c'est l'âme et le cœur, le romantisme doit être avant tout une littérature de sentiments, par conséquent une poésie intime ; et comme l'émotion sentimentale, dans ce qu'elle a de plus intime, ne saurait sans se trahir se plier à une loi extérieure, la littérature qui l'exprimera sera libre.

La poésie. — En fait, en cherchant à définir le romantisme, on songeait surtout à la poésie. Mais cette poésie se trouvant par définition dégagée de toute tradition proprement artistique, il ne ressort aucune théorie véritable des nombreux textes qui

(1) *Ibid.*, XIIIe Leçon.
(2) *Odes*, préface de 1824.
(3) *Odes et Ballades*, préface de 1826.

lui sont consacrés particulièrement. Absolument libre en principe dans ses sujets, échappant à peu près à toute discrimination de genres, le lyrisme, qui s'assimile la poésie narrative et philosophique, l'élégie, et même les thèmes de l'épopée, ne connaît d'autre règle que le goût d'un public lui-même fort divers dans ses éléments. Chaque poète interprète ce genre à sa manière, chaque poète met l'accent sur ce qui lui paraît constituer le meilleur de *sa* poésie. Aucune réflexion préalable et vraiment consciente ne vient le guider. Il suit son instinct ou celui de ses lecteurs. Ce qui ne veut certes pas dire que le poète ne soit pas guidé par une intuition vraiment géniale, par un goût parfaitement sûr, qui lui fait retrouver instinctivement, ou plutôt par une étude inconsciente, les lois essentielles de l'art, et en particulier, de *son* art.

Tout au plus, pouvons-nous dégager quelques idées générales. Pour le bien saisir, il importe de se rappeler que le romantisme n'a jamais connu de longues années de paix où son règne fût reconnu et où ses lois fussent définitivement admises. Il n'a connu que la bataille contre un ennemi, la tradition classique, à qui cent cinquante ans de règne avaient donné une autorité toujours vivante. C'est à elle que songent tous ceux qui annoncent ou définissent la poésie nouvelle.

C'est ainsi que, en opposition au lyrisme classique, resté jusqu'en 1819-20, époque où furent révélés à la fois Chénier et Lamartine, un jeu superficiel de mots et de sentiments, où le poète tournait sans cesse les yeux vers un public imprégné d'habitudes étroites, on veut désormais une poésie lyrique « intime », c'est-à-dire consacrée à l'expression des sentiments profonds du poète, ou à ces mystères divins que recèle la nature dans ses aspects les plus sublimes ou les plus familiers. « La poésie, c'est ce qu'il y a d'intime dans tout », écrit Hugo (1). La poésie doit montrer « moins le poète que l'homme même », dit Lamartine (2). Elle doit mettre en lumière ce qu'ont révélé au poète « ses coups d'œil furtifs dans le sanctuaire de l'âme où l'on aperçoit sur un autel mystérieux, comme par la porte entr'ouverte d'une cha-

(1) *Odes*, préface de 1822.
(2) Avertissement des *Harmonies* (1830).

pelle, toutes ces belles urnes d'or, la foi, l'espérance, la poésie, l'amour (1).

La poésie, écrit Lamartine, « c'est l'incarnation de ce que l'homme a de plus intime dans le cœur et de plus divin dans la pensée » (2). N'admettant que la première partie de cette définition, Sainte-Beuve veut une poésie intime, certes, mais attachée aux menues émotions, et aux menus spectacles qui les suggèrent (3).

Peignant le *moi* du poète, elle peindra l'humanité tout entière ; en effet, le cœur humain ne change guère, dit Hugo, malgré les révolutions sociales ou politiques : « il sera toujours le cœur humain, base de l'art » (4). Si Hugo parle de lui et « laisse... subsister dans ses ouvrages ce qui est personnel », ce n'est que « parce que c'est peut-être quelquefois un reflet de ce qui est général » (5). « Une destinée est écrite là jour à jour », écrit-il de ses *Contemplations :*

> Est-ce donc la vie d'un homme ? Oui, et la vie des autres hommes aussi. Nul de nous n'a l'honneur d'avoir une vie qui soit à lui. Ma vie est la vôtre, votre vie est la mienne, vous vivez ce que je vis ; la destinée est une. Prenez donc ce miroir et regardez-vous-y. On se plaint quelquefois des écrivains qui disent « moi ». Parlez-nous de nous, leur crie-t-on. Hélas ! quand je vous parle de moi, je vous parle de vous. Comment ne le sentez-vous pas ? Ah ! insensé qui crois que je ne suis pas toi (6).

Non seulement, selon Hugo, le poète exprimera à travers ses émotions ou ses sentiments ceux de toute l'humanité, mais il devra chanter les événements contemporains qui peuvent exciter quelque émotion dans une humanité incapable de la traduire. Il devra élever ces événements au rang de symboles d'un des aspects de la destinée humaine (7). « Écho sonore » de son siècle, le poète doit, de plus, être son guide vers l'idéal.

(1) Hugo, préface de *Les Rayons et les Ombres* (1840).
(2) *Des destinées de la poésie* (1831).
(3) *Vie de Joseph Delorme ; Pensées de Joseph Delorme*, VII, XIX (1829).
(4) Préface des *Feuilles d'automne* (1831).
(5) Préface des *Chants du crépuscule* (1835).
(6) Préface des *Contemplations* (1856).
(7) Cf. préface des *Voix intérieures* (1837).

Vigny est celui qui, avec Hugo, a le plus insisté sur ce rôle de la poésie. Délaissant le « passager » dans les luttes politiques, le poète devra indiquer le grand chemin de l'avenir idéal ; il sera le pilote du navire humain ; il fortifiera les faibles et éclairera les ignorants en donnant comme matière à sa poésie de grandes idées de justice, de pitié, de vérité (1).

Quant à la forme, Lamartine n'attribue d'importance qu'à la musique, écho d'une harmonie intime, Hugo réclame de la couleur en même temps que du rythme ; Sainte-Beuve veut d'autant plus de précision que le sujet est moindre, et Musset affecte à cet égard la plus totale indifférence.

En somme, la notion de genre poétique défini ayant à peu près disparu, l'idée de règles a sombré avec elle. Chaque poète, momentanément théoricien, réclame avant tout la liberté et oriente ensuite cette liberté selon son propre tempérament. Quant à la réforme essentielle, celle de la langue et du style poétiques, les poètes l'accomplissent tout naturellement, sans en poser la théorie.

Le théâtre. — Tenu par les nécessités de la scène, le théâtre obéit à des règles évidentes. Les théoriciens ne pouvaient songer qu'à élargir ses règles, sans réclamer pour lui, comme pour la poésie, une liberté absolue. C'est pourquoi les discussions sur le théâtre ont plus d'unité que celles qui portent sur le lyrisme et les théories dramatiques plus de cohérence que les théories poétiques. Pour les comprendre, rappelons-nous que les théoriciens s'opposent moins à Racine et surtout à Corneille qu'à leurs imitateurs du XVIIIe siècle et au début du XIXe, au pseudo-classicisme particulièrement florissant au théâtre ; qu'il s'agit uniquement de la tragédie et non de la comédie ; que Voltaire dramaturge conservait encore sa grande réputation ; et que les représentants les plus illustres des littératures étrangères étaient surtout Shakespeare et Schiller, en tant qu'auteurs dramatiques.

(1) Cf. Hugo, *William Shakespeare*, IIe Partie, I. VI (1864). — Vigny, *Stello*, ch. XVII (1832) ; *La Maison du Berger*, II (1844); note à *Daphné* (1835-40).

L'examen de ces théories sera divisé en deux parties. Avant 1827, on reste fidèle à la tragédie et on n'envisage que par lueurs indécises un genre vraiment nouveau ; toutes les théories sont empreintes d'une grande prudence. Après 1827, Hugo et Vigny établissent la théorie du drame romantique, genre nouveau.

A) Avant 1827

RÉFORME DE LA TRAGÉDIE

1) *Les unités.* — Pour comprendre le lien logique des théories dramatiques qui s'élaborent de 1809 à 1827, il faut se représenter l'idéal commun vers lequel les différents théoriciens veulent tourner la tragédie ; cet idéal, c'est la *tragédie historique ;* on veut mettre en scène non plus un jeu de passions dans un milieu social élevé, mais un moment important de l'histoire, de préférence nationale, et des caractères. Or les unités sont particulièrement gênantes pour ce genre de sujets. Si, à peu près seul, Lemercier les défend (1), c'est qu'après la chute retentissante de son *Christophe Colomb* (1809), il a fait amende honorable, et s'est fait recevoir à l'Académie, restée classique.

La critique des unités est d'abord présentée par Benjamin Constant (2), qui leur reproche de forcer « le poète à négliger souvent dans les événements et les caractères, la vérité de la gradation, la délicatesse des nuances ». Stendhal (3) exclut l'unité du lieu, qui nécessite des « récits ennuyeux », empêche de créer l'atmosphère historique, et l'unité de temps, qui ne permet pas de montrer l'évolution d'un sentiment ni les « changements de passions dans le cœur humain ».

Manzoni (4), qui défend l'unité d'action comme essentielle, blâme les autres unités qui limitent arbitrairement la durée d'une action, et les lieux où elle doit se dérouler, alors que sa durée et ces lieux dépendent avant tout du sujet choisi ; elles

(1) Dans ses *Remarques sur les bonnes et les mauvaises innovations dramatiques* (avril 1825).
(2) Dans ses *Réflexions sur la tragédie de Wallstein* (1809).
(3) *Racine et Shakespeare*, ch. III (1823).
(4) Dans sa *Lettre sur l'unité de temps et de lieu dans la tragédie* (1823).

forcent l'auteur à accumuler en quelques heures un nombre invraisemblable d'événements, et à laisser de côté bien des « matériaux très poétiques fournis par l'histoire ». Comme lui, Lemercier, au début de sa carrière dramatique (1), expose la nécessité d'élargir la règle des unités.

Abandonnées par tous, les unités de temps et de lieu seront remplacées par la seule unité d'action, d'intérêt ou d'impression. C'est Guizot (2) qui développe avec le plus de profondeur la vraie nature de cette unité. Analysant *Macbeth*, il nous montre par le détail comment la multiplicité des événements et des personnages, la durée qui sépare les différents moments de la pièce et la diversité des lieux où se passe l'action, loin de gêner l'unité d' « impression », contribuent à la renforcer et à établir, beaucoup mieux que les unités de temps et de lieu, « ce lien puissant » qui « force l'imagination à marcher de l'avant, pleine de trouble et d'attente ». Cette unité d'impression se trouve confondue, dans Shakespeare, avec l'unité d'intérêt, qui repose sur un personnage central « à la fois actif et immuable, dont le caractère, toujours le même, fera sa destinée toujours changeante ». Les moindres faits paraîtront importants s'ils permettent d'éclairer mieux le centre d'intérêt. Guizot est le seul théoricien à essayer de dégager du théâtre de Shakespeare une technique théâtrale précise, capable de faire pendant à la théorie classique du théâtre et de la remplacer.

2) *Nature du plaisir dramatique.* — Stendhal, pour établir les principes de la tragédie nouvelle, analyse la nature du plaisir qu'a éprouvé le spectateur à la représentation des tragédies qui ont obtenu, dans les années qui ont précédé 1823, le plus de succès. Il découvre que c'est un plaisir épique, celui qu'on éprouve à entendre une suite de beaux vers relatant un fait, condensant des maximes morales ou politiques, ou exprimant des « sentiments généreux ». Le propre du théâtre doit être, au contraire, de donner le sentiment de l'« illusion parfaite » ; le spectateur doit être pris par l'action et vivre avec les personnages. Sans

(1) *Cours de littérature* (publié en 1819, mais professé en 1810).
(2) Dans sa *Vie de Shakespeare*, placée en tête de l'édition de 1821 de la traduction des œuvres de Shakespeare par Letourneur.

doute les moments d'illusion parfaite sont très rares ; au moins ne dépendent-ils nullement des règles diverses du théâtre, et en particulier des unités. Ils ne se rencontrent que « dans la chaleur d'une scène animée », jamais quand une action matérielle vient occuper les yeux. Or, ces moments « se trouvent plus souvent dans les tragédies de Shakespeare que dans les tragédies de Racine », ce qui suffit à faire préférer la manière de celui-là.

3) *Le mélange des genres.* — L'art romantique, selon Schlegel, nous l'avons vu, est fait essentiellement, par opposition à l'art classique, soucieux avant tout d'unité, du mélange des contraires. Ce principe, appliqué au théâtre, l'oblige à montrer, autour des personnages dont les passions sont l'objet de la pièce, tout ce qui les environne et en fait ressortir les traits ; tandis que la tragédie est un groupe de sculpture, le drame romantique est un tableau.

> [Dans le drame romantique], on ne sépare pas avec rigueur, comme dans l'ancienne tragédie, les divers éléments de la vie ; on y présente, au contraire, le spectacle varié de tout ce qu'elle rassemble, et tandis que le poète n'a l'air de nous offrir qu'une réunion accidentelle, il satisfait les désirs inaperçus de l'imagination, et nous plonge dans une disposition contemplative par le sentiment de cette harmonie merveilleuse qui résulte, pour son imitation comme pour la vie elle-même, d'un mélange en apparence bizarre, mais auquel s'attache un charme profond, et il prête pour ainsi dire une âme aux différents aspects de la nature (1).

Dans ce tableau total de la vie, la séparation des genres doit disparaître ; la nature, en effet, ne connaît pas cette unité artificielle de l'œuvre d'art. D'ailleurs la situation de la société moderne, où se mêlent « d'immenses intérêts, d'admirables idées, des sentiments sublimes... et des passions brutales, des besoins grossiers, des habitudes vulgaires », impose à l'auteur de donner sur la scène un mélange analogue (2). Manzoni (3) est à ce sujet fort réservé ; il ne voit aucune raison d'interdire *a priori* le

(1) *Op. cit.*, leçon XIII.
(2) Guizot, *op. cit.*
(3) *Op. cit.*

mélange des genres, mais ce mélange doit être fait sans détruire « l'unité d'impression nécessaire, pour produire l'émotion et la sympathie » ; il reconnaît d'ailleurs que dans la mesure où le drame sera vrai et imitera la nature, il devra, comme elle, mêler « le grave et le burlesque, le touchant et le bas ». Lemercier, lui, en 1825, s'oppose formellement à ce mélange et déclare que le théâtre tragique ne doit traiter « dans un langage élevé, mélodieux, choisi, que les intérêts des nations, de leurs dieux, de leurs souverains et de leurs tribuns » et rejeter « les intrigues vulgaires et la familiarité prosaïque » (1).

4) *L'imitation des étrangers.* — Ces étrangers sont avant tout Shakespeare et Schiller. Benjamin Constant, quoique lui-même adaptateur du *Wallenstein* de Schiller, juge que l' « imitation des tragiques allemands [serait] très dangereuse pour les tragiques français », qui seraient tentés de leur emprunter divers effets extérieurs trop faciles. Néanmoins, il recommande d'imiter Gœthe, qui, comme Shakespeare, introduit, grâce à la liberté dont jouit le théâtre allemand, un grand nombre de personnages subalternes ; ceux-ci sont entre les protagonistes et les spectateurs comme un « public intermédiaire » (2) qui devance et dirige leur opinion. Il recommande aussi de glisser dans le drame ces « petites circonstances » familières qui, sans abaisser la tenue du drame, l'éclairent par des détails vrais et frappants que la tragédie, trop abstraite, doit ignorer. C'est dans le drame allemand encore que les tragiques apprendront à représenter une « vie entière » mettant ainsi en lumière des caractères complets, avec « leurs faiblesses, leurs inconséquences, et cette mobilité ondoyante qui appartient à la nature humaine et qui forme les êtres réels ». Et comme d'après lui les caractères sont infiniment plus variés que les passions, c'est un champ nouveau et très riche qui s'ouvre ainsi à notre théâtre tragique. D'une manière générale, Benjamin Constant estime que « le dédain pour les nations voisines, et surtout pour une nation dont on ignore la langue et qui, plus qu'aucune autre, a dans ses productions poétiques de l'originalité et de la profondeur, [est] un mauvais calcul ».

(1) *Op. cit.*
(2) *Op. cit.*

Il faut « sentir les beautés partout où elles se trouvent ». Lebrun juge aussi que « nos richesses nationales ne doivent point nous fermer les yeux sur les richesses étrangères et [que] le patriotisme n'exclut pas la justice » (1). Soumet, en 1814, s'écrie : « Eh ! que nous importent les défauts des tragiques allemands, s'il est vrai que les beautés dont plusieurs de leurs ouvrages étincellent aient agrandi pour nous le domaine des beaux-arts (2). »

Shakespeare reste l'idéal, si Schiller devient le modèle. Mais aucun théoricien n'estime qu'il faut l'imiter sans réserve. Lemercier, du temps de son audace romantique, voulait encore qu'on « arrache... des lambeaux sublimes et terribles à Shakespeare » et qu'on aille « demander à Wieland, à Guoethe *(sic)* et à Schiller en quelle source les muses germaniques puisèrent cette ingénuité pure et cette noble mélancolie qui verserait un charme sentimental en nos drames » (3). Stendhal veut que le dramaturge français prenne à Shakespeare son art, en écartant tout ce qui est adapté à la psychologie du public anglais et du public de 1600. Quel est cet art ? Stendhal ne l'explique pas, et Guizot est le seul qui, en véritable esthéticien, déclare que l'œuvre de Shakespeare n'offre pas « qu'une liberté sans frein, une latitude infinie laissée aux écarts de l'imagination comme à la course du génie » :

> Si le système romantique a des beautés, il a nécessairement son art et ses règles. Rien n'est beau pour l'homme qui ne doive ses effets à certaines combinaisons dont notre jugement peut toujours nous donner le secret quand nos émotions en ont attesté la puissance. La science et l'emploi de ces combinaisons constitue l'art. Shakespeare a eu le sien. Il faut le découvrir dans ses ouvrages, examiner de quels moyens il se sert, à quels résultats il aspire ; alors seulement nous connaîtrons vraiment le système ; nous saurons à quel point il peut encore se développer, selon la nature générale de l'art dramatique considéré dans son application à nos sociétés modernes.

Mais cette analyse de l'art shakespearien, personne ne l'a

(1) Article sur *Lord Byron*, dans *La Renommée*, juillet 1819.
(2) *Les Scrupules littéraires de Madame de Staël* (1814).
(3) *Cours de littérature, I*, introd.

fait à l'époque romantique ; c'est elle qui eût pu donner sa base à un système dramatique nouveau.

5) *Les sujets.* — On propose de les renouveler à la fois dans leur forme et dans leur matière. A l'antiquité classique, épuisée, et dont la seule évocation donne à la tragédie un aspect désuet, il faut substituer l'histoire moderne depuis et y compris le moyen âge, bien plus fertile en sujets dramatiques (1). Mais l'histoire ne sera pas — tous les théoriciens sont d'accord sur ce point — un cadre vague où se déroulera le jeu des passions. Elle sera le vrai sujet de la tragédie. L'auteur dramatique devra, comme le Shakespeare des drames historiques, comme le Gœthe de *Gœtz de Berlichingen*, comme le Schiller de *Wallenstein*, nous mettre sous les yeux, dans toute sa vérité, une page dramatique du passé, de grands événements autour d'un caractère intéressant, ou divers caractères aux prises avec un événement. Cette réforme du sujet en entraîne une autre : les passions feront place aux caractères, dont l'unité importera moins que les variations, dont il faudra montrer la vérité totale. Elle entraînera l'auteur dramatique à introduire des personnages nombreux, à mettre en lumière des sentiments très différents de ceux que peut seuls tolérer la tragédie. La matière ne sera plus seulement les passions poussées à leur paroxysme ou les grands intérêts de l'État, mais tous les sentiments moindres, tous les intérêts mineurs, qui font agir et souffrir les plus grands personnages, à plus forte raison les comparses. Parmi les sentiments il en faut proposer qui soient plus d'accord que l'amour et ses subtilités avec l'état d'esprit d'une France « faite à une bien rude école et devenue plus forte et plus austère ; il nous faut de grands spectacles qui nous élèvent l'âme, qui, pour répondre à nos pensées habituelles, nous parlent de patrie, de gloire, d'indépendance (2). Mais surtout, ce qu'il faut bannir, ce sont ces péripéties de convention de la tragédie classique, que

(1) Cf. Stendhal, *op. cit.*, IIe Partie, lettre VIII, n. 6 (1825) et Ch. Nodier, *Compte rendu de la Gaule poétique* de M. de Marchangy dans *Mélanges de littérature et de critique* (1820).

(2) Lebrun, article de juin 1819 dans *La Renommée* sur la *Jeanne d'Arc* de Davrigny.

Lebrun (1) énumère plaisamment. La nouveauté dans le détail, ce sera la couleur locale, « qui caractérise essentiellement l'état de société que les compositions dramatiques ont pour but de peindre..., [qui est] la base de toute vérité » (2).

6) *Le style.* — Grande timidité des théoriciens sur la question du style. On veut sauvegarder la noblesse. Stendhal veut une langue et un style d'autant plus purs que les « incidents sont plus romantiques », mais il recommande l'usage de la prose « qui tire ses effets des mouvements de l'âme » au lieu que le poète, oubliant ses personnages et les circonstances où ils se trouvent, ne songe qu'à faire de beaux vers qui enchantent le public comme tels. Lebrun est des seuls (3) à sentir, à cette date, la banalité du style classique encombré d'expressions toutes faites :

> Le moment serait peut-être également venu de chasser du style toutes ces vieilles banalités, d'abandonner désormais ces *lieux*, ces *tristes lieux*, ces *terribles lieux*, qui terminent si commodément un grand nombre de nos vers ; de finir les phrases commencées, de faire en sorte, par exemple, qu'un sénéchal qui, étant seul, s'écrie : *Ah ! faut-il...* achève son idée, s'il en a une, de faire parler les rois et les régents sans leur faire dire *ma volonté suprême...* Car les rois et les régents... n'ont jamais dit de ces choses-là (4).

Mais ce même Lebrun, écrivant en 1844 la préface de son *Cid d'Andalousie* et évoquant les années 1825, montre à quel point le public était alors chatouilleux, et combien on devait compter, en matière de style, avec ses susceptibilités et ses préjugés. « Les mots familiers lui plaisaient difficilement, ce qui n'était pas noble ne pouvait passer qu'à grand'peine. » Il avait dû renoncer devant l'épouvante des premiers auditeurs, à parler dans sa *Marie Stuart* (1820) d'un « mouchoir brodé » et dû utiliser l'expression « ce tissu... embelli ». Cet exemple fait comprendre la timidité des auteurs.

(1) Dans la préface de sa *Marie Stuart* (1820).
(2) Benjamin Constant, *op. cit.*
(3) *Op. cit.*
(4) Article cité sur *Jeanne d'Arc.*

Ainsi, avant 1827, on réclame une tragédie historique sans unités que l'unité d'action, inspirée avec prudence des œuvres les moins audacieuses de Shakespeare ou de Schiller, où le noble et le familier se trouvent mêlés. Il s'agit d'un élargissement de la tragédie ; Lemercier est le seul, dans son *Cours de Littérature* de 1810 à considérer sérieusement le drame et, sous le nom de *pièces-anecdotes*, la comédie héroïque. On prolongeait le mouvement réformateur du XVIIIe siècle sans oser aller jusqu'à une innovation véritable. D'ailleurs, l'effort de réflexion théorique reste très faible.

B) Après 1827

LA THÉORIE DU DRAME ROMANTIQUE

Hugo, dans la préface de *Cromwell*, publiée en 1827, rompt avec toutes les timidités, bouscule tous les préjugés, et, en face de la tragédie moribonde, et qu'il ne tente pas de ranimer, pose le drame. Sans doute les idées n'y sont pas nouvelles ; il n'en est pas une qu'on ne trouve dans Schlegel, chez Mme de Staël ou chez le Stendhal de *Racine et Shakespeare ;* mais ces idées sont pour la première fois exprimées avec force, sans aucune des restrictions qui en atténuaient la portée chez ses prédécesseurs; les pages de théorie écrites par Hugo après celle-ci n'en modifient guère le contenu ; elles le précisent seulement. Quant à Vigny, plus mesuré dans la forme, il n'est pas moins ambitieux dans le dessein.

Critique des unités au nom de la vraisemblance et de la couleur locale, telle est la conséquence première de la conception du drame historique qui est celle de Hugo comme de ses prédécesseurs. Un grand fait historique ne saurait en effet se dérouler en un seul lieu ni en vingt-quatre heures. Mais Hugo, et c'est une de ses originalités, prétend faire un drame qui ait une portée philosophique, où l'auteur embrasse du regard de vastes problèmes humains, historiques, sociaux, moraux, où l'idée sera personnifiée par de nombreux personnages qui en éclaireront les divers aspects par une foule de circonstances qui en mettront en lumière la richesse et la variété. Tout cela est impossible à concevoir si l'on conserve les unités.

Ce vaste tableau nécessite le mélange des genres, non pas sous les aspects moyens de chaque genre, le noble et le familier, mais avec leurs caractères extrêmes, le sublime et le grotesque. Reprenant la formule de Schlegel, Hugo écrit : « La poésie vraie, la poésie complète est dans l'harmonie des contraires. » Négligeons la base philosophique que Hugo donne à cette réclamation en faveur de la liberté totale du poète, cette alliance mystique, que le christianisme a révélée, de l'âme et du corps, et dont l'étroite interdépendance justifierait le mélange du sublime au grotesque. Il n'en reste pas moins que Hugo va beaucoup plus loin que ses prédécesseurs sur la question du mélange des genres. Il discerne mieux la vraie raison qui peut justifier ce mélange, quand, plus loin, il fait appel à la nécessité de varier le ton, et de produire par là un effet de contraste utile à la beauté artistique, effet dont, d'ailleurs, il usera bien souvent parce que ce procédé épouse la forme naturelle de son imagination.

Faire vrai sur le plan historique ne suffit pas ; il faut faire vrai sur le plan humain. Les personnages du drame doivent être des hommes, et non ces héros artificiels dont le spectateur n'aperçoit qu'un profil avantageux. Ils doivent être, comme les autres hommes, complexes et nuancés, intimement mêlés de bien et de mal (1). C'est donc, d'autres l'avaient dit auparavant, des caractères qui doivent être la matière du drame. On rejoint par là la nécessité du mélange des genres, et, étant donné la variété d'une action qui doit mettre en relief des caractères complexes, la critique des unités.

Philosophique, le drame ne sera pas seulement une vue sur le monde émise fragmentairement par le poète à propos des circonstances du drame, mais l'illustration d'une thèse ; s'il a blâmé, dans la préface de *Cromwell*, la « tragédie à intention philosophique de Voltaire », il en vient, plus tard (2), à se proposer à peu près le même idéal. « Le théâtre est une tribune, écrit-il ; le théâtre est une chaire. » L'art « a une mission natio-

(1) Cf. Vigny, *Lettre à Lord * * ** en préface au *More de Venise* (1829).
(2) Préface de *Lucrèce Borgia* (1833).

nale, une mission sociale, une mission humaine ... Le poète a charge d'âmes (1). »

Cependant, le drame doit rester œuvre d'art, et d'art proprement dramatique. Vigny (2) ne veut pas de cette « psalmodie », normale dans le genre lyrique, mais qui ne saurait s'adapter aux tempéraments et aux passions des divers personnages. Il faut une langue variée, un style, ou plutôt des styles différents. La langue doit révéler le caractère, ainsi que le style, et Molière ou Shakespeare seront là les meilleurs maîtres. Vigny justifie ainsi la liberté dans le domaine de la forme que les dramaturges enfin, après 1830, osent réclamer et réussissent à faire accepter au public. Hugo (3) revendique hautement la place de l'art dans le drame. Il distingue soigneusement la réalité selon la nature et la réalité selon l'art. Celui-ci doit donner de la nature une image renforcée et concentrée, exagérée en somme, qui sera le résultat d'un choix dont le but sera de dégager le *caractéristique*. Cette concentration, ce relief donné à la nature sera facilité par l'usage du vers. La prose, informe et commune (puisqu'une *prose d'art* leur semble absurde au théâtre) serait incapable de produire l'effet désiré. « Le vers est la forme optique de la pensée » ; entendez : le vers fait subir à la pensée une transformation, celle de l'art, qui la rend visible et frappante, comme l'œil donne de la nature une image où les couleurs et les plans sont distingués. Mais ce vers dramatique doit être

> libre, franc, loyal, osant tout dire sans pruderie, tout exprimer sans recherche... tour à tour positif et poétique, tout ensemble artiste et inspiré, profond et soudain, large et vrai ; sachant briser à propos et déplacer la césure pour déguiser sa monotonie d'alexandrin ; plus ami de l'enjambement qui l'allonge que de l'inversion qui l'embrouille ; fidèle à la rime, cette esclave-reine, cette suprême grâce de notre poésie, ce générateur de notre mètre, inépuisable dans la variété de ses tours, insaisissable dans ses secrets d'élégance et de facture... ; fuyant la tirade..., lyrique, épique, dramatique selon le besoin...

(1) Cf. Hugo, préface d'*Angelo, tyran de Padoue* (1835) et de *Ruy Blas* (1838) et Vigny, *Chatterton, dernière nuit de travail* (1834).
(2) *Lettre à Lord* * * *, à propos du *More de Venise*.
(3) Préface de *Cromwell*.

Et Vigny (1) d'approuver et de réclamer à son tour la permission de « détendre le vers alexandrin jusqu'à la négligence la plus familière (le récitatif), puis le remonter jusqu'au lyrisme le plus haut (le chant) ».

La théorie du drame romantique, telle que nous venons de la voir établie surtout par Hugo et Vigny a suscité des critiques principalement après la chute du drame de Hugo, *Les Burgraves* (1843). Ponsard, dont la *Lucrèce* avait, la même année, été applaudie parce qu'elle marquait un retour à la tragédie classique, s'est fait le défenseur de la tragédie et le critique du drame. Il proteste contre ce nouveau dogmatisme qui ferait de la préface de *Cromwell* un nouvel *Art poétique*, et réclame un retour à la beauté traditionnelle, au style simple, débarrassé des « métaphores disparates entassées les unes sur les autres, des comparaisons grotesques..., des contrastes forcés... » c'est-à-dire de ce que Hugo recommandait comme le nouveau style dramatique. Il veut un retour à l'unité, ce qui est renoncer à cette ample vue du monde qui devait faire l'objet du drame ; il méprise la couleur locale, au-dessus de laquelle il met cent fois la vérité du cœur. Mais c'est contre la pratique du drame romantique que proteste Ponsard plus que contre la théorie du genre. Et d'ailleurs, quand il écrivait (2), le drame romantique était mort sous sa forme agressive et caractéristique.

Ni en ce qui concerne la poésie lyrique, ni même en ce qui concerne le théâtre, les romantiques ne sont parvenus à établir un corps de doctrine ; leurs tentatives dans ce sens sont celles de tout jeunes gens, brûlant du feu sacré, remplis de l'esprit créateur, mais singulièrement ignorants et tout à fait dénués de cet esprit d'abstraction et de cette faculté d'analyse qui permettent seuls de dégager des principes, de codifier des lois. Les quelques esprits qui eussent été capables de faire ce travail,

(1) *Op. cit.*
(2) A propos d'*Agnès de Méranie* (1847) ; préface des *Etudes antiques* (1852), *Critique dramatique* (1852), *Discours de réception à l'Académie française* (1856).

Benjamin Constant, Guizot, Stendhal, n'ont pas été jusqu'au bout de leur besogne, détournés par diverses raisons, la politique, ou la création littéraire elle-même.

Il faut dire à l'excuse des théoriciens romantiques qu'ils ne rencontraient nulle part des ouvrages d'esthétique littéraire comparables à ceux des théoriciens italiens où un Chapelain avait trouvé la base de la doctrine classique ; l'*Art poétique* de Boileau leur paraissait le code par excellence de l'art classique ; nous en avons vu toute l'insuffisance. Ils ignoraient l'œuvre des prédécesseurs français de Boileau et ont voulu poser, fragmentairement d'ailleurs, en face de l'*Art poétique* de Boileau, un autre art poétique, aussi superficiel et aussi vague sur les grands principes.

CHAPITRE IV

THÉORIES ROMANTIQUES DES GENRES EN PROSE : ROMAN, HISTOIRE, CRITIQUE

Pour le roman, pour l'histoire, pour la prose en général, les romantiques n'avaient pas à se dégager de théories traditionnelles gênantes. Nos grands prosateurs du XVIIe siècle et surtout du XVIIIe siècle étaient infiniment moins désuets que les poètes de la même période ; c'est qu'ils avaient été plus audacieux parce que plus indépendants. Mme de Staël voyait dans certains d'entre eux de véritables poètes selon la notion qu'elle se faisait de la vraie poésie. Enfin Chateaubriand, à l'aube du siècle, avait créé une prose romantique dont la beauté avait séduit tous les esprits un peu artistes, qui avaient mal discerné ce que cette beauté, si nouvelle en apparence, devait en fait à la tradition classique dont l'auteur restait imprégné. Les théoriciens de l'histoire et du roman systématiseront les leçons qu'il a données en fait par son œuvre.

Les écrivains qui, au XVIIIe siècle, avaient considéré les conditions idéales du genre romanesque, avaient surtout insisté, par réaction contre le roman pseudo-historique et galant du XVIIe, sur son rôle moralisateur et sa soumission au naturel. Les romantiques, eux, voudront que le roman soit utile en un sens plus large, vrai jusque dans les détails les plus concrets, et, lors même qu'il ne veut voir que la beauté des sentiments, tout proche de la réalité contemporaine. Quatre noms sont à signaler, Stendhal, Hugo, Vigny, George Sand ; Balzac, si romantique dans l'exécution, est comme théoricien un pur réaliste.

Stendhal n'a jamais développé ses idées sur le roman. Tout au plus peut-on glaner dans sa correspondance, dans l'avertissement de la *Chartreuse de Parme*, dans l'avant-propos d'*Armance*, quelques opinions personnelles, qui sont surtout des réactions contre le style romantique, auquel il reproche de chercher les effets plutôt que l'image exacte de la réalité intérieure. Toute la place, selon lui, doit être consacrée à *ces petits faits vrais* dont l'ensemble donne seul l'impression de la réalité ; celle-ci ne doit être masquée par aucune de ces obscurités que cause un style trop personnel et trop désireux de grâce ou d'agréments.

Mais Stendhal est alors une exception. Hugo, faisant bien jeune encore — il avait vingt et un ans — la théorie du roman (1), propose, au lieu du roman narratif arbitrairement découpé et du roman épistolaire, « dont la forme interdit toute véhémence et toute rapidité », le roman *dramatique*, qui suive le mouvement de la vie, qui parle aux yeux par les descriptions, et à l'esprit par la manière dont les personnages « pourraient... représenter, par leurs chocs divers et multipliés, toutes les formes de l'idée unique de l'ouvrage ». Ce qu'il dessine ici d'avance, c'est bien le roman tel qu'il le réalisera à partir de *Notre-Dame de Paris*, rempli de ces « traits profonds et soudains, plus féconds en méditations que des pages entières, que fait jaillir le mouvement d'une scène ».

La Vérité, voilà aussi, selon Vigny, l'objet unique du roman. « C'est un choix du signe caractéristique dans toutes les beautés et toutes les grandeurs du Vrai visible » ; c'est « un ensemble idéal de ses principales formes ». Il conçoit donc un roman profondément idéaliste, appuyé sur la réalité, et s'oppose au réalisme : « A quoi bon les Arts, s'ils n'étaient que le redoublement, la contre-épreuve de l'existence ? » Le romancier doit dégager des caractères humains ce qu'il y a en eux de fort et de grand ; le reste n'a pas d'intérêt (2). Il doit rassembler divers traits épars chez des hommes divers pour en composer un type, et sacrifier à cette vérité humaine, qui est une philosophie, les vérités de fait.

Idéaliste, George Sand l'est comme Vigny, mais non dans

(1) Dans un article de la *Muse française* de 1823 sur *Walter Scott*.
(2) *Réflexions sur la vérité dans l'Art* en tête de *Cinq Mars* (4e édit. 1829).

le même sens. Le roman, selon elle, doit être « œuvre de poésie autant que d'analyse ». Le romancier doit *idéaliser le sentiment*, et le placer dans des circonstances qui lui permettent de donner toute sa mesure (1). La matière du roman ne sera pas l'homme réel, mais l'homme idéal (2) : elle ne sera pas la triste et dure réalité, mais cette réalité idéalisée, parce que le « roman d'aujourd'hui devrait remplacer la parabole et l'apologue des temps naïfs » (3).

Stendhal est ainsi le seul à proposer un réalisme tout intérieur d'ailleurs ; Vigny et George Sand sont les champions résolus de l'idéalisme ; Hugo, lui, donne seul quelque importance à la construction du roman. Aucun de ces romanciers n'a songé à établir les bases mêmes d'une théorie du roman ou d'une de ses espèces.

Il en va autrement de l'histoire. Homme de science d'abord, travailleur habitué à manier des idées autant que des faits, l'historien ne peut travailler que s'il a à sa disposition une méthode. Il ne peut choisir les faits du passé, les ordonner, les présenter, que s'il a d'abord une vue générale de la science qu'il veut faire progresser. Il ne peut, comme le romancier ou le poète, se livrer à son tempérament et écouter les voix secrète, qui le conduisent inconsciemment sur les chemins de l'art. Son travail est conscient ; il doit être organisé préalablement.

Le maître des historiens romantiques est incontestablement Chateaubriand. Sans doute doivent-ils beaucoup à Voltaire, mais son exemple, plus lointain, agit sur eux sans qu'ils le reconnaissent. Or, Chateaubriand, sans avoir fait œuvre de pur historien, si ce n'est dans ses *Études historiques* (1831), a beaucoup parlé de l'histoire et a lancé, à ce sujet, des vues fécondes. Témoin des premiers chefs-d'œuvre de l'histoire au XIXe siècle, il a pu établir ses idées d'après des exemples précis. La préface des *Études historiques* résume ses idées.

(1) *Histoire de ma vie*, IVe Partie, ch. 28 (1855).
(2) Notice du *Compagnon du Tour de France* (1851).
(3) Notice de *La Petite Fadette* (1851) et l'*Auteur au lecteur* en tête de *La Petite Fadette* (1850).

L'histoire moderne est une *encyclopédie*, et il n'est pas de question qui lui échappe « depuis l'astronomie jusqu'à la chimie, depuis l'art du financier jusqu'à celui du manufacturier ».. L'historien ne peut raconter un fait sans que mille problèmes se proposent à son attention, qu'il doit résoudre pour élucider ce fait. Cette histoire totale ne saurait avoir l'élégance des histoires anciennes, qui n'avaient comme objet qu'un seul ordre de faits, la politique et la guerre, étroitement liées. Chateaubriand distingue alors deux méthodes, celle du simple *narrateur*, qui veut faire vivant, et se contente de présenter les faits, laissant chaque lecteur « selon la nature de son esprit, libre de tirer les conséquences des principes et de dégager les vérités générales des vérités particulières » ; celle ensuite, de l'historien philosophe, qui domine les faits, mais se contente de marquer, à travers eux, la marche impitoyable du destin ; c'est l'*histoire fataliste*. Aucune de ces méthodes ne le satisfait ; non plus qu'une troisième, *l'histoire philosophique*, comme celle de Voltaire, qui ne collige les faits qu'en vue de la démonstration d'une thèse. En effet, si l'histoire descriptive a l'avantage de dire « les temps tels qu'ils sont », parce que l'historien a su se faire l'âme de l'époque racontée, elle n'en est pas moins privée d'un élément essentiel, la philosophie de l'histoire, seule instructive ; l'histoire fataliste, elle, a le grand tort, pour montrer la marche inéluctable des événements, de faire abstraction des individus, de considérer la société comme une « machine qui se meut aveuglément par des lois physiques latentes... » ; l'historien ne saurait en effet « séparer la vérité morale des actions humaines » sous peine de faire œuvre néfaste et politiquement immorale.

Chateaubriand réclame donc une histoire qui garde l'avantage des trois systèmes qu'il distingue : une philosophie, de l'exactitude dans la narration, le discernement des mouvements généraux de l'humanité.

Cette conception éclectique de l'histoire sera à peu près celle de Victor Cousin (1). Selon lui, l'historien doit être d'abord un philosophe, qui discerne le sens que recèle chaque fait,

(1) *Introduction à l'histoire de la philosophie* en tête du *Cours de Philosophie* (1828) et *Cours d'histoire de la philosophie* (1828).

même le plus insignifiant en apparence ; ce sens, c'est un rapport secret entre le fait brut et l'idée générale, la loi à laquelle il obéit ; de faits en faits, de lois en lois de plus en plus générales, l'historien arrivera à « l'idée la plus générale d'une époque », qui est son but. Parmi ces lois historiques, une des plus importantes est le rapport de l'homme, et par suite de l'histoire dont il est l'acteur ou le moteur, avec le sol sur lequel il habite, avec son climat, avec toute la géographie ; mais aussi, tout groupement humain, tout peuple permanent recèle en lui une tendance continue, fruit de l'addition durable des hommes les uns aux autres dans le temps et de leur groupement dans l'espace. Cette tendance instinctive est l'image de l'idée que ce peuple illustre. La guerre, par exemple, est aux yeux de Cousin la lutte entre deux idées, chacune symbolisée par le peuple qu'elle anime ; la victoire appartiendra au peuple dont l'idée répond le mieux à l'état actuel de la civilisation, et sera, par conséquent, la plus forte. Enfin, les grands hommes sont avant tout des champions d'une idée qui les dépasse, dont ils sont l'instrument ; et le grand homme sera d'autant plus grand qu'il personnifiera une idée plus nécessaire à son temps,

Cousin suppose donc, sous l'apparence de faits, une sorte de monde des idées momentanément concrétisées en peuples ou en grands hommes, et le devoir de l'historien sera de démonter derrière les faits, ce jeu des idées. C'est en ce sens que, pour lui, l'histoire sera narrative, fataliste et philosophique à la fois.

Guizot, moins philosophe et plus moraliste, moins nuageux et plus positif, cherche à préciser la notion de *fait historique :* sans doute, et les historiens récents en étaient tous tombés d'accord, l'histoire est avant tout le récit et l'explication des faits ; mais qu'est-ce qu'un fait ? Le fait est tantôt, au sens banal du mot, l'action visible ; mais c'est aussi une donnée abstraite, le fait moral, le fait général, que nous ne pouvons constater que par l'analyse de l'acte ou le recul du temps ; est *fait* aussi, le rapport abstrait qui lie des faits concrets. La civilisation est l'ensemble de ces faits moraux ou idéologiques plus que celui des faits concrets, qui pourtant permettent seuls de les reconstituer, et c'est cette civilisation qui est l'objet véritable de l'histoire, parce que seule elle demeure vivante, par les rapports nécessaires qui lient les civilisations du passé à la nôtre, parce que seul ce développement social et moral de l'humanité est vraiment intéressant.

D'autre part, quand les faits nous échappent, c'est la réflexion qui peut les induire des autres faits connus. L'historien ne peut donc être un simple narrateur, pas plus que le savant ne peut être un simple descripteur des faits observés ; la divination logique, l'intuition, l'induction surtout sont pour lui des qualités essentielles. Quant à l'exposé historique, Guizot distingue de l'ordre proprement historique, c'est-à-dire chronologique, l'ordre scientifique, qui convient seul, et oblige à partir de l'effet, la civilisation, pour aboutir à la cause, le fait concret. « L'étude..., la science, procède et doit procéder du dehors au dedans. »

L'histoire, selon Guizot, a donc pour objet essentiel la civilisation humaine et les gouvernements qui en sont l'aspect le plus important. Et il faut pour cela que l'historien s'élève d'abord des petits faits concrets à des faits abstraits, puis, dans son exposé, remonte de ceux-ci à ceux-là (1).

Savant et artiste, Augustin Thierry se refuse à voir dans l'histoire une œuvre philosophique. Il se défie des systèmes qui cherchent à établir des lois trop générales, et à abstraire les rapports entre les faits au point d'en faire la base fragile d'une métaphysique trop audacieuse. Il blâme la nouvelle méthode historique (celle de Cousin, de Michelet surtout) « qui voit dans chaque fait le signe d'une idée et dans le cours des événements humains une perpétuelle psychomachie » (2). Si cette méthode est acceptable chez de rares et de grands esprits, elle ne saurait être recommandée à tous les historiens. Ce qu'il faut, c'est pousser plus loin l'analyse de faits insuffisamment connus, c'est faire œuvre de savant et non de philosophe.

Mais Thierry insiste plus sur la méthode d'exposition que sur la méthode d'investigation.

> La recherche et la discussion des faits, sans autre dessein que l'exactitude, n'est qu'une des faces de tout problème histo-

(1) Voir le *Discours d'ouverture* (1812) au *Cours d'histoire moderne* ainsi que la 1re et la 2e leçon de l'*Histoire générale de la civilisation en Europe* dans le même *Cours* publié en 1828.

(2) *Considérations sur l'Histoire de France*, ch. V (1840).

rique. Ce travail accompli, il s'agit d'interpréter et de peindre, de trouver la loi de succession qui attache les faits l'un à l'autre, de donner aux événements leur signification, leur caractère, la vie enfin qui ne doit jamais manquer au spectacle des choses humaines (1).

Expliquant ailleurs ce qu'il a voulu faire dans sa *Conquête de l'Angleterre par les Normands* (2), il écrit, proposant sa méthode comme modèle : « J'avais l'ambition de faire de l'art en même temps que de la science, d'être dramatique à l'aide de matériaux fournis par une érudition sincère et scrupuleuse. » Comment obtenir ce résultat ? En s'effaçant devant les faits, en les exposant sans donner trop de place à la dissertation logique, en remplaçant « le raisonnement sur les choses » par « la vue des choses elles-mêmes » (3). Un récit bien fait en dit plus, selon lui, qu'une « théorie savante » (4) à condition que le récit mette sous les yeux des lecteurs non seulement les événements, mais le « mode d'existence, les sentiments et les idées des hommes » (5), les différences entre les peuples et entre les époques, avec leurs « couleurs particulières » (6).

Artiste instinctif et puissamment original, indifférent aux lois traditionnelles de l'art, Michelet a surtout insisté, quand il a exposé sa méthode historique, sur le travail d'érudition préalable et sur la philosophie à laquelle il permet d'aboutir. La base du travail historique ne peut être que le document authentique, souvent encore inconnu, manuscrits, archives de toutes sortes ; l'historien ne doit pas se contenter du texte imprimé, ou du récit de seconde main (7).

Ces documents ont pour but de fournir à l'historien une vue aussi complète que possible de la réalité du passé. Or, la vie dont l'histoire doit offrir « la résurrection » est formée d'un tissu où s'entremêlent les divers aspects du réel que le savant est

(1) *Ibid.*, ch. IV.
(2) Préface à *Dix ans d'études historiques* (1834).
(3) *Considérations sur l'Histoire de France*, ch. VI.
(4) Préface aux *Lettres sur l'Histoire de France* (1827).
(5) Introduction à l'*Histoire de la Conquête de l'Angleterre.*
(6) Deuxième et troisième *Lettres sur l'Histoire de France.*
(7) Préface de 1869 à l'*Histoire de France.*

tenté d'isoler ; faits moraux, politiques, économiques, militaires, religieux, intellectuels... L'historien devra s'efforcer d'en montrer l'interdépendance dans une vue intégrale. C'est à cette seule condition que l'image du passé sera exacte. Mais il ne suffit pas que tous les éléments du passé soient présentés dans leur implication ; encore faut-il que l'historien, par un don exceptionnel, leur insuffle à nouveau la vie (1).

Cette animation surnaturelle de tous les éléments d'un passé mort ne suffit pas encore. L'historien doit être conduit par une idée, sinon un système. Quelle que soit l'idée adoptée (pour Michelet, celle de la nation se faisant par un lent travail de soi sur soi), elle doit être fondée à la fois sur la réalité la plus concrète, races, sol, climat, aliments, circonstances physiques et physiologiques, et sur les idées, les mœurs, le « grand mouvement progressif intérieur de l'âme nationale » (2).

Mais l'idée clef de la méthode historique que préconise Michelet est le « Symbolisme historique ». Selon lui, des hommes et des faits marquants ont plus que leur valeur d'hommes ou de faits, si grands soient-ils ; ils sont une représentation symbolique de toute une mentalité, de tout un ordre de faits. Les grands héros de l'histoire, les événements prestigieux doivent être dépouillés par l'historien de leur prestige mystique ; celui-ci doit découvrir et révéler leur contenu idéologique, interpréter la légende et retrouver la réalité qu'elle symbolise (3).

La doctrine de Thiers, telle qu'il l'expose dans l'*Avertissement* de son *Histoire du Consulat et de l'Empire* (1855), marque une régression dans l'approfondissement régulier de la notion d'histoire que nous avons constatée, de Chateaubriand à Michelet. Thiers prétend que l'historien, usant avant tout de son intelligence, peut se contenter de rechercher la vérité des faits et d'en établir le lien logique. Il exclut ainsi de la matière historique ce qui n'est pas intelligible directement, ce qui en complique la trame logique, ce qui, autour du fait, crée l'atmosphère morale ou sentimentale. Il fait de l'histoire une science, que

(1) *Ibid.* et Préface de 1833.
(2) Préface de 1869.
(3) Préface de l'*Histoire Romaine* (1831).

son désir de voir clair, rend au fond, schématique et abstraite.

Les théories romantiques du genre historique participent aux caractères généraux des théories romantiques relatives aux autres genres. L'accent y est mis sur ce qui n'est pas l'exercice de l'intelligence pure, la faculté abstractive de la pensée. On réclame de la couleur locale ; on s'intéresse au côté extérieur des événements. Mais surtout, on tient compte de ce qui, dans la réalité, appartient au monde mouvant et obscur des âmes et du cœur. Enfin, on met au premier plan ce qui, dans le passé, est particulier à chaque époque, ce qui touche à la vie quotidienne. Mais, dans le domaine de l'histoire, comme dans celui de la poésie, du théâtre ou du roman, les théoriciens se sont peu souciés d'approfondir la notion de fait historique par un effort d'analyse. En fait, la véritable méthode historique, en tant que science de l'investigation du passé, ne naîtra que plus tard avec Fustel de Coulanges ; l'histoire quittera alors définitivement le plan littéraire et échappera ainsi à notre enquête.

* * *

La pénétration des conceptions romantiques dans la critique littéraire fut lente. Quand beaucoup d'écrivains étaient déjà animés par l'idéal nouveau dans leur œuvre créatrice, ceux qui les jugeaient dans les revues ou les journaux, ceux qui professaient des cours de littérature étaient encore sous l'influence de Boileau et de Voltaire ; et ce ne fut pas là le moindre obstacle au triomphe des conceptions nouvelles.

La Harpe, dont l'autorité fut si considérable à la fin du XVIIIe siècle, et surtout dans les premières années du XIXe, et se prolongea durant tout l'Empire, reste le disciple de Voltaire et demeure imperméable aux vues de Mme de Staël. Son cours de littérature, le *Lycée*, qui parut de 1799 à 1805, n'est que l'application méthodique des idées classiques.

Contre ceux qui opposent le génie à l'art, contre ce « paradoxe insensé », qui voudrait que l'artiste de génie puisse se dispenser des règles de l'art, il affirme qu'il existe un « art d'écrire » dont le génie ne peut se passer.

Ce qui peut justifier l'estime en laquelle on tient les ouvrages

« monstrueux » d'un Dante, d'un Shakespeare, d'un Milton, c'est qu'il y a dans ces ouvrages « quelques belles parties exécutées selon les principes ». Les règles sont donc nécessaires, mais elles se sont autre chose que « le sentiment du beau... réduit en méthode » (1). Ces règles sont d'ailleurs vivifiées par le goût qui « seul enseigne à oser heureusement ».

Appliquant aux œuvres d'art la méthode cartésienne, La Harpe divise l'examen de l'œuvre en plusieurs problèmes précis et déclare que chacun d'eux peut être réduit en démonstration ; on verra ainsi, selon lui, que le goût, qui n'est autre chose que « le sentiment des convenances » reste l'élément commun à tous ces problèmes, le principe universel qui en assure la solution, sans que le « génie », entité mystérieuse, ait eu à intervenir. Le génie ne serait donc que la perfection du goût, qui lui-même n'est que la perception des rapports parfaits qui doivent exister entre les différents éléments d'un ouvrage ou entre les règles en général et le sujet particulier. On ne peut juger du génie d'un auteur qu'après avoir examiné avec quel degré de perfection il obéit aux règles, que l'on aura fixées d'abord pour les appliquer ensuite à l' « examen des modèles ». C'est là la définition la plus caractéristique de la critique dogmatique.

La Harpe croit donc que « l'esprit philosophique » peut, par l'étude des grandes œuvres, « faire de l'art un tout régulier, l'assujettir à une méthode, distribuer ses parties, classer ses genres, s'appuyer sur l'expérience des faits pour établir la certitude des principes »... Mais cet art poétique nouveau, dont il justifie le principe, il ne l'a pas établi (2). On peut seulement en discerner quelques idées directrices.

D'abord, « le beau est le même dans tous les temps, parce que la nature et la raison ne sauraient changer ». C'était pardessus l'abbé Dubos, par-dessus Voltaire même, revenir à Boileau, en écartant l'idée capitale, qui s'est fait jour après Boileau, et qui fonde l'esthétique moderne, de la relativité du beau. La Harpe reconnaît cependant que le travail de la critique n'est pas achevé pour avoir fixé les principes généraux qui permettent d'atteindre

(1) *Lycée*, 1re section.
(2) Comme le lui reproche Villemain dans son *Discours sur... la critique*.

à la beauté, car le « beau a tant de nuances délicates et fugitives qu'on peut encore... ajouter aux principes généraux une foule d'observations neuves, aussi utiles qu'agréables, sur l'application de ces mêmes principes ». Ces pratiques de détail nous seront révélées par l'examen toujours plus attentif des grands maîtres, un Racine, un Voltaire.

Au moment où Mme de Staël et Chateaubriand rénovent la critique, La Harpe la maintient avec autorité dans le chemin classique.

Ginguéné, dans la préface de son *Histoire littéraire d'Italie* (1811), a le grand mérite de poser, en face de la critique, l'histoire littéraire. Il lui donne même une place de premier plan, en y voyant l'aboutissement de l'histoire politique ; réciproquement l'histoire littéraire ne peut donner des fruits qu'appuyée sur l'histoire proprement dite, éclairée par les vérités que celle-ci a découvertes sur la civilisation générale des peuples. Idée féconde qui est à la base de l'histoire littéraire moderne et qui, pour la première fois, subordonne l'étude des œuvres littéraires à celle des nations.

Même attitude chez Villemain, même sens du relatif. Sans doute, dit-il (1), le critique doit posséder avant tout « ce jugement pur et fin, composé de connaissances et de réflexions », que lui donnera l' « étude des anciens, qui sont les maîtres éternels de l'art d'écrire », mais le critique doit connaître les « écoles moins pures de quelques nations étrangères », pour assouplir son goût et être capable d'admirer ce qui l'aurait d'abord effarouché.

Villemain a, le premier, la volonté bien marquée d'expliquer l'œuvre par la vie de l'auteur et par son temps, d'étudier autant que les génies de premier plan, les écrivains secondaires, souvent beaucoup plus aptes que les premiers à mettre en lumière les tendances profondes et générales d'un siècle ou d'une école (2). Sa critique de la méthode de La Harpe approfondit le fossé qui sépare la critique dogmatique de l'histoire littéraire moderne

(1) *Discours sur les avantages et les inconvénients de la critique* (1814).
(2) *Tableau de la littérature au XVIIIe siècle*, cours de 1828, 1re leçon (à propos de Rousseau).

dont il est le vrai fondateur. Et tandis que Nisard, dans son *Histoire de la Littérature française* (1844-49), si remarquable dans son genre, continue La Harpe et donne à la critique dogmatique tout le lustre que peut lui ajouter un style de grand écrivain et un jugement très solide, Sainte-Beuve, lui, avec moins de netteté que Villemain, se séparera de la critique pure pour s'orienter vers l'histoire.

Sainte-Beuve, à la fin de sa carrière de critique (1), s'oppose avant tout à la méthode « synthétique » des Allemands ; « l'imagination de détail nous suffit », dit-il en parlant de la critique littéraire française. Il renonce donc aux vastes constructions esthétiques et philosophiques qui cherchent à établir soit les principes essentiels de l'art, soit un système coordonnant les résultats des études de détail. Il accepte le morcellement du champ de la critique et il lui suffit que celle-ci mette en lumière des vérités particulières. Cependant, en 1834, à l'âge des vastes desseins, il envisageait de faire « dans le monde de l'esprit et de la société », ce que font les savants pour la nature matérielle, quand ils accumulent des faits pour établir des lois (2). Moins ambitieux, plus éloigné des méthodes de la physique, et plus proche de celles de l'histoire naturelle, il envisage, dans son *Port Royal* (1840) (3), d'établir ces « familles véritables et naturelles » des esprits, en groupant les écrivains d'après leurs traits communs essentiels.

En fait, l'ensemble de son œuvre et de ses idées directrices reste très indépendant de ces théories. Selon lui, le premier don nécessaire au critique, c'est de ressentir immédiatement, et sans aucune considération des lois théoriques, la beauté, la valeur d'un ouvrage (4). Ce n'est pas nier que la beauté obéisse à des règles précises ; c'est supposer que le critique les a à ce point assimilées qu'il en retrouve directement l'application sans avoir besoin de rapporter l'œuvre à un canon de beauté. Sainte-Beuve est sur ce point l'héritier direct de

(1) Dans la 13e leçon de *Chateaubriand et son groupe littéraire* (1860).
(2) Article sur *Chateaubriand* dans le tome I des *Portraits contemporains* (1846).
(3) Liv. I, ch. II.
(4) *Chateaubriand et son groupe littéraire*, leçon 21.

Chateaubriand (1) ; la critique doit refléter l'enthousiasme du critique, et cet enthousiasme ne pourra être éprouvé que si celui-ci se laisse aller à son impression première. Méthode éminemment romantique, qui se fonde sur le sentiment, qui juge par appréhension totale, non par analyse.

Plutôt que juger, d'ailleurs, le critique doit comprendre, c'est-à-dire, ici, se soumettre à l'œuvre, en suivre tous les contours, en décrire comme d'un paysage les caractères propres (2) ; cette compréhension, d'ailleurs, ne cesse de s'élargir avec l'âge et l'expérience. L'esprit assoupli et affiné devient capable de pénétrer bien des œuvres qui lui étaient auparavant fermées ; il aime, ou du moins, il goûte, en tout cas il comprend de plus en plus de formes de la beauté à mesure qu'il s'éloigne de la « ferveur des premiers systèmes » (3).

Mais cette intelligence de l'œuvre n'est possible que par celle de l'homme qui l'a produite. La biographie est la base de la critique ; il n'est pas de grand artiste qui ne soit sous la dépendance de ces conditions matérielles auxquelles aucun homme ne peut se soustraire. Il faut en particulier saisir l'auteur dans ce moment capital de sa vie où il « enfante son premier chef-d'œuvre » (4) ; c'est là, dans sa vie intellectuelle, le point d'où découlera tout son avenir et qui sera la clef de tout son art. D'autre part, il faut, autour de cette « qualité dominante » qui frappe d'abord les regards, apprendre à discerner les autres caractères qui composent l'homme qu'on étudie et l'expliquent seuls dans sa vérité complète (5). Par un mouvement inverse, il faudra éclairer l'auteur non plus du dedans, mais du dehors, par l'histoire qu'il a vécue et dont il a subi les effets. Enfin, et Sainte-Beuve reprend ici l'idée de Villemain, il faut compléter l'étude des grands hommes par celle des moindres talents ; c'est ainsi seulement qu'on pourra dresser cette « carte géographique » de la littérature qui est un des buts de la critique,

(1) Voir p. 175.
(2) *Vie... de Joseph Delorme*, pensée XVII (1829).
(3) Article sur Mme Desbordes-Valmore dans *Portraits contemporains*, t. II, p. 115 (écrit en 1839).
(4) *Port-Royal*, liv. I, ch. I.
(5) *Ibid.*, ch. X.

en ne négligeant pas les plaines au profit des seuls sommets (1).

La grande nouveauté de la méthode critique proposée par Sainte-Beuve consiste dans la place qu'il attribue à l'homme dans l'étude de l'œuvre. La critique s'écarte de l'esthétique pour se rapprocher de la psychologie et de la biographie ; elle s'écarte du général pour s'intéresser au particulier ; mouvement commun à la plupart des esprits de la période romantique, tendance essentielle des doctrines littéraires de cette époque.

(1) Article sur l'ouvrage de J.-V. Leclerc, *Les Journaux chez les Romains* dans *Portraits contemporains* (paru d'abord en 1839).

QUATRIÈME PARTIE

RÉALISME, SYMBOLISME, SURRÉALISME (1850-1930)

Après 1850, après le triomphe du Romantisme, les doctrines littéraires se multiplient. Mais, dans ces taillis parfois inextricables — en ce qui concerne la poésie, par exemple, entre 1880 et 1890 — deux grandes avenues laissent apercevoir leurs linéaments, à travers le brouillard des théories et l'amas des feuilles mortes. L'une marche vers le réel, dans la vie présente ou dans l'histoire, dans la matière ou dans le monde moral ; l'autre s'en va vers l'idéal, transcende le réel, et ne le traverse ou ne le côtoie que comme un monde d'apparences et de signes. Ces deux tendances, si nettement opposées dans les doctrines, le sont moins dans les œuvres. Mallarmé et Manet étaient amis, et le premier admirait l'œuvre du second. Mais si nous restons sur le plan de la théorie, nous voyons les esprits hésiter parfois, mais toujours s'orienter vers l'un de ces deux pôles d'attraction : Réalisme ou Idéalisme. Nous avons cependant appelé cette quatrième partie Réalisme et Symbolisme, parce que la forme la plus illustre prise par la tendance idéaliste est précisément le symbolisme, avec lequel il en viendra à se confondre aux yeux des critiques et du public.

Chapitre Premier

LES THÉORIES DU RÉALISME ET DU NATURALISME

Le Romantisme contenait en germe le Réalisme. Les théoriciens romantiques recommandaient, à propos de tous les genres, en vers comme en prose, d'introduire du concret dans l'art ; la poésie lyrique ne devait pas craindre de faire allusion à des objets familiers, de les appeler même par leur nom, d'exposer des circonstances réelles ; le théâtre devait représenter la vie véritable et non son image schématisée ; l'histoire, en peignant la vie matérielle des temps passés, la critique en faisant intervenir l'histoire et les conditions matérielles de la vie de l'écrivain pour expliquer son œuvre, le roman en multipliant, surtout lorsqu'il se déroulait dans un passé historique, les allusions précises aux mœurs et à la vie matérielle de l'époque considérée, invitaient les auteurs à faire œuvre de réalistes. Cependant George Sand souligne à plusieurs reprises ce qui l'oppose à Balzac sur ce point ; elle est romantique, de tendances nettement idéalistes, et, tout en admirant l'art de son grand rival, elle insiste sur la différence de leurs méthodes.

Balzac fut en effet le précurseur du Réalisme ; il n'en fut pas le théoricien. Cependant, au fur et à mesure que son œuvre se construisait, il prenait davantage conscience de la nature propre du Réalisme et de ce qui opposait cet aspect nouveau de l'art au Romantisme alors en plein épanouissement.

Quoique le goût du détail concret fût un des caractères de l'école romantique, l'application de ce goût au monde contemporain ne faisait pas partie du programme de l'École. Mais, dès 1830, Balzac constate que, dans le genre romanesque, « toutes les combinaisons possibles paraissent épuisées... toutes les situations sont fatiguées » (1). Comment renouveler le genre ? Par les détails : « L'auteur croit fermement que les détails seuls constitueront désormais le mérite des ouvrages improprement appelés *Romans.* » Ces détails seront empruntés à la réalité contemporaine, non à l'histoire, non à l'imagination, qui ne sont que le cadre de l'œuvre. Étrangers à l'auteur, ils lui sont offerts disséminés dans le temps et le lieu par le monde extérieur ; le romancier ne fera œuvre personnelle qu'en les combinant, en les disposant sur le plan littéraire, en les réunissant à propos d'une aventure ou dans un personnage où se révèlera la passion qui justifie leur présence dans le récit. C'est cette heureuse combinaison des détails qui donnera ce « drame complet » qui doit constituer le vrai roman. Où les chercher, ces détails vrais ? Non plus dans le monde, dans la haute société, où leur relief a été effacé par la politesse et la vie de société, mais « à l'hôpital ou dans l'étude des gens de loi » où se trouve rassemblé « tout le comique et le tragique de notre époque ». Le médecin est le confident « des excès auxquels mènent les passions, comme les gens de loi sont témoins de ceux que produit le conflit des intérêts ». Or, *passion* et *intérêts* sont, selon Balzac, les deux pôles de la vie morale de l'humanité (2). Cette recherche du détail vrai ne sera possible que si le romancier est doué non d'imagination mais de la faculté intuitive de « pénétrer les âmes sans négliger les corps », de saisir immédiatement le détail extérieur pour aller « au delà » et pénétrer la vie de l'individu rencontré, fût-ce un instant, dans la rue ; faculté dont Balzac nous dit (3) qu'il était doué à un point extraordinaire.

En peignant ainsi le réel concret, le roman s'éloigne de deux défauts du roman romantique, défauts déjà choquants en 1831 (4), l'abus des *mélancolies langoureuses* à la mode de 1820, et des *exagérations colorées* à la mode de 1830. Le roman réaliste sera un retour vers la littérature « franche » de nos ancêtres ; c'est lui qui fera rentrer notre littérature dans sa voie traditionnelle. Le romancier devra peindre la société française comme elle est,

(1) *Scènes de la vie privée*, préface, 1re édit.
(2) *La Fille aux yeux d'or*, note de la 1re édit. (1835).
(3) Dans *Facino Cane* (1836).
(4) Cf. préface de la 1re édition de la *Peau de Chagrin* (1831).

sans chercher à l'idéaliser, dans un esprit d'objectivité aussi parfait que possible et quelles que soient les protestations du public, effrayé de se voir peint au naturel (1).

Cependant, de cette vaste peinture de la société contemporaine se dégageront certaines lois. Le romancier ne doit pas être seulement un peintre ; il doit être aussi un savant et un philosophe. La philosophie qui, selon Balzac, doit conduire le romancier dans son travail est la suivante :

Il n'existe qu'un type d'animal. Ce type prend des caractères différents selon le milieu dans lequel il vit ; c'est l'idée de Geoffroy Saint-Hilaire, dont Balzac se proclame le disciple. Ainsi l'homme est le produit de la société ; c'est la société qui différencie la race humaine et cause les caractères variés, comme le climat et les conditions matérielles diverses ont différencié les espèces animales. Mais les individus composant chaque espèce humaine sont très différents les uns des autres, ne serait-ce que par suite d'un élément nouveau, l'intelligence, qui complique l'action du milieu social, et parce que le même individu peut, au cours de sa vie, changer complètement de classe sociale et prendre ainsi des caractères entièrement nouveaux. Par contre, l'homme, par une sorte d'instinct qui lui est propre, transpose sa vie intérieure dans son aspect extérieur (vêtements, habitat, physionomie, paroles) ; le peintre se trouvera donc aidé dans son travail d'investigation de l'âme humaine par les documents extérieurs que lui fournira son observation et qui lui expliqueront ou lui révèleront la vie intérieure de l'individu.

Ce but du roman, tel que le conçoit Balzac, est tout proche de celui de l'histoire telle que l'avait conçue Voltaire, telle que la réalisait Michelet. Il veut faire « l'histoire des mœurs » de son temps. Comme Walter Scott, son maître, et sur bien des points son modèle, il veut élever le roman « à la valeur philosophique de l'histoire » en donnant l'image complète d'une civilisation. Mais, au lieu de procéder, comme l'illustre Écossais, par vues fragmentaires, par romans isolés les uns des autres, Balzac estime que l'image du temps qu'il veut évoquer ne sera vraie que si les romans qui constituent les éléments de cette peinture

(1) Préface de la 1re édition du *Livre Mystique* (1835).

sont liés les uns aux autres par le retour des mêmes personnages dans les divers récits.

En somme le romancier, loin d'être un imaginatif cherchant à recomposer la réalité, ne doit être que le « secrétaire » de cet « historien » qui est la société elle-même.

> En dressant l'inventaire des vices et des vertus, en rassemblant les principaux faits des passions, en peignant les caractères, en choisissant les événements principaux de la société, en composant des types par la réunion des traits de plusieurs caractères homogènes, peut-être pourrai-je arriver à écrire l'histoire oubliée par tant d'historiens, celle des mœurs (1).

Si le travail du romancier est comparable à celui du secrétaire d'un historien, ce doit être aussi celui d'un artiste et d'un philosophe, qui cherche les rapports des causes et des effets, les « principes naturels », la raison du « mouvement » de la société ; il ne doit pas faire abstraction de ses opinions politiques ou sociales qui sont la marque de sa grandeur.

Qu'est-ce que la vie ? Tout romancier digne de ce nom doit être capable d'apporter une réponse à cette question. Sa réponse sera la justification de sa méthode de narrateur. Pour Balzac, la vie est « un amas de petites circonstances » que le romancier doit grandir jusqu'aux « sphères de l'idéal ». Dans ces mille circonstances, l'auteur doit choisir celles qui, par leurs conséquences, sinon par leur importance absolue, sont capables d'être les éléments de ce « drame » qu'est, au fond, tout roman. Il doit également grandir à la hauteur d'un symbole tel personnage — comme César Birotteau, qui, par lui-même, est une fort plate créature (2). Balzac distingue le « vrai de la nature » du « vrai littéraire » ; le premier est souvent si brutal, si choquant, qu'il ne saurait entrer dans une œuvre d'art, sans heurter le goût du lecteur ou lui paraître invraisemblable. L'écrivain doit donc composer avec le réel, emprunter à divers modèles, reconstruire un tout nouveau qui porte la marque de son génie d'artiste (3).

Enfin, une grande leçon morale se dégagera de l'œuvre

(1) Avant-propos de la *Comédie humaine* (1842).
(2) *Lettre à Hippolyte Castille* (1846).
(3) Préface de *Gambara* (1839).

romanesque. Cette leçon ne sera pas directe, mais indirecte ; le romancier peindra rarement le bien, mais le plus souvent le mal, puisque la passion est en soi un mal. Mais au moins cette peinture du vice doit-elle être corrigée par la peinture de la vertu, et c'est de cet effet permanent de contraste que sortira la leçon (1).

Peintre, historien, philosophe, artiste, moraliste enfin, voilà tout ce que doit être à la fois le vrai romancier. C'est dire à quel degré se trouve élevé son art et quel niveau atteint ce genre dans l'ensemble des genres littéraires. Quant au détail de l'exécution, aux procédés techniques du narrateur, Balzac n'a jamais eu le loisir de nous informer des principes qu'il recommandait. Mais des études récentes ont montré quelle importance avaient dans son travail ces recherches proprement techniques, que nous devons laisser de côté.

Le réalisme ne trouve son nom et sa doctrine qu'avec Champfleury, dont les premiers écrits datent de 1843 (2). Champfleury reproche aux fourieristes « leur romanesque idyllique et puéril, les fautes de goût où les entraîne leur enthousiasme » (3) et leur tendance à transformer le roman en tribune ; il blâme leurs essais de littérature populaire — nous dirions *populiste* — et cette idée, qui lui paraissait absurde, que l'homme du peuple peut devenir auteur. Protestation analogue contre le roman d'Eugène Sue ou d'Alexandre Dumas, leurs succès faciles, l'imagination débridée des auteurs et leur insouciance des faits vrais ; le roman feuilleton est aux antipodes de l'art. Les romans poétiques à la George Sand ne trouvent pas grâce à ses yeux, avec leur lyrisme échevelé, leurs passions toutes puissantes, leur style artificiel. Mais l'adversaire des romantiques, Ponsard, et l'École du Bon Sens dont il est le porte-parole, ne sont pas mieux traités, avec « leur prosaïsme bourgeois, leur manque

(1) *Lettre à H. Castille.*
(2) Sur cet auteur et ses idées littéraires, cf. Emile Bouvier, *La Bataille réaliste* (1913).
(3) *Id.*, p. 32.

d'imagination et de fantaisie, l'étroitesse de leur morale et la platitude de leur style » (1).

Champfleury refuse donc toutes les formes contemporaines de la littérature romanesque, sauf celle du roman balzacien. En 1852, il pose ses principes d'une manière plus positive. Le romancier doit avant tout étudier l'extérieur des individus, les interroger, contrôler leurs réponses, étudier l'habitat, interroger les voisins, puis transcrire ces documents en limitant au maximum l'intervention de l'auteur. L'idéal serait une sorte de sténographie des propos des personnages et une série de photographies de ses divers aspects. La rigueur de l'observation est le travail essentiel des romanciers. La fantaisie a disparu. Le réalisme « aspire à devenir l'expression de la banalité quotidienne » (2) ; il ne cherche pas à dépayser le lecteur. Ce sont les critiques qui ont popularisé l'étiquette de *réalisme*, qu'ils employaient constamment dans un sens péjoratif, et d'abord à propos de la peinture de Courbet (3). En rapprochant constamment Champfleury de Courbet, ils ont tracé sa route au romancier. Entre les fantaisistes, successeurs des romantiques après 1848, et l'École du Bon Sens, Champfleury en 1852 prétend fonder avec Baudelaire, un nouveau journal, *Le Hibou Philosophe*, qui serait l'organe du pur réalisme (4).

> Il y a une race de jeunes écrivains indisciplinés, pleins de vie et de colère, qui ont quelque chose à essayer, qui cherchent une nouvelle architecture, solide et simple, qui se moquent des constructions Renaissance, des bâtisses gothiques, et qui, en attendant qu'ils puissent se servir de la truelle, tiennent une pioche ; ils sont quelquefois grossiers comme des maçons, mais on les y force. Et il sortira quelque chose de leurs essais (5).

Ce n'est qu'en 1857, dans l'ouvrage composite intitulé *Le Réalisme*, que Champfleury établit la doctrine de cette nouvelle tendance littéraire ; ce recueil comprend des textes écrits de 1853 à 1857. Sans doute l'auteur n'accepte-t-il qu'avec beaucoup de

(1) *Id.*, p. 42.
(2) *Id.*, p. 120.
(3) *Id.*, p. 249.
(4) *Id.*, p. 267.
(5) *La Semaine théâtrale*, 1er février 1852, cité par Bouvier, *op. cit.*, p. 268.

restrictions le terme même de *réalisme ;* comment désigner ainsi une nouvelle école, alors qu'à toutes les époques de notre littérature il y a eu, plus ou moins, du réalisme ? Cependant, si le classicisme est mort, avec sa tragédie en vers, si le romantisme s'est éteint dans la fausseté et le vide, si les fantaisistes ont abusé de la fantaisie et de l'extravagance, une nouvelle école doit leur succéder, qui soit digne de l'âge mûr de l'humanité et mette au premier plan la prose et le roman, formes littéraires de l'avenir.

Ce genre nouveau, d'ailleurs, ne sera pas plus libre que les genres anciens ; l'étude attentive des mœurs contemporaines lui impose une discipline plus rigoureuse peut-être que la versification ou les lois des genres traditionnels. Le public moderne a soif de vérité ; le romancier aura comme seule matière « l'homme d'aujourd'hui dans la civilisation moderne » (1). Deux méthodes se présentent alors à l'écrivain : ou bien il se peindra lui-même, c'est-à-dire décrira l'incidence qu'a sur sa vie intérieure le milieu extérieur ; ou bien il peindra la société, et ses multiples interactions comme Balzac l'a fait pour la société de 1815-1835, mais en étudiant la génération de 1860 ; pour atteindre ce but, le romancier doit dépouiller toute partialité et se faire aussi impersonnel que possible ; il ne doit rien vouloir prouver ; on voit ce qui sépare le réalisme de 1860 de celui de Balzac.

> L'idéal pour un romancier impersonnel est d'être un protée, simple, changeant, multiforme, tout à la fois victime et bourreau, juge et accusé, qui sait tour à tour prendre le rôle du prêtre, du magistrat, le sabre du militaire, la charrue du laboureur, la naïveté du peuple, la sottise du petit bourgeois (2).

Pour être vrai, le romancier doit être parfois cru, toujours hardi, et mépriser les récriminations d'un public timide ou prude. Il doit se livrer à de longues et minutieuses enquêtes pour recueillir des documents nouveaux dans les milieux les plus divers, dans les ouvrages les plus rares et les plus arides, et mener ces enquêtes avec la probité la plus scrupuleuse. Les faits ou les

(1) *Id.*, p. 302.
(2) *Lettre à Veuillot* citée par Bouvier, p. 305.

traits recueillis, il faut les mettre en œuvre en oubliant toute tradition littéraire et en ne songeant qu'à mettre en valeur la vérité, dans le style le plus « transparent ».

En fait, le réalisme théorique ne s'appliquera guère qu'à la réalité vulgaire, qu'à la mentalité populaire, et cela non seulement parce que le goût de Champfleury et de ses amis les portait plus à l'observation dans ce domaine que dans celui de la haute société, mais aussi parce que la théorie du réalisme s'applique mieux à une classe plus proche de la nature et de la vérité humaine profonde et simple qu'à une classe plus évoluée et moins sincère. Enfin, c'est au peuple que s'adressera de préférence le romancier, parce que le peuple, libre de tout préjugé, pourra mieux goûter le réalisme que les mondains imprégnés de traditions sociales et les critiques nourris de traditions littéraires.

Flaubert, pas plus que Balzac, n'a exposé ses idées d'une manière dogmatique. Cependant nul écrivain n'est moins inconscient ni n'a plus réfléchi aux conditions de la création romanesque. Sa volumineuse correspondance est remplie de remarques, tantôt sur les conditions de son propre travail de création, d'organisation ou de rédaction — et nous laissons de côté celles-ci comme propres seulement à éclairer son travail personnel ; — tantôt sur les conditions générales de l'art du romancier — et leur portée générale les fait entrer dans le cadre de cet ouvrage (1).

Par réaction contre une des tendances de toute la littérature d'après 1850, Flaubert nie que le roman doive contenir une morale explicite, doive illustrer une thèse politique, sociale, religieuse. Le roman, étant un genre littéraire, appartient à l'art, comme la peinture, la musique, ou la poésie telle que la concevaient Baudelaire ou les Parnassiens. A ce point de vue, la qualité de l'expression doit être le premier souci du romancier.

(1) Sur les idées esthétiques de Flaubert, consulter Ferrère, l'*Esthétique de Gustave Flaubert*, Conard, 1913, et H. Frejlich, *Flaubert d'après sa correspondance*, Malfère, 1933, pp. 347-432.

> On reproche aux gens qui écrivent en bon style de négliger l'idée, le but moral, comme si le but du médecin n'était pas de guérir, le but du peintre de peindre, le but du rossignol de chanter, comme si le but de l'art n'était pas le beau avant tout...

Non seulement le romancier qui met le roman au service d'une thèse trahit son devoir d'artiste, mais encore il abaisse l'art, le vulgarise, et en fait, volontairement ou non, un moyen au lieu d'un but, et un moyen avantageux d'atteindre à un but souvent intéressé :

> L'avocasserie se glisse partout, la rage de discourir, de pérorer, de plaider ; la muse devient le piédestal de mille convoitises... O pauvre Olympe, ils seraient capables de faire de ton sommet un plant de pommes de terre (1).
>
> L'art ne doit « servir de chaire à aucune doctrine sous peine de déchoir ».

Est-ce à dire que le roman doive ignorer tout idéal moral ? Non pas, car, si l'écrivain atteint la beauté artistique, il atteindra par là-même la beauté morale, et sera ainsi utile et efficace.

> Comme la nature, (l'art) sera donc moralisant par son élévation virtuelle et utile par le sublime. L'idéal est comme le soleil, il pompe à lui toutes les crasses de la terre.

Bien plus, la beauté de la pensée est inséparable de celle de la forme. Nous retrouvons là une idée exprimée pour la première fois avec netteté par Buffon (2). Ce qu'on divise habituellement sous les noms de *forme* et de *fond* ne constitue qu'un tout unique dont la *forme* et le *fond* ne sont que des aspects différents, et comme des qualités d'une même essence.

> Pourquoi dis-tu sans cesse que j'aime le clinquant, le chatoyant, le pailleté ? Poète de la forme ! C'est là le grand mot que les utilitaires jettent aux vrais artistes. Pour moi, tant qu'on ne m'aura pas, d'une phrase donnée, séparé la forme du fond, je soutiendrai que ce sont là deux mots vides de sens. Il n'y a pas de belles pensées sans belle forme, et réciproquement.

(1) Lettre à Louise Colet du 18 septembre 1846.
(2) Cf. pp. 147-149.

Pour Flaubert, le romancier est donc avant tout un artiste, dont le but est de produire une œuvre d'art parfaite. Mais cette perfection ne sera atteinte que si l'écrivain, de même qu'il écarte ses idées, s'il en a, sur les divers problèmes qui peuvent le passionner à d'autres égards, écarte aussi les réactions de son cœur, ses émotions personnelles ; le romancier fera œuvre impersonnelle à ce point de vue ; il demeurera « impassible » devant l'objet de sa peinture. Rien de plus différent, à cet égard, du poète lyrique, que le romancier.

> Tu prendras en pitié l'usage de se chanter soi-même. Cela réussit une fois, dans un cri, mais quelque lyrisme qu'ait Byron, par exemple, comme Shakespeare l'écrase à côté avec son impersonnalité surhumaine... L'artiste doit s'arranger de façon à faire croire à la postérité qu'il n'a pas vécu.

Ceux qui étalent leurs émotions dans leurs œuvres sont indignes du nom de véritables artistes et donc méprisables aux yeux de Flaubert.

> Sont de la même farine tous ceux qui vous parlent de leurs amours envolées, de la tombe de leur mère, de leur père, de leurs souvenirs bénis, baisent des médailles, pleurent à la lune, délirent de tendresse en voyant des enfants, se pâment au théâtre, prennent un air pensif devant l'océan. Farceurs ! Farceurs ! et triples saltimbanques, qui font le saut du tremplin sur leur propre cœur pour atteindre à quelque chose.

L'attaque vise tout le côté personnel et intime du Romantisme. L'art, en effet, est pour Flaubert tout proche de la science, et l'impassibilité du savant devant la nature qu'il étudie lui semble le modèle de l'attitude du romancier devant l'humanité qu'il peint. Pour que sa peinture soit exacte et vraie, il faut que le romancier soit juste, et qu'il ait à l'égard de ses personnages l'impartialité du juge à l'égard des parties en litige.

> Est-ce qu'il n'est pas temps de faire entrer la Justice dans l'art ? L'impartialité de la peinture atteindrait alors à la majesté de la loi et à la précision de la science (1).

(1) Lettre à George Sand du 10 août 1868.

De même que le juge doit rester extérieur aux intérêts qu'il aura à trancher, de même le romancier doit s'abstraire de la vie qu'il dépeint. Quoique la vie soit l'objet du romancier, ou plutôt parce que la vie est son objet, le romancier doit éviter de se laisser prendre dans l'engrenage de la vie sociale. C'est en restant à l'écart, et dans un isolement relatif, qu'il pourra dépeindre avec le plus de justesse la réalité extérieure : « Mêlé à la vie, on la voit mal » écrit-il le 15 décembre 1850.

Artiste par l'idéal qu'il vise, le romancier doit donc garder la sérénité du juge ou du savant. Seule cette attitude lui permettra de donner à ses personnages le caractère général d'un type. En effet, ce qui est intéressant dans un roman, c'est non tel personnage dans ce qu'il a de particulier et même d'unique, mais l'homme dans ce qu'il a de général, l'individu en tant qu'il est l'image d'un groupe humain, d'une tendance plus ou moins répandue.

> L'art n'est pas fait pour peindre des exceptions... Le premier venu est plus intéressant que M. Gustave Flaubert parce qu'il est plus général et par conséquent plus typique.

Un des principaux obstacles à cette sérénité, c'est *l'inspiration ;* il n'est pas de sarcasme que F aubert n'adresse à cet état instable, à cette force mystérieuse qui s'empare tout à coup de l'artiste et lui fait perdre momentanément le contrôle de lui-même.

> Il faut se méfier de tout ce qui ressemble à l'inspiration et qui n'est que du parti pris et de l'excitation factice que l'on s'est donnée volontairement, et qui n'est pas venue d'elle-même. D'ailleurs, on ne vit pas dans l'inspiration ; Pégase marche plus souvent qu'il ne galope : tout le talent est de savoir lui faire prendre les allures qu'on veut (1).

L'inspiration, nuisible, selon Flaubert, dans tous les arts, l'est doublement dans l'art du romancier. En effet, outre qu'elle interdit à l'écrivain d'user consciemment de toutes les ressources de son art, elle empêche le romancier de se livrer à

(1) Lettre à Louise Colet du 13 décembre 1846.

la patiente et pénible besogne qui lui fournira la matière de son œuvre : *l'observation*. Car le roman tel que le conçoit Flaubert n'est pas seulement le roman « artiste », c'est aussi le roman « réaliste ». La patiente recherche du fait vrai, du détail courant, typique, du geste révélateur, est aussi incompatible avec l'illumination subite de l'imagination, avec son ivresse éphémère, que le lent travail de l'artiste soigneux des cadences et des sonorités.

Maupassant, rapportant dans la préface de *Pierre et Jean* (1888) les conseils que lui donnait Flaubert, écrit, comme sous sa dictée :

> Il s'agit de regarder tout ce qu'on veut exprimer assez longtemps et avec assez d'attention pour en découvrir un aspect qui n'a été dit et vu par personne. Il y a dans tout de l'inexpliqué, parce que nous sommes habitués à ne nous servir de nos yeux qu'avec le souvenir de ce qu'on a pensé avant nous sur ce que nous contemplons. La moindre chose contient un peu d'inconnu. Trouvons-le... C'est ainsi qu'on devient original.

Le romancier doit donc observer constamment la réalité pour en saisir les caractères nouveaux, c'est-à-dire, en général, plus intimes, qu'un œil moins doué ou moins attentif n'avait pas su voir. Il s'habituera peu à peu « à ne voir dans les gens qui (l') entourent que des livres » (1) et, par un « effort d'esprit » souvent douloureux, il devra « se transporter dans les personnages et non les attirer à soi » (2). On comprend, par une formule comme celle-ci, combien ces deux éléments de la doctrine flaubertienne : impassibilité et observation, sont subtilement liés.

Mais l'inspiration n'est pas moins nuisible au troisième élément de cette doctrine, le souci de la forme. En effet, l'art du prosateur est plus difficile encore que celui du poète ; celui-ci est soutenu par des « règles fixes » et « une quantité d'indications pratiques, toute une science du métier », tandis que

> dans la prose il faut un sentiment profond du rythme, rythme fuyant, sans règles, sans certitude ; il faut des qualités innées,

(1) Lettre à Ernest Chevallier du 24 février 1842.
(2) Lettre à George Sand du 15-16 décembre 1866.

> et aussi une puissance de raisonnement, un sens artiste infiniment plus subtil, plus aigu, pour changer à tout instant le mouvement, la couleur, le son du style suivant les choses qu'on veut dire (1).

Outre les difficultés proprement stylistiques, il en est une autre, la disposition, qui est plus importante encore. La proportion des parties, leur éclairage, leur harmonie, les transitions de l'une à l'autre, voilà ce qui peut offrir le plus de difficulté au romancier soucieux d'art et ce qui, en fait, a donné le plus de peine à Flaubert écrivain.

La forme extrême de la doctrine flaubertienne serait une œuvre romanesque de pure forme où le contenu matériel donné par l'observation serait aboli ou ne serait qu'un prétexte, une occasion de style au sens le plus large du mot, harmonie des mots et de la construction ; ce « livre sur rien » que Flaubert imaginait en contemplant sur un mur de l'Acropole le simple jeu de la lumière, roman purement abstrait dont toute la beauté serait un rapport de teintes et de lignes et résiderait dans la construction et l'éclairage. Le pur artiste prend alors le pas, en Flaubert, sur le réaliste. Mais, à part ce rêve peut-être irréalisable, Flaubert a tenté de proposer un idéal original, fait de l'union de deux tendances jusqu'à lui contradictoires : les scrupules du réaliste et le goût du pur artiste.

La doctrine du Naturalisme fut exposée par Zola dans de nombreux écrits théoriques publiés surtout de 1866, date de la communication de Zola au Congrès scientifique d'Aix-en-Provence (2), à 1880, date d'*Une Campagne* (3) et du *Roman expérimental*. Constamment attaqué par une partie de la presse, Zola n'a cessé de se défendre en précisant les caractères du roman tel qu'il l'envisageait et en protestant contre la falsi-

(1) D'après Maupassant, préface de *Pierre et Jean*.
(2) Sur le sujet suivant : *Du Roman. Ce qu'il fut sous l'antiquité et dans les premiers siècles du Christianisme. Ses divers caractères selon les états de civilisation jusqu'à nos jours*.
(3) Recueil d'articles publiés dans *Le Figaro* en 1880.

fication que donnaient de ses idées des critiques malveillants ou superficiels.

D'abord le Naturalisme en littérature n'est pas une invention saugrenue, issue de l'imagination ambitieuse d'un candidat chef d'école. Il n'est pas de texte théorique (1) où Zola ne répète qu'il n'y a pas d'école naturaliste en littérature et qu'il ne saurait donc y avoir un chef à cette école-fantôme : « Le naturalisme n'est qu'une méthode ou, moins encore, qu'une évolution » ; il est à la fois l'aboutissement de l'œuvre d'un certain nombre de précurseurs, et d'autre part la conséquence naturelle d'un état nouveau de la civilisation.

C'est à Diderot que Zola fait remonter le Naturalisme. Le scientisme du directeur de l'*Encyclopédie*, s'opposant au déisme sentimental de Rousseau, fait de Diderot le précurseur d'une doctrine qui prétend introduire la méthode des sciences expérimentales dans la littérature. « Avec Diderot, dit-il, l'ancêtre de nos positivistes d'aujourd'hui, naissent les méthodes d'observation et d'expérimentation appliquées à la littérature. » Tandis que les romantiques descendent de Rousseau, par Chateaubriand, Lamartine, Hugo et George Sand, les naturalistes descendent de Diderot par Stendhal, Balzac, Flaubert et les Goncourt. C'est surtout en face des romantiques que Zola veut poser sa conception ; il voit en eux des artistes qui poursuivent sans s'en douter l'application de l'esthétique classique, qui « gardent les types, les abstractions généralisées de la formule classique et se contentent de les costumer autrement ». L'Idéalisme romantique est exactement le contraire du Réalisme scientifique que propose Zola. Les romantiques sont de simples « rhétoriciens » dont le règne est fini. D'ailleurs, le Romantisme se trouve dans une impasse. Sainte-Beuve lui-même, un des plus anciens combattants, n'a-t-il pas renié le drapeau romantique ? Cette faillite vient de ce que les conceptions romantiques ne sont pas adaptées à la société moderne et à son goût généralisé pour la science.

« Ce sont les sociétés qui font les évolutions littéraires »,

(1) Les principaux textes à consulter sont le recueil intitulé *Le Roman expérimental*, *Une campagne*, *Le Naturalisme au théâtre*, *Mes Haines*.

affirme Zola, reprenant exactement la pensée de Mme de Staël. La création littéraire d'une époque est comme une immense œuvre anonyme conduite par la pensée obscure mais infaillible de la génération tout entière qui la fait naître. « Un écrivain quel que soit son génie, est un simple ouvrier apportant sa pierre, et continuant, selon ses forces, le vieil édifice national. » Le Naturalisme n'est pas un état révolutionnaire et anarchique, mais le fruit d'une évolution normale ; il a ses ancêtres authentiques ; s'il est autrement vêtu qu'eux, il n'en continue pas moins leur œuvre ; aussi bien le mot même de naturalisme n'est pas neuf. Montaigne ne l'a-t-il pas employé et, affirme Zola, avec le sens même que nous donnons aujourd'hui à ce mot ? Or, le XIXe siècle est avant tout le siècle de la science : « L'esprit scientifique dans toutes les connaissances est l'agent même du XIXe siècle... ; le Naturalisme est le fruit naturel de la société démocratique nouvelle. » Notre civilisation intellectuelle moderne est caractérisée par un accroissement prodigieux de nos connaissances sur la nature. A génie égal, il est évident que l'écrivain donnera une œuvre plus riche de connaissances que celles de ses devanciers, plus proche de la réalité, plus vraie.

Faire entrer dans la littérature d'abord et surtout les méthodes des sciences de la nature, ensuite les données nouvelles apportées par ces sciences, tel est le but que se propose Zola. Or, de grandes lumières venaient d'être jetées sur certains domaines de la vie et sur les méthodes scientifiques à employer pour les étudier, par le *Traité de l'Hérédité naturelle* de Lucas (1847-50), la traduction (1862) de l'*Origine des Espèces* de Darwin, et surtout l'*Introduction à la médecine expérimentale* (1865) de Claude Bernard. C'est à ce dernier ouvrage que se réfère constamment Zola. Quoiqu'il ne l'ait pas connu quand il écrivit ses premiers romans et conçut les premiers linéaments de ses théories, il y trouva une expression si parfaite de ses vues encore confuses, qu'il s'empressa de s'abriter derrière la haute autorité du savant génial, et dès lors, fit constamment appel à ses idées.

Claude Bernard affirmait que la méthode scientifique rigoureuse appliquée aux corps bruts devait l'être aux corps vivants ; de même selon Zola, cette méthode doit être appliquée « à la vie passionnelle et intellectuelle ». Le but de la méthode expérimentale est de « trouver les relations qui rattachent un phénomène quelconque à sa cause prochaine..., de trouver les conditions nécessaires à la manifestation de ce phénomène ». Or, jusqu'à présent l'observation avait seule été employée en littérature, par un Balzac, un Stendhal, un Flaubert ; sans doute est-elle toujours à la base du travail du romancier, puisque « l'œuvre devient un procès-verbal, rien de plus » et que l'auteur est un « greffier ». Sans doute aussi assiste-t-on dans la littérature à une véritable « déchéance de l'imagination », déchéance légitime :

> De même qu'on disait autrefois d'un romancier : il a de l'imagination, je demande qu'on dise aujourd'hui : il a le sens du réel ; l'éloge sera plus grand et plus juste. Le don de voir est moins commun que le don de créer.

Mais à l'observation, il faut ajouter l'expérimentation ; c'est-à-dire qu'il faut imaginer un cas qui permette de vérifier certains rapports entre deux ordres de phénomènes. C'est cette expérimentation que Claude Bernard voulait introduire dans l'étude des phénomènes biologiques appliquée à la médecine. Pour le romancier, la méthode expérimentale consiste à « faire mouvoir les personnages dans une histoire particulière pour y montrer que la succession des faits y sera telle que l'exige le déterminisme des phénomènes mis à l'étude ». Il faut « prendre les faits dans la nature, puis étudier le mécanisme des faits en agissant sur eux par les modifications des circonstances et des milieux, sans jamais s'écarter des lois de la nature ». « Le roman naturaliste, dit ailleurs Zola, est une expérience véritable que le romancier fait sur l'homme en s'aidant de l'observation. »

Par l'application de cette méthode se trouveront renouvelés les thèmes anciens, où la divination du génie, l'approximation de l'intuition seront remplacées par la rigueur du savant : « Nous pouvons reprendre tous les sujets antiques pour les traiter à nouveau d'après des documents indiscutables de l'observation et de l'expérimentation. »

L'emploi de cette méthode suppose une conception matérialiste et mécanistique du monde moral ; elle suppose « que le monde humain est soumis au même déterminisme que le reste de la nature ». Cette affirmation qui est la base philosophique du naturalisme littéraire, est, au fond, le grand grief relevé par les nombreux ennemis de Zola sur le terrain idéologique. Mais on reproche aussi à Zola l'assimilation arbitraire de l'expérimentation du romancier à celle du savant.

Le romancier, en effet, par l'emploi de la méthode expérimentale, se rapprochera beaucoup plus du savant que du poète ou de l'artiste.

> La science entre donc dans notre domaine, à nous romanciers, qui sommes à cette heure des analystes de l'homme, dans son action individuelle et sociale. Nous continuons par nos observations et nos expériences, la besogne du physiologiste, qui a continué celle du physicien et du chimiste... En un mot, nous devons opérer sur les caractères, sur les passions, sur les faits humains et sociaux comme le chimiste ou le physicien opèrent sur les corps bruts, comme le physiologiste opère sur les corps vivants.

Le fameux *Manifeste des Cinq* (18 août 1887) où se trouve la protestation indignée contre *La Terre* d'écrivains auparavant amis et admirateurs de Zola, est essentiellement appuyé sur l'insuffisance de l'observation et de la documentation du romancier à prétention scientifique. Zola pourtant se rendait compte que le « roman s'est imposé les études et les devoirs de la science », du moins d'après ce que disent les Goncourt dans la préface de *Germinie Lacerteux* (1864). Mais il croyait, et c'est là sans doute son erreur foncière, que les conquêtes de la science sont données une fois pour toutes comme des certitudes définitives ; l'insuffisance de sa culture scientifique lui faisait ignorer — ce que sait fort bien le vrai savant — que, surtout dans le domaine de la physiologie, les découvertes ne sont qu'approchées et sont toujours sujettes à révision. De même Zola distinguait mal la valeur scientifique relative des ouvrages où il puisait ses idées et surestima l'ouvrage de Lucas. Quel ne fut pas son étonnement lorsqu'il apprit, d'un spécialiste de la question, que notre connaissance des lois de l'hérédité, lois qui sont la base scientifique des *Rougon-Macquart*, était bien incertaine ! Tout au plus reconnaît-il que l'état de la science dans le domaine de l'homme est encore trop peu avancé pour permettre au romancier de prétendre découvrir des lois. Deux lois très générales s'imposent seules à l'observateur : l'influence de l'hérédité, l'influence du milieu social.

Œuvre scientifique, le roman moderne sera aussi une œuvre morale. Et Zola insiste d'autant plus sur ce point que la très grande majorité des critiques relevaient dans son œuvre un penchant choquant pour l'immoralité et l'obscénité. Le romancier, selon lui, ne fera pas œuvre de pur savant ; sans doute, il conservera devant les situations et les caractères qu'il proposera l'impassibilité du savant et son amoralisme impitoyable. Néanmoins « l'expérimentateur — et il reprend les mots mêmes de Claude Bernard — est le juge d'instruction de la nature » ; de même le romancier sera « le juge d'instruction des hommes et de leurs passions ». Et si le juge doit être impartial, comment ne jugerait-il pas sur le plan moral ? Bien plus, le romancier doit

> posséder le mécanisme des phénomènes chez l'homme, montrer les rouages des manifestations intellectuelles et sensuelles telles que la physiologie nous les expliquera sous les influences de l'hérédité et des circonstances ambiantes, puis montrer l'homme vivant dans le milieu social... (et) agir sur le milieu social en agissant sur les phénomènes dont on se sera rendu maître chez l'homme.

En découvrant les lois de la vie sociale, le romancier permettra à l'homme politique, au réformateur social, d'agir sur la société, de l'améliorer. Zola proteste contre l'accusation de fatalisme lancée contre sa philosophie, quoiqu'il déclare que « le naturalisme dans les lettres, c'est l'anatomie exacte, l'acceptation et la peinture de ce qui est » ; il croit au progrès social ; il veut en préparer les voies. Il a un but moral grave et austère. Zola adopte la formule de Claude Bernard : « La morale moderne recherche les causes, veut les expliquer et agir sur elles. »

Pas plus que dans l'œuvre scientifique, d'autre part, l'imagination ne sera absente de l'œuvre romanesque. Il faut de l'imagination au savant pour inventer une expérience ; l'observation passive serait à elle seule stérile. Il en faut de même au romancier pour combiner des faits de façon à faire jaillir la lumière sur le processus étudié. C'est dire que ce travail du romancier ne sera pas l'obscur et anonyme travail de laboratoire souvent nécessaire pour préparer la découverte du grand savant.

C'est sur ce point que Zola s'oppose à Proudhon, dont il attaque violemment les conceptions esthétiques. Pour celui-ci, l'œuvre d'art est d'autant plus remarquable qu'elle porte moins la marque d'un artiste original. Proudhon prétend que l'œuvre d'art doit être l'image anonyme d'une civilisation ; le fruit naturel d'un état historique de la société, « le produit de la nation ». L'écrivain, l'artiste, ne serait que l'agent obscur et presque inconscient des forces, des tendances, des rêves, d'un groupe social aussi étendu que possible.

Pour Zola, au contraire, l'individualité est la marque la plus précieuse de l'œuvre d'art. Au-dessus du temple égyptien ou grec, au-dessus de la cathédrale du moyen âge, il met les chefs-d'œuvre variés et individuels des grands artistes de la Renaissance ou de l'art moderne.

> Notre idéal, à nous, ce sont nos amours et nos émotions, nos pleurs et nos sourires... Nous faisons du style et de l'art avec notre chair et notre âme... Si vous me demandez ce que je viens faire en ce monde, moi artiste, je vous répondrai : « je viens vivre tout haut ».

L'écrivain, comme l'artiste, doit rester indépendant de la société, et, sans se soucier de l'état d'esprit général en matière d'art, faire son œuvre personnelle avec le plus intime de lui-même. Cette « libre manifestation des pensées individuelles » où Proudhon voit une anarchie dangereuse sur le plan social, elle est pour Zola la première condition de la création littéraire. Primauté de l'individu sur le social, du tempérament sur l'esprit grégaire, de l'originalité indépendante sur l'utilité sociale, voilà ce que Zola réclame avec force, on l'a trop oublié. Comment se manifestera cette personnalité de l'écrivain ? D'abord dans le caractère original, et, s'il le faut, agressivement choquant de ses recherches faites dans un esprit de curiosité scientifique absolument indépendant du pouvoir politique ou du goût régnant. Ensuite par le style, qui reflètera plus que tout autre aspect de l'œuvre d'art le caractère propre, le tempérament de l'écrivain. Et Zola cite à ce sujet Alphonse Daudet comme un modèle. « Ma définition de l'œuvre d'art serait, si je la formulais : « *Une œuvre d'art est* « *un coin de la création vu à travers un tempérament.* »

La méthode de la science au service de la morale sociale, cet aspect de l'esthétique de Zola ne doit pas nous cacher cet autre aspect : l'interprétation personnelle du monde, l'expression personnelle des émotions.

***

Le Naturalisme prend donc la suite du Réalisme en ce qui concerne l'observation et Balzac est le maître constamment avoué de Zola. Mais l'observation doit, et c'est l'apport de la doctrine naturaliste, être dirigée par une hypothèse qu'il faut vérifier. Zola renie les romantiques pour ses ancêtres, à cause de la primauté, dans leur tempérament, de l'imagination sur l'observation et de la sensibilité idéaliste sur la raison réaliste. Mais nous, qui voyons les choses de plus loin, nous comprenons mieux que le Romantisme portait déjà en lui les germes de l'observation presque scientifique. Par contre, il est incontestable que, dans les théories réalistes et naturalistes, la notion d'art passe au second plan. En effet, malgré les affirmations que nous venons de voir, l'auteur est conduit à s'effacer en tant qu'artiste, sinon en tant que savant et que penseur. Sans doute le tempérament foncièrement artiste de Flaubert et des Goncourt a permis la survivance de l'art, et du plus subtil, dans l'œuvre de l'observateur. Mais le Naturalisme marque la pointe extrême de la tendance qui donne comme but à l'écrivain le vrai plutôt que le beau. En fait, ce *vrai*, que tous nos classiques avaient déjà pris comme objet, sera le vrai relatif, non le vrai absolu ; depuis Balzac jusqu'à Zola, l'objet du romancier réaliste, puis naturaliste, sera l'incidence des circonstances sur le fond permanent de l'humanité. On comprend que l'idée de loi scientifique se soit dégagée de la considération de ces rapports.

Chapitre II

L'ART POUR L'ART ET LE PARNASSE

On peut réunir sous le nom de doctrines parnassiennes un certain nombre de tendances poétiques qui commencent à s'exprimer immédiatement après 1830 et dont la dernière expression dans le domaine de la théorie, est le *Traité de Poésie française* de Banville (1872), mais dont le dernier écho peut être entendu dans l'*Éloge de Victor Hugo* prononcé par Leconte de Lisle à l'Académie en 1887.

C'est donc parallèlement à la longue lignée des œuvres romantiques que se développe la tendance littéraire qui ne devait prendre le nom de *parnassienne* qu'en 1866, après la publication du premier *Parnasse contemporain*, recueil groupant les œuvres d'une quarantaine de poètes unis par quelques hostilités communes plus encore que par un idéal semblable.

La première tendance qui se fait jour dans la longue histoire de cette doctrine composite et confuse, c'est celle de *l'Art pour l'Art*. Pour en comprendre la naissance, il faut se rappeler qu'autour de 1830 plusieurs philosophes, saint-simoniens ou fouriéristes surtout, recommandaient aux poètes de participer à l'effort général fait par les intellectuels pour améliorer la condition humaine et de mettre leur parole au service du progrès social. C'est à eux que, le premier, Hugo répond quand, dans la préface des *Orientales*, il revendique pour le poète, le droit de publier « un livre inutile de pure poésie jeté au milieu des préoccupations graves du public ». Et tandis que ce même Hugo devait bientôt, en 1840, accorder au poète un rôle social (cf. p. 184
son disciple Théophile Gautier, dès 1836, maintient la jeune tradition d'une poésie absolument étrangère à la question sociale,

morale ou politique, dans la préface de *Mademoiselle de Maupin*. Devenu vingt ans plus tard directeur de la revue *L'Artiste*, il lance un manifeste qui proclame à nouveau l' « autonomie de l'art ». En 1857, il publie dans cette revue sa fameuse poésie *L'Art*, qui condense quelques aspects de la théorie de l'Art pour l'Art. Tel est l'apport de Gautier dans le domaine de la doctrine.

L'éphémère revue l'*Art*, qui ne parut, chaque semaine, que durant les deux derniers mois de 1856, proclame le même idéal. Leconte de Lisle dans les préfaces de ses *Poèmes antiques* (1852), et de ses *Poèmes et Poésies* (1855), dans ses études critiques, publiées dans *La Revue Européenne* de 1861 et dans *Le Nain jaune* de 1864 et réunies sous le titre de : *Les Poètes contemporains* étend et précise la doctrine de l'art pour l'art selon son propre génie poétique.

Tels sont les textes capitaux où nous trouvons exprimée la doctrine parnassienne. Dégageons-en les grandes lignes ; l'analyse nous y révèlera bien des tendances sinon contradictoires, du moins divergentes.

L'expression même de *l'Art pour l'Art* aurait été lancée par Hugo dans une discussion littéraire en 1829 ; protestant contre la stylisation abstraite des caractères tragiques de Voltaire, Hugo d'après ce qu'il nous raconte en 1864 dans son *William Shakespeare* (1), se serait écrié : « Plutôt cent fois l'Art pour l'Art » ; notons la nuance de l'exclamation ; on y sent percer comme le regret d'avoir à choisir de deux maux, le moindre. Quel que soit le sens exact que Hugo ait voulu donner à sa formule, elle fit fortune et son contenu s'est enrichi démesurément.

Cette doctrine de l'art pur est d'abord l'affirmation d'un refus, d'un double refus. Aux éditeurs qu'il représente comme uniquement préoccupés du contenu social, moralisateur, « civilisant et progressif », d'un roman ou d'un recueil de poésie, et comme indignés de l'intérêt qu'un écrivain peut encore porter « au style, à la rime, à la forme », Gautier écrit :

> Non, imbéciles, non, crétins et goîtreux que vous êtes, un livre ne fait pas de la soupe à la gélatine ; — un roman n'est pas une paire de bottes sans couture ; un sonnet, une seringue

(1) IIe Partie, liv. VI.

à jet continu ; — un drame n'est pas un chemin de fer, toutes choses essentiellement civilisantes, et faisant marcher l'humanité dans la voie du progrès.

L'œuvre d'art, même écrite, est totalement indifférente à la notion du progrès social, dont le progrès matériel est la condition. Dans le domaine social et politique, d'une manière générale dans le domaine de l'action, elle est d'ailleurs absolument inefficace. Dans l'état actuel de la civilisation intellectuelle et morale, constate Leconte de Lisle « La Poésie... n'inspirera plus de vertus sociales » (1). Elle doit s'effacer, dans sa mission éducatrice, devant la polémique, en comparaison de laquelle « son action serait nulle et sa déchéance plus complète ». Et d'ailleurs, comment les poètes pourraient-ils instruire leur public sur le plan politique ?

> O poètes, éducateurs des âmes, étrangers aux premiers rudiments de la vie réelle, non moins que de la vie idéale (2), en proie aux dédains instinctifs de la foule comme à l'indifférence des plus intelligents ; moralistes sans principes communs, philosophes sans doctrine, rêveurs d'imitation et de parti-pris, écrivains de hasard qui vous complaisez dans une radicale ignorance de l'homme et du monde, et dans un mépris naturel de tout travail sérieux ; race inconsistante et fanfaronne... O poètes, que diriez-vous, qu'enseigneriez-vous ? Qui vous a conféré le caractère et le langage de l'autorité ? Quel dogme sanctionne votre apostolat ? Allez ! vous vous épuisez dans le vide et votre heure est venue... (3).

C'est par force que le poète doit renoncer à toute efficacité idéologique. Le public cultivé, le seul auquel il puisse s'adresser, réclame en effet chez le poète une culture philosophique, scientifique, historique, à laquelle ne peut prétendre aucun de ceux qui ont connu la gloire ou le succès au XIXe siècle avant 1852. Aussi le poète est-il destiné à « s'isoler d'heure en heure du monde de l'action », à se réfugier dans l'austère recherche intellectuelle,

(1) Préface des *Poèmes antiques*.
(2) Leconte de Lisle songe aux poètes ses contemporains, tels qu'ils sont en fait (en 1852) non tels qu'il les rêve.
(3) Préface des *Poèmes antiques*.

qui lui ouvrira la seule voie vers le public digne de le comprendre.

La poésie ne pourra donc offrir ni l'écho des préoccupations de son temps, ni des directives à son époque. Mais elle devra fuir également l'expression des émotions intimes du poète.

> Bien que l'art puisse donner, dans une certaine mesure, un caractère de généralité à tout ce qu'il touche, il y a dans l'aveu public des angoisses du cœur et de ses voluptés non moins amères, une vanité et une profanation non moins gratuites... Le thème personnel et ses variations trop répétées ont épuisé l'attention ; l'indifférence s'en est suivie à juste titre... (1).

Leconte de Lisle reprendra en poète cette idée dans son fameux sonnet *Les Montreurs* (1862) et refusera d'exprimer, directement du moins, ses émotions personnelles. C'est en particulier à Lamartine et à Musset que les Parnassiens en voudront, non pas surtout, à la vérité, parce qu'ils chantent leur mélancolie ou leur tristesse amoureuse, que parce qu'ils négligent, au profit de la recherche d'un effet facile sur la sensibilité du lecteur, la perfection de la forme : « L'héroïque bataillon des élégiaques verse moins de pleurs réels que de rimes insuffisantes. » Dans l'étalage de cette sensibilité, il y a surtout le besoin de plaire à un public sans goût et sans culture, public incapable de sentir la beauté, mais désireux se le laisser émouvoir par les plaintes les plus vagues, par cette « longue lamentation musicale non rythmée qui se noie finalement dans les larmes » que sont les *Méditations* (2).

Renonçant à ces moyens d'action que sont la propagande idéologique ou l'épanchement des sentiments vagues, le poète devra renoncer du même coup à plaire au grand public. En effet, le public français, en particulier, est totalement incapable de goûter la poésie, la vraie poésie. Chénier l'avait dit déjà ; Baudelaire le répète à la même époque. Leconte de Lisle insiste à plusieurs reprises.

> Dans le monde de l'art, le peuple français est aveugle et sourd (3)... Le peuple français, particulièrement, est doué en ceci

(1) Préface des *Poèmes antiques*, début.
(2) Etude sur *Lamartine*.
(3) Etude sur *Victor Hugo*.

> d'une façon incurable. Ni ses yeux, ni ses oreilles, ni son intelligence, ne percevront jamais le monde divin du Beau. Race d'orateurs éloquents, d'héroïques soldats, de pamphlétaires incisifs, soit, mais rien de plus... Aucun peuple n'est plus esclave des idées reçues, plus amoureux de la routine, plus scandalisé par tout ce qui frappe pour la première fois son entendement (1).

Ce « vice naturel de compréhensivité » qui découle de l' « horreur instinctive » que toute foule éprouve pour l'art a d'ailleurs toujours obligé les poètes français, « les grands poètes..., les vrais artistes », à s'exclure du sein de la foule ; ils « n'ont point vécu de sa vie, n'ont point parlé la langue qu'*elle* comprend » (2). Écrire pour une élite rare, seule sensible à la vraie beauté poétique, c'est donc renouer avec une tradition ancienne en France, tradition qu'ont voulu briser la plupart des romantiques en sacrifiant la beauté formelle de l'œuvre. A propos de Lamartine, Leconte de Lisle écrit : « Il n'est pas bon de plaire ainsi à une foule quelconque. Un vrai poète n'est jamais l'écho systématique ou involontaire de l'esprit public. »

Si l'art ne peut avoir aucune efficacité sur la masse, il s'en suit que l'art est un luxe ; comme tout objet de luxe, sa beauté, non sa stricte utilité, fera sa valeur : « L'art, dont la Poésie est l'expression éclatante, intense et complète, est un luxe intellectuel accessible à de très rares esprits. » Le seul but de l'art est d'atteindre le Beau. En quoi consiste cette beauté ? Quelle en est l'essence, quels en sont les attributs les plus importants ? Leconte de Lisle ne s'en explique pas. Il se contente d'affirmer :

> Hors la création du Beau, point de salut. Les impuissants seuls professent au lieu de créer. Ils ignorent ou feignent d'ignorer que la beauté d'un vers est indépendante du sentiment moral ou immoral, selon le monde, que ce vers exprime, et qu'elle exige des qualités spéciales, extra-humaines en quelque sorte (3).

Cette beauté est directement opposée à l'utilité. « En général, dès qu'une chose devient utile, elle cesse d'être belle » déclare Gautier dans la préface de ses *Poésies* (1832) ; « l'art, c'est la

(1) Avant-propos des *Poètes contemporains*.
(2) *Ibid.*
(3) Etude sur Auguste Barbier, dans les *Poètes contemporains*.

liberté, c'est le luxe, l'efflorescence ; c'est l'épanouissement de l'âme dans l'oisiveté. La peinture, la sculpture, la musique ne servent absolument à rien... » Il écrit ailleurs :

> Il n'y a de vraiment beau que ce qui ne peut servir à rien ; tout ce qui est utile est laid, car c'est l'expression de quelque besoin, et ceux de l'homme sont ignobles et dégoûtants, comme sa pauvre et infirme nature... (1). Tout artiste qui se propose autre chose que le beau n'est pas un artiste à nos yeux (2).

Est-ce à dire que ce culte de la beauté pure n'aura pas une influence morale ? Certes non ! « Le Beau n'est pas le serviteur du vrai, car il contient la vérité divine et humaine. Il est le sommet commun où aboutissent les voies de l'esprit. » La vertu civilisatrice et morale de la poésie réside uniquement dans la faculté mystérieuse que possède la beauté d'élever l'âme de celui qui la contemple.

Mais cette beauté, comment l'atteindre ? Par le seul travail de la forme :

> Le poète... doit réaliser le Beau... par la combinaison complexe, savante, harmonique des lignes, des couleurs et des sons, non moins que par toutes les ressources de la passion, de la réflexion, de la science et de la fantaisie ; car toute œuvre de l'esprit, dénuée de ces conditions nécessaires de beauté sensible, ne peut être une œuvre d'art. Il y a plus, c'est une mauvaise action, une lâcheté, un crime, quelque chose de honteusement et d'irrévocablement immoral.

Pour mener à bien ce travail, le poète, loin de se laisser submerger par son « inspiration », doit « exercer une domination absolue et constante sur l'expression des idées et des sentiments, ne rien laisser au hasard et se posséder soi-même dans la mesure de ses forces ». C'est ainsi que le poète pourra atteindre la vraie beauté. C'est ainsi également qu'il atteindra l'Idée. Car, Gautier et Leconte de Lisle sont d'accord sur ce point, on ne saurait séparer la Forme de l'Idée, malgré l'opinion commune :

> Dès qu'un vers bien construit, bien rythmé, d'une riche

(1) Préface de *Mademoiselle de Maupin.*
(2) Article de *L'Artiste*, 14 décembre 1856.

> sonorité, viril, net et solide nous frappe l'oreille, il est jugé et condamné en vertu de ce principe miraculeux que nul ne possède toutes les puissances de l'expression poétique qu'au préjudice des idées... Nous ignorons, il est vrai, que les idées, en étymologie exacte et en strict bon sens, ne peuvent être que des formes et que les formes sont l'unique manifestation de la pensée... (1).
>
> Nous n'avons jamais pu comprendre la séparation de l'idée et de la forme... Une belle forme est une belle idée, car que serait une forme qui n'expliquerait rien (2) ?

Le travail de la forme profite donc directement à la beauté et indirectement à l'idée. De plus, il assure seul la durée de l'œuvre. Le poème l'*Art* contient les deux choses. Pour que l'artiste soit contraint au travail, il faut qu'il s'attaque aux matières les plus difficiles à travailler, et, en poésie, que la Muse chausse « un cothurne étroit » ; difficultés diverses de la versification, rythmes, rimes, vocabulaire, strophes, sujet même, il n'est pas d'élément de la poésie qui ne doive offrir un obstacle à la pente naturelle de la facilité, de cette facilité qui est l'ennemie la plus mortelle de la beauté dans tous les arts. Mais ces contraintes ne doivent pas être « fausses », comme le furent celles que s'imposaient nos « grands rhétoriqueurs » ; elles doivent être liées étroitement à la chose à exprimer et n'avoir pour but que de faire mieux ressortir la nuance exacte de la pensée ou de l'émotion. D'autre part, cette forme travaillée et si étroitement collée à ce qu'on peut appeler la pensée ou l'idée qu'elle ne fera qu'un avec elle, assurant à l'expression une densité et une perfection parfaites, assurera du même coup sa pérennité. L'art, ainsi traité, vaincra le temps, qui ne respecte ni les constructions de l'homme, ni les formes les plus hautaines de ses civilisations successives.

Le *Traité de Poésie* de Banville sous-entend les idées exprimées dans le poème l'*Art* et celle que suggère le célèbre poème des *Odes funambulesques : Le Saut du tremplin* (1857) : le poète, par la seule habileté technique, peut s'élever au sublime. Aussi le *Traité de Poésie* peut-il sans théorie, sans esthétique, sans

(1) Leconte de Lisle, article sur *Baudelaire*, de 1861.
(2) Gautier, article de *L'Artiste* du 14 décembre 1856.

vues générales, se contenter logiquement d'être un recueil de recettes techniques, sur la rime en particulier.

L'indifférence à l'utilité sociale ou morale, le culte de la beauté pure, la haine de la poésie trop relâchée parce que trop extérieurement sentimentale, voilà les traits les plus communs de la doctrine parnassienne. Mais d'autres conceptions se font jour à côté de celles-là. En particulier, la science, la philosophie, l'histoire érudite, la philologie, la documentation religieuse, rentrèrent dans la poésie par des voies détournées après en avoir été chassées, après 1830, par les ancêtres spirituels des poètes qui leur firent, après 1850, le meilleur accueil. Ce que les purs artistes de 1830-35 refusèrent aux Saint-Simoniens, les poètes de 1850-60 l'accordèrent au positivisme ; avec cette différence, toutefois, que les premiers prétendaient avoir une action, tandis que les seconds ne se souciaient que de connaissances. Ils intègrent à la poésie les curiosités des philologues pour les légendes primitives, et profitent de leurs découvertes ; ils assimilent les théories nouvelles sur l'histoire des religions, sur les sociétés primitives. Louis Ménard, omniscient et génial, fut un admirable vulgarisateur en ces matières.

C'est ainsi que Leconte de Lisle, cherchant où le poète moderne peut trouver des sources nouvelles de poésie, après l'épuisement de la veine sentimentale et personnelle et de la veine politico-sociale à intérêt immédiat, croit voir dans la connaissance de la Grèce antique une riche matière poétique. Seul, l'art grec possède « un caractère un et général qui renferme dans une individualité vivante l'expression complète d'une vertu ou d'une passion idéalisée » (1). « Les plus larges sources de la poésie se sont affaiblies graduellement ou taries » par suite du nivellement des peuples et de leur interpénétration progressive (2). Il faut donc remonter aux époques barbares pour retrouver ces caractéristiques bien marquées, seules fécondes pour la création poétique, à moins que l'épopée ne renaisse « de la reconstitution et du choc héroïque des nationalités oppressives ou opprimées (3). »

(1) Préface de *Poèmes et Poésies* (1855).
(2) *Ibid.*
(3) *Ibid.*

Chapitre III

BAUDELAIRE, THÉORICIEN DE L'ART

Baudelaire se place au carrefour de la grande route du Romantisme, de la route encore secondaire du Parnasse et du chemin à peine tracé du Symbolisme. On retrouve dans son œuvre quelques-uns des caractères essentiels des trois grandes tendances de la poésie française au XIXe siècle ; mais, comme théoricien, Baudelaire a une position très personnelle ; sa conception même de la poésie en fait l'écho de ce qu'il y a de plus intime dans le poète, et il a nettement condamné les aspects les plus caractéristiques du Romantisme et du Parnasse, comme du Réalisme.

Baudelaire a beaucoup écrit sur l'art, tant sur la poésie que sur la peinture ou la musique. Mais cet esthéticien si perspicace n'a jamais groupé les éléments de sa doctrine, ni n'en a fait un système. A l'en croire, ce n'est pas qu'il ne l'ait pas tenté. Il a essayé, comme tout artiste, de construire un système artistique, mais chaque découverte d'un aspect nouveau de la beauté lui montrait que son système, si vaste qu'il fût, ne pouvait expliquer tous les aspects de la beauté ; celle-ci offrait parfois un caractère « spontané et inattendu » que n'avait pas prévu son « art poétique ».

> J'avais beau déplacer et étendre le critérium, il était toujours en retard sur l'homme universel et courait sans cesse après le beau multiforme et versicolore, qui se meut dans les spirales infinies de la vie (1).

(1) *Exposition universelle de 1855*, éd. de la Pléiade, t. II, p. 145.

Devant cette impossibilité d'embrasser dans une vue totale et logique la réalité artistique, Baudelaire en est « revenu chercher un asile dans l'impeccable naïveté », cette *naïveté* qu'il évoque souvent, et qui consiste à se laisser aller à l'impression directe et personnelle devant la beauté ou la laideur, sans la justifier par une conception esthétique générale. Il ajoute d'ailleurs qu'il serait peu souhaitable que les théoriciens pussent arriver à construire un tel système complet et définitif : dans la mesure où les artistes leur obéiraient, on risquerait de voir disparaître le beau.

En effet, un des premiers caractères du beau en art est de provoquer l'étonnement et d'échapper « éternellement à la règle et à l'analyse de l'École ». Pour sauvegarder la jouissance provoquée par l'étonnement, il faut que soit sauvegardée la « variété des types et des sensations », sans quoi « tous les types, toutes les idées, toutes les sensations se confondraient dans une vaste unité, monotone et impersonnelle, immense comme l'ennui et le néant ». Baudelaire insiste fréquemment sur cette idée que « le Beau est toujours bizarre » parce que la beauté est intimement liée au milieu qui l'a produite, et que ce milieu lui-même peut être totalement étranger à nos mœurs. Aussi est-ce une prétention absurde de prétendre réglementer l'art, qui ne pourra jamais être « gouverné, amendé, redressé, par les règles utopiques conçues dans un petit temple scientifique quelconque de la planète, sans danger de mort pour l'art lui-même ». Pour juger l'œuvre d'art, la critique ne saurait donc être que relative, puisqu'il n'y a pas un Beau unique, mais des beautés toujours nouvelles, étroitement dépendantes des temps et des lieux.

Une des premières conséquences de cette conception relativiste du Beau est que le poète ne doit pas chercher à atteindre une beauté éternelle et absolue qui n'est qu'un mythe. Le poète doit se proposer comme but une beauté propre à son temps. « Chaque siècle, chaque peuple, a possédé l'expression de sa beauté. » Notre époque

> est aussi féconde que les anciennes en motifs sublimes... Puisque tous les siècles et tous les peuples ont eu leur beauté, nous avons inévitablement la nôtre... Toutes les beautés contiennent, comme tous les phénomènes possibles, quelque chose d'éternel et quelque

chose de transitoire, d'absolu et de particulier. La beauté absolue et éternelle n'existe pas, ou plutôt n'est qu'une abstraction écrémée à la surface des beautés diverses. L'élément particulier de chaque beauté vient des passions et comme nous en avons de particulières, nous avons notre beauté (1).

En fait, de ces deux aspects du Beau, l'éternel et le transitoire, c'est sur le second seulement qu'insistera Baudelaire. Sans doute, la *Beauté* qui se décrit dans la fameuse pièce XVII des *Fleurs du Mal*, pièce que Flaubert goûtait si fort, peut-elle exprimer l'idée que se faisait Baudelaire de cet aspect éternel du Beau. Mais avec combien plus de chaleur et de détails il est revenu sur les aspects modernes de la beauté, non seulement dans son ample éloge de Constantin Guys, mais à chaque occasion.

Dégager du quotidien, en apparence si plat et si prosaïque, le « merveilleux qui nous enveloppe et nous abreuve comme l'atmosphère » (2), tel est le programme infiniment riche que réaliseront non seulement Baudelaire, mais aussi l'Aragon du *Paysan de Paris*, l'André Breton de *Nadja*. Comme le vrai peintre, le véritable écrivain sera celui qui « saura arracher à la vie actuelle son côté épique » (3). Ainsi « tout poète véritable doit être une incarnation » (4) de son temps et renvoyer « sur la même ligne en vibrations plus mélodieuses la pensée humaine qui lui fut transmise ». Non seulement il aura « les pieds ici », mais loin d'avoir « les yeux ailleurs » (5), il cherchera à saisir ce qu'il y a de plus particulier dans l'âme de son époque.

C'est d'après cette conception que Baudelaire accuse le Romantisme d'avoir failli à sa tâche. Au lieu de déclamer ses phrases harmonieuses en brodant sur les thèmes les plus largement humains, au lieu de rechercher la couleur locale exacte, au lieu d'inventer des sujets extérieurs à leur être intime, les poètes romantiques auraient dû chercher au-dedans d'eux cette manière nouvelle de sentir qui est le plus sûr objet de la poésie : « Pour moi, le Romantisme est l'expression la plus récente, la

(1) *Salon de 1846*, XVIII ; *De l'Héroïsme de la Vie moderne*, p. 133.
(2) *Ibid.*, p. 135.
(3) *Salon de 1845*, p. 54.
(4) *L'Art romantique : Pierre Dupont*, p. 404.
(5) Cf. Hugo, *Fonction du poète* (*Les Rayons et les Ombres*, I).

plus actuelle du Beau..., le Romantisme consistera dans une conception analogue à la morale du siècle... Qui dit Romantisme dit art moderne — c'est-à-dire intimité, spiritualité, couleur, aspiration à l'infini (1). »

C'est au nom de cette conception encore qu'il blâme, non seulement cet *éclectisme* d'âme qui exclut toute forte personnalité comme base de l'œuvre d'art, mais les Parnassiens, dans la mesure où « la puérile utopie de l'école de *l'Art pour l'Art*, en excluant la morale, et souvent même la passion, était nécessairement stérile » (2). C'est ainsi qu'il déclare, à propos de son ami Théodore de Banville, que « même dans la poésie idéale, la Muse peut, sans déroger, frayer avec les vivants... Un oripeau moderne peut ajouter une grâce exquise, un mordant nouveau... à sa beauté de Déesse » (3). Il condamne ainsi *l'art païen*, qui nie le Christianisme, d'où sont nés, quoi qu'en puissent penser incrédules ou indifférents, les plus grands drames de l'âme moderne (4)... Celle-ci voyant s'accroître en elle de jour en jour la « part infernale », l'art moderne « a une tendance essentiellement démoniaque ».

Par contre, rien n'est plus loin de la conception de Baudelaire que de donner au poète une mission civilisatrice et moralisante et de le voir se mêler aux luttes politiques ou sociales de son temps. L'art à thèse est un ennemi qu'il ne cessera de combattre.

> Absurdité ! Éternelle et incorrigible confusion des fonctions et des genres ! Une véritable œuvre d'art n'a pas besoin de réquisitoire. La logique de l'œuvre suffit à toutes les postulations de la morale, et c'est au lecteur à tirer les conclusions de la conclusion (5)...
>
> Une foule de gens se figurent que le but de la poésie est un enseignement quelconque, qu'elle doit tantôt perfectionner la conscience, tantôt perfectionner les mœurs, tantôt enfin démontrer quoi que ce soit d'utile... La poésie n'a d'autre but qu'Elle-même ; elle ne peut pas en avoir d'autre, et aucun poème ne sera si grand, si noble, si véritablement digne du nom de poème, que celui qui aura été écrit uniquement pour le plaisir d'écrire

(1) *Salon de 1846*, p. 65-66.
(2) *L'Art romantique*, p. 403.
(3) *L'Art romantique : Théodore de Banville*, p. 549.
(4) *Ibid.*, *L'Ecole païenne*, p. 422.
(5) *L'Art romantique : Madame Bovary*, p. 446.

> un poème... La poésie ne peut pas, sous peine de mort ou de déchéance, s'assimiler à la science ou à la morale ; elle n'a pas la vérité pour objet, elle n'a qu'Elle-même (1).

Et Baudelaire d'approuver hautement le Gautier de *Mademoiselle de Maupin*, et le *dilettantisme* de l'auteur, indifférent à toute propagande moralisante (2), tandis qu'il blâme toute poésie philosophique d'intention, qui, du dehors, impose au lecteur une attitude philosophique qui devrait lui être suggérée du dedans : « La poésie philosophique est un genre faux (3). » C'est trahir sa mission de poète que de croire, comme A. Barbier que « le but de la poésie est de répandre les lumières parmi le peuple » (4). La littérature sous sa forme la plus haute, et la poésie en particulier, ne doivent donc ni prôner une thèse, ni moraliser, ni philosopher, ni instruire.

Est-ce à dire que la beauté artistique ne soit susceptible de rien enseigner ? Certes non ! Le Beau a par lui-même un immense pouvoir d'élever l'homme au-dessus de lui-même ; l'émotion poétique n'est qu'un appétit de l'au-delà, d'un monde plus parfait et « c'est à la fois par la poésie et *à travers* la poésie... que l'âme entrevoit les splendeurs situées derrière le tombeau » (5).

Ce but sacré de l'art, il ne l'atteindra jamais par le Réalisme. Sans doute Baudelaire exprime souvent son admiration pour le génie de Balzac, mais il admire en lui le puissant génie constructeur, non l'observateur. Balzac ne lui semble ni le chef ni le précurseur de l'école réaliste. C'est à Champfleury et à ses amis que s'adressent ses sarcasmes ou ses protestations. Le Réalisme pur lui semble la négation même de l'art. Copier la nature n'est pas le rôle de l'artiste ; tout au plus peut-il en faire des « extraits divers », « l'interpréter dans une langue plus simple et plus lumineuse » (6). Mais plutôt « la première affaire d'un

(1) *L'Art romantique : Théophile Gautier*, p. 466 ; le passage est repris dans *Notes nouvelles sur Edgar Poe.*

(2) *Ibid.*, p. 465.

(3) *Art romantique : A propos du* Prométhée délivré *de Monsieur de Senneville*, p. 380.

(4) *Ibid.*, sur *A. Barbier*, p. 533.

(5) *Ibid.*, sur *Théophile Gautier*, p. 466.

(6) *Salon de 1846*, p. 79.

artiste est de substituer l'homme à la nature et de protester contre elle » (1). L'art « diminue le respect de lui-même (s'il) se prosterne devant la réalité extérieure ».

Cette attaque du Réalisme est fondée sur des bases philosophiques que Baudelaire expose dans son *Salon de 1859* (2). D'abord, dit-il, « la nature est laide et je préfère les monstres de ma fantaisie » ; d'autre part, cette nature extérieure a-t-elle plus de réalité que le produit de mon imagination ? Enfin, est-il possible de connaître « toute la nature, tout ce qui entre dans la nature » ? Il n'admettrait qu'un Réalisme tout intérieur, qu'il limite par la définition suivante : « L'artiste, le vrai artiste, le vrai poète, ne sait peindre que selon ce qu'il voit et ce qu'il sent. Il doit être réellement fidèle à sa propre nature. »

C'est que l'objet de l'art est, aux yeux de Baudelaire, tout intérieur et par conséquent essentiellement individuel. « Toute floraison est spontanée, individuelle... L'artiste ne relève que de lui-même » (3). S'il est vrai que « le génie n'est que l'enfance retrouvée » (4), l'art ne peut avoir sa source et trouver sa loi que dans ce qu'il y a chez l'homme de plus intime et de plus strictement individuel. L'art, « suivant la conception moderne », ce sera « créer une magie suggestive contenant à la fois l'objet et le sujet, le monde extérieur à l'artiste et l'artiste lui-même » (5). Encore ces deux éléments ne seront-ils pas égaux : la personnalité de l'artiste devra s'imposer à son objet, l'assimiler et, loin de s'en faire l'esclave, loin de s'effacer devant lui, comme le voudraient les réalistes, la transformer en l'interprétant.

D'une manière générale, d'ailleurs, l'imagination doit l'emporter sur l'observation. C'est l'imagination qui est la faculté essentielle du grand artiste : première des facultés, elle recrée le monde selon un plan nouveau. L'univers visible est à son service comme un magasin d'images et de signes ; il fournira à l'imagination les instruments nécessaires pour exprimer ce que le moi du poète a de plus secret et de plus unique. En face

(1) *Ibid.*, p. 115.
(2) P. 225.
(3) *Exposition universelle de 1855*, p. 149.
(4) *Curiosités esthétiques*, *Le Peintre de la vie moderne*, p. 331.
(5) *Ibid.*, *L'Art philosophique*, p. 367.

du « positivisme » qui veut « représenter les choses telles qu'elles sont, ou bien qu'elles seraient, en supposant que je n'existe pas », Baudelaire place « l'imaginatif » qui veut « illuminer les choses avec son esprit et en projeter le reflet sur les autres esprits » (1). Dans la confusion apparente du monde extérieur le poète apportera son ordre, celui de son esprit, qui, plus perspicace que les autres, peut saisir hors de lui et contient en soi l'ordre général de la nature ; c'est là une entreprise vraiment mystique, qui repose sur la croyance qu'il existe une réalité profonde, faite de rapports, derrière les apparences concrètes et morales (2). « Qu'est-ce qu'un poète ?... si ce n'est un traducteur, un déchiffreur... de l'*universelle analogie ?* » (3). Ces analogies, ces *correspondances*, dont le sonnet du même nom (Pièce IV des *Fleurs du mal*) expose la théorie, voilà la vraie réalité sur laquelle doit se pencher le poète ; seul son tempérament propre et essentiel lui permettra de les déchiffrer ; ce faisant, il utilisera la réalité profonde de l'univers, en même temps qu'il révélera l'essentiel de lui-même.

En effet, si la nature propre de l'imagination du poète se révèle forcément par le choix qu'il fait parmi le nombre infini de ces correspondances, celles-ci n'en sont pas moins une réalité : Baudelaire ne voit pas en elles un jeu pur de l'imagination poétique ; il les considère comme un fait capital de l'ordre universel. Ces correspondances sont doubles. D'une part, chaque notion abstraite, chaque idée a, dans le domaine de la réalité sensorielle un correspondant ; d'autre part, entre les différents domaines sensoriels il existe des correspondances précises. Le rôle du poète est d'abord de concevoir ces rapports invisibles au commun des hommes, et ensuite, d'utiliser un des termes, le concret, pour exprimer l'autre, l'abstrait, l'inexprimable en soi.

Pour réaliser ce programme, le poète devra méditer longuement. Il n'atteindra la beauté, qui sera sa vérité, que par la lente maturation de ses impressions premières, par l'approfondissement de sa personne intime. La « conception » sera « lente,

(1) *Ibid.*, p. 230.
(2) Voir sur toute cette question l'ouvrage capital de J. Pommier, *La Mystique de Baudelaire* (Les Belles Lettres, 1932).
(3) *L'Art romantique, Victor Hugo*, p. 521.

sérieuse, consciencieuse ». Le poète y apportera la rigueur et la « naïveté » qui caractérisent le travail scientifique. Le mot « inspiration » n'aura guère de sens pour lui. Cette découverte de soi et du monde ne peut être que le fruit d'un travail régulier et quotidien, et d'une sévère hygiène de l'intellect (1). Par contre, et pour garder dans l'œuvre écrite quelque chose de l'intensité de l'émotion du poète, l'exécution pourra être rapide et « preste ».

Ainsi, entre les romantiques, chez qui il critique l'étalage des caractères les plus communs de la personne humaine et la facilité superficielle, et les Parnassiens, qui lui semblent vouer à la forme un culte trop exclusif pour créer une poésie vraiment humaine et intime, Baudelaire construit une doctrine personnelle et féconde. L'objet de la poésie est, pour chaque génération, ce qu'il y a de plus moderne dans la sensibilité moderne, et pour chaque poète, ce qu'il y a de plus personnel en lui. Les regards du poète doivent être tournés sur lui-même, et s'il les reporte sur le monde extérieur, ce n'est que pour y trouver des moyens pour l'expression des états d'âme délicats qu'il a éprouvés, grâce à des images qui sont non un ornement poétique, mais une révélation sur la réalité profonde des choses. La poésie ne sera jamais l'instrument d'une idée philosophique, sociale, politique, morale qui ne ressortirait pas directement du texte poétique. La première place sera donnée à l'imagination, qui est révélatrice de la personne, non à l'observation, qui est anonyme. Dans ce qu'elle a de plus nouveau et de plus original, cette doctrine contient en germe la théorie du symbolisme.

(1) *L'art romantique : Conseils aux jeunes littérateurs*, VI, p. 388.

CHAPITRE IV

LES THÉORIES SYMBOLISTES

Verlaine, qui avait débuté à l'ombre du Parnasse, n'avança avec timidité quelques vues théoriques qu'après avoir subi l'influence de Rimbaud. De la fougue révolutionnaire et de l'illumination créatrice de son ami, il ne prit que ce qui s'accordait avec sa prudente sensibilité d'artiste. C'est vers 1871-73 qu'il écrivit son *Art Poétique* en réaction contre l'idéal parnassien, suggéré par les œuvres plutôt qu'exprimé par les théories. La poésie doit se rapprocher de la musique plutôt que de la sculpture ou de la peinture. Comme celle-là, elle doit suggérer, non peindre ou figurer les lignes ou les formes ; les mots, loin de prétendre à l'exactitude qui serait l'idéal de la prose descriptive ou analytique, ne doivent pas être employés « sans quelque méprise » ; c'est dans le halo d'un mot d'apparence inexacte que réside la puissance poétique. La rime doit renoncer à sa richesse trop agressive pour se contenter d'un à peu près qui touche l'oreille sans la frapper ; et les vers, par le nombre impair de leurs pieds, doivent laisser dans l'esprit quelque insatisfaction. La nuance seule en somme, le flou et le flottant, sont les moyens de l'art parce que l'objet de la poésie est non pas l'idée claire, le sentiment précis, mais le vague du cœur, le clair-obscur des sensations, l'indécis des états d'âme. Ces notions, que l'intelligence seule, ou la représentation concrète, sont incapables de décrire ne peuvent qu'être suggérées.

Cet *Art Poétique*, publié en 1884 seulement, était plutôt l'exposé des moyens employés par Verlaine que l'annonce d'une théorie nouvelle de la poésie. D'ailleurs Verlaine se trouva vite submergé par la marée montante du symbolisme dont il n'approuva ni les libertés de versification ni l'ardu travail d'expression.

La *Saison en Enfer* de Rimbaud, écrite en 1873, propose une méthode poétique infiniment plus audacieuse que celle de Verlaine et dont la portée devait être beaucoup plus grande, d'autant plus grande peut-être, que le poète a négligé de l'appliquer et a laissé la porte ouverte à toutes les utilisations des procédés qu'il recommandait. Dans son audacieuse ambition, il se flatte « d'inventer un verbe poétique accessible, un jour ou l'autre, à tous les sens » et de noter « l'inexprimable » ; cette « alchimie du verbe » suppose une hallucination sensorielle, dont « l'hallucination des mots » ne serait que la traduction. Réciproquement, les inventions verbales auraient le pouvoir monstrueux de « changer la vie », c'est-à-dire de créer non seulement un nouvel aspect des choses, mais un monde nouveau : « Des êtres parfaits, imprévus, s'offriront à tes expériences... Ta mémoire et tes sens ne seront que la nourriture de ton impulsion créatrice. » Jamais programme plus noble n'avait été proposé au poète, jamais les limites de la puissance poétique n'avaient été reculées aussi loin. Le poète reprenait à bon droit, qui eût écouté ces conseils, le titre primitif de « fabricateur », de « créateur ». Jamais le verbe n'avait plus audacieusement prétendu retrouver sa fonction divine. Mais ce texte ne fut connu qu'en 1892, au moment même où l'évolution de la poésie française en rendait plus assimilables les leçons.

Ainsi la réforme de la poésie impliquait une réforme de la sensibilité, de la vision. Le *Poète* devait devenir le *Voyant* « par un long, immense et déraisonné dérèglement de tous les sens ». Mais la réalité la plus immédiate devait aussi lui offrir une nouvelle source d'inspiration, à condition non plus de la dépasser en transformant une « usine » en « mosquée », mais de choisir dans cette réalité ce dont aucun poète n'avait encore aperçu la valeur poétique :

> J'aimais les peintures idiotes, dessus de portes, décors, toiles de saltimbanques, enseignes, enluminures populaires ; la littérature démodée, latin d'église, livres érotiques sans orthographe, romans de nos aïeules, contes de fées, petits livres de l'enfance, opéras vieux, refrains niais, rythmes naïfs (1).

(1) *Une saison en enfer*, Délires, II.

Par lui un nouveau monde poétique se révélera, celui-là même auquel, auparavant, la poésie semblait le plus étrangère.

D'autre part, l'instrument premier du verbe poétique, le mot lui-même, jadis simple signe sans valeur autre qu'évocatrice de l'objet, deviendra une réalité concrète, colorée par ses voyelles, animée par ses consonnes. C'était là restituer au premier élément de l'art littéraire sa valeur propre et attirer l'attention sur le vocable, vraie réalité de la poésie, trop souvent utilisé comme instrument docile et sans valeur propre, au profit de la Pensée ou de l'Émotion. C'était réintroduire le mystère dans les mots, alors que le Romantisme ne l'avait introduit que dans les choses. D'ailleurs, dès 1886, la revue *Le Symbolisme*, fondée par G. Kahn et Moréas, exprime avec netteté cette idée que le travail poétique consistera à transcender le réel selon un tempérament. Baudelaire devient le grand maître, Villiers de l'Isle-Adam le modèle d'une attitude vraiment poétique, c'est-à-dire idéaliste et transcendante, en face du positivisme triomphant de l'école réaliste et naturaliste. La musique de Wagner et la nouvelle peinture offrent aux poètes des indications et des modèles ; les musiciens contemporains ne cherchaient plus tant à exprimer par la voix humaine les émotions directes qu'à suggérer par l'orchestre des états d'âme et des idées cosmiques ; la peinture se détachait de la reproduction traditionnelle de la réalité pour la déformer vers le rêve (Carrière) ou la stylisation (Puvis de Chavannes) ou pour n'y voir qu'un prétexte à jeux de couleurs (impressionnistes).

La poétique de Mallarmé, vaguement conçue dès ses premières poésies, ne trouva son expression qu'après son arrivée à Paris, en 1871. Mais on peut en trouver l'image dans son court poème *Toute l'âme résumée...* où l'auteur conseille au poète d'exclure « le réel parce que vil... », comme le fumeur fait tomber la cendre de son cigare pour le faire brûler « savamment » et en laisser échapper la fumée, image d'une poésie légère et presque immatérielle. Mais c'est dans le volume où se trouvent réunis sous le nom de *Divagations* (1896) divers articles, divers extraits de conférences, que nous trouvons, épars, les éléments essentiels de la doctrine mallarméenne.

« Donner un sens plus pur aux mots de la tribu » (1), telle est la première fonction du poète. « Faire rendre à l'instrument national tels accords neufs mais reconnus, innés », voilà ce qui « constitue le poète dans l'extension de sa tâche ou de son prestige » (2). Sans forger de mots nouveaux — le vieux rêve de Ronsard est aboli — le poète doit détourner les mots courants de leur sens traditionnel, en mettant en lumière, parmi leur sonorité complexe, telles harmoniques non encore isolées, mais cependant pressenties. Cette opération ne pourra s'effectuer que grâce à l'éclairage particulier du mot par le vers. Le mot isolé ne saurait jamais prendre une valeur nouvelle ; c'est le contexte qui l'incline vers tel ou tel prolongement. Mallarmé regrette que les mots ne puissent donner leur sens par leur seule sonorité. Mais c'est

> le vers qui de plusieurs vocables fait un mot total, neuf, étranger à la langue et comme incantatoire... niant, d'un trait souverain, le hasard demeuré aux termes malgré l'artifice de leur retrempe alternée en le sens et la sonorité et vous cause cette surprise de n'avoir ouï jamais tel fragment ordinaire d'élocution, en même temps que la réminiscence de l'objet nommé baigne dans une neuve atmosphère (3).

Par le jeu des images, telle des innombrables possibilités d'un mot sera isolée. Aussi bien le vers lui-même n'est-il pas l'exacte cohérence des images et des sons, qu'un seul mot plus long mais plus simple que le mot isolé ; sa signification est à la fois plus riche et plus étroite, plus précise et plus suggestive : « Le vers n'étant autre qu'un mot parfait, vaste, natif, une adoration pour la vertu des mots (4) ».

Le vers donc doit être sauvé et Mallarmé résiste de toutes ses forces à la montée du vers-librisme. Loin de dissocier les éléments du vers, loin d'en assouplir les règles, loin d'en amollir la structure, il prétend le durcir et le contraindre ; son but à lui et à ses amis, c'est de « resserrer une bonne fois, avant de le

(1) *Le Tombeau d'Edgar Poe.*
(2) *Divagations, Quelques médaillons, Tennyson vu d'ici.*
(3) *Ibid., Crise de vers.*
(4) *Ibid., Villiers de l'Isle-Adam.*

léguer au temps, en condition excellente, avec l'accord voulu et définitif, le vieil instrument parfois faussé, le vers français ». D'où sa reconnaissance à l'égard du Parnasse, et de Banville en particulier, pour l'inébranlable volonté qu'il a montrée à sauvegarder la prosodie la plus rigoureuse, à jouer « un jeu officiel ou soumis au rythme fixe » ; il proteste contre la tendance de certains de ses contemporains à dissoudre « en quelque chose d'identique au clavier primitif de la parole, la versification » (1).

Or, l'âme du vers, c'est la rime, c'est la loi de la versification, non le contenu, le sujet. « Tout poème composé autrement qu'en vue d'obéir au vieux génie du vers, n'en est pas un (2). » Sans doute, avant la rédaction du poème, l'auteur peut « posséder et établir une notion du concept à traiter, mais indéniablement pour l'oublier dans sa façon ordinaire et se livrer ensuite à la seule dialectique du Vers ». C'est le vers qui force « les mille éléments de beauté » à « s'ordonner dans leur valeur essentielle » ; c'est lui le « numérateur divin de notre apothéose » qui « emprunte pour y aviver un sceau, tous gisements épars ignorés et flottants selon quelque richesse, et les forger ». Mais encore faut-il que s'établisse entre les vers cette continuité qui empêche l'un de s'isoler, et de « demeurer péremptoirement », et c'est la rime qui assure cette « identité de deux fragments consécutifs remémorée extérieurement par une parité dans la consonance » ; c'est la métrique aussi qui « affine à une expression dernière » le langage de la prose (3).

Établissant dans *Crise de Vers* la situation actuelle de la versification française, Mallarmé signale d'abord l'incertitude poétique de la fin du XIXe siècle ; il semble que Hugo ait été le dernier mainteneur de la stricte versification et qu'après sa mort, sous l'influence de Verlaine, on se soit lassé de la rigidité traditionnelle de la versification française et qu'on ait tenté des innovations ; les uns simulent une versification impeccable dans sa lettre sinon dans sa pensée, et en brisent l'armature intime ; les autres, comme H. de Régnier et Laforgue, échappent

(1) *Ibid.*
(2) *Ibid., Crayonné au théâtre, Solennité.*
(3) *Ibid.*

avec prudence aux lois du vers en choisissant les vers impairs de onze ou treize syllabes, en admettant l'hiatus, sans se priver parfois de laisser éclater la perfection de l'alexandrin traditionnel, d'autant plus frappante qu'elle est préparée par l'irrégularité des vers précédents. Mais ces violations même de la tradition en supposent le respect, en l'exagérant même, comme si la forme en était si sacrée que l'usage en doive être exceptionnel. D'autres, au contraire, se libèrent totalement, par le vers blanc, dont Mallarmé n'admet l'emploi que pour les nuances de l'émotion personnelle.

Cependant toutes les écoles modernes ont ceci de commun, que Mallarmé approuve et recommande, qu'elles adoptent un

> idéalisme qui (pareillement aux fugues, aux sonates) refuse les matériaux naturels, et, comme brutale, une pensée exacte les ordonnant ; pour ne garder de rien que la suggestion. Instituer une relation entre les images exactes, et que s'en détache un tiers aspect fusible et clair présenté à la divination... Abolie, la prétention, esthétiquement une erreur, quoiqu'elle régît les chefs-d'œuvre, d'inclure au papier subtil du volume autre chose que par exemple, l'horreur de la forêt, ou le tonnerre muet épars au feuillage : non le bois intrinsèque et dense des arbres. Quelques jets de l'intime orgueil véridiquement trompetés éveillent l'architecture du palais, le seul habitable ; hors de toute pierre, sur quoi les pages se refermeraient mal.

La poésie doit donc n'être ni descriptive ni narrative, mais suggestive. Parler en poète, c'est « se contenter de faire une allusion » aux choses « ou de distraire leur qualité qui incorporera quelque Idée ». Le lecteur n'a pas à être conduit par la main au lieu précis de la pensée du poète ; à lui de trouver l'idée incluse au champ brumeux du poème, et de se laisser conduire par d'imperceptibles indices en un des lieux où une pensée vague parce que complexe se cache ou s'épanouit. Chacun, suivant son imagination, son âme, son temps ou son milieu, trouvera ce qui lui convient de cette multiple idée, et le lecteur sera devant le poème comme l'auditeur devant la musique.

La poésie n'est cependant pas assimilable à la musique, en ce sens que le Verbe est « plus massivement lié » à la nature, parce que nul ne peut oublier la valeur habituelle du mot, parce que tout mot comporte un contenu matériel : « La Poésie, ou ce que les siècles commandent tel, tient au sol, avec foi, à la poudre que tout demeure » ; mais elle doit secouer cette poussière matérielle en en dépouillant les mots, pour s'élancer, par cette « *divine transposition* », vers l'idéal. Sa matière sera, d'ailleurs, aussi peu extérieure que possible à la sensibilité ou à l'imagination la plus secrète du poète. Le poète moderne fuira le fait anonyme, la légende déjà sclérosée par la tradition ; il ne cherchera pas non plus à inventer ; mais élucidera ses plus intimes mouvements, pliant sans scrupules aux particularités de son âme les légendes et les faits.

La doctrine de Mallarmé contient trois éléments distincts et parfois contrariés ; le mot, ou le vers, en soi comporte une valeur musicale propre ; l'objet n'est désigné que par une image allusive ; la matière du poème est une Idée, c'est-à-dire, une notion abstraite, intellectuelle ou émotive. Ces trois points sont à la base de la poésie moderne, mais, à l'époque où Mallarmé la dégagea — sans force et sans netteté — entre 1870 et 1885, ils ne suffirent pas à donner des directives à une école. Ces vagues linéaments de doctrine ne prirent corps qu'après 1885 et ne portèrent leur fruit qu'après 1890.

Les jeunes écrivains qui acceptèrent, autour de 1880, le nom, injurieux d'abord, de *Décadents*, eurent comme traits communs un anarchisme intellectuel et moral plus qu'une doctrine proprement littéraire ; leur doctrine d'art fut surtout le reflet de cet anarchisme destructeur ; sur un seul point, ils réclament une nouveauté positive : le poète peut créer tous les néologismes qu'il veut. Innovation théorique dont l'application abusive caractérisa vite les Décadents au point de leur interdire une influence durable.

L'école symboliste naquit en 1886, du jour où Moréas publia dans le supplément littéraire du *Figaro*, le 18 septembre de cette année-là, une lettre qui, en proposant le mot, contenait une définition de la chose, et fut considérée comme le premier manifeste du Symbolisme.

Moréas, négligeant la multitude des tentatives poétiques qui florissaient depuis quelques années, propose une conception poétique qui prenne la place du Parnasse, comme celui-ci avait succédé au Romantisme. Il pose comme maîtres Baudelaire, Mallarmé, Verlaine, le premier parce qu'il est le « véritable précurseur », le second parce qu'il a définitivement doué la poésie du « sens du mystère et de l'ineffable », le troisième parce qu'il a « brisé les cruelles entraves du vers ». Opposant d'abord la poésie nouvelle, telle qu'il la concevait, aux habitudes antérieures de la poésie, il la montre « ennemie de l'enseignement, de la déclamation, de la fausse sensibilité, de la description objective » ; la poésie est au service de l'Idée — non de la Pensée — Idée qui doit s'exprimer uniquement par des « analogies extérieures ». En effet, le symbolisme doit se garder de deux côtés ; il ne doit ni représenter l'objet extérieur pour lui-même, ni exprimer ni même concevoir « l'Idée en soi ». Les « phénomènes concrets » sont de « simples apparences sensibles destinées à représenter leurs affinités ésotériques avec des Idées primordiales ».

Le Symbolisme se posait donc avant tout comme un idéalisme qui utilisait, pour s'exprimer en forme d'art, les « correspondances » chantées par Baudelaire, entre le monde concret et le monde abstrait, et celles qui existent entre les différents domaines sensoriels du monde concret.

En ce qui concerne la langue, Moréas s'oppose aux décadents en réclamant l'emploi de la « bonne langue — la bonne et luxuriante et fringante langue française d'avant les Vaugelas et les Boileau-Despréaux » ; mais il laisse au style une grande liberté ; il le veut « archétype et complexe... la période qui s'arc-boute alternant avec la période aux défaillances ondulées, les pléonasmes significatifs, les mystérieuses ellipses, l'anacoluthe en suspens, trope hardi et multiforme ». Quant au rythme : « l'ancienne métrique avivée ; un désordre savamment ordonné ; la rime illucescente et martelée... auprès de la rime aux fluidités absconses ; l'alexandrin à arrêts multiples et mobiles ; l'emploi de certains nombres impairs : 7, 9, 11, 13, résolus en les diverses combinaisons rythmiques dont ils sont les sommes. » C'était, en ce qui concerne la forme, joindre les leçons de Banville à celles de Verlaine, et mettre leurs procédés unis au service de l'idéalisme mallarméen.

Anatole France réduisit ce manifeste, dans la critique qu'il en fit, à une seule loi : « ne rien décrire et ne rien nommer », et il dénonça l'obscurité qui en résulterait forcément.

Quelques semaines après le manifeste de Moréas, paraissait la revue *Le Symboliste*, qui n'eut que quatre numéros, mais contribua à répandre et à imposer le terme de symboliste. Quant à Moréas, malgré son manifeste, qui faisait de lui le chef de la nouvelle école, et quoiqu'il fût rédacteur en chef de l'éphémère revue, il publia, en 1891, dans *Le Figaro*, une lettre où l'on peut voir un manifeste de l'École romane, qui parut d'abord une ramification du mouvement symboliste, mais qui, en fait, le désertait. Moréas y rattache la nouvelle tendance à la tradition gréco-latine et moyenâgeuse, du XIe siècle à La Fontaine. Le Romantisme n'est qu'une altération maladive de cette tradition, la seule authentique, comme le Parnasse et le Symbolisme, ses enfants. Il réclame « une poésie franche, vigoureuse, et neuve en un mot, ramenée à la pureté et à la dignité de son ascendance ».

Mais le Symbolisme était loin d'être mort, et, à ne considérer même que le domaine de la théorie, n'avait pas donné tous ses fruits. Du Symbolisme de Moréas se détachait, en 1886, celui de René Ghil, fondateur de l'École *Symboliste et instrumentiste*, devenue école *évolutive-instrumentiste.*

Nous avons vu que le mouvement symboliste était caractérisé en partie par l'attribution au mot en soi d'une valeur propre, musicale et évocatrice, qui s'ajoutait, et parfois s'opposait à la valeur du mot comme signe idéologique. Le poète s'efforçait de rivaliser avec le musicien par la puissance évocatrice de son art ; mais aucun d'eux avant René Ghil, n'avait établi la théorie de cette méthode poétique. Celui-ci, dans son *Traité du Verbe* (1), repris et complété en 1891, puis en 1901 sous le nom de *En Méthode à l'œuvre*, en a audacieusement tenté la justification scientifique.

Le premier principe de la théorie de Ghil est l'idée d'*évolution*. Ce n'est pas une mince entreprise que de ramener à des

(1) Paru en 1886 précédé d'un *Avant-dire* de Mallarmé.

idées claires et à des expressions compréhensibles pour le lecteur la pensée et le style de cet esthéticien. Aussi bien négligeons dans cette *Méthode* le chapitre initial intitulé le *Principe de Philosophie évolutive ;* il faudrait, pour l'exposer, plus de place que n'en méritent ces fumeuses incohérences ; Ghil est plus précis et plus intéressant dans le chapitre suivant : *Manière d'art. — L'Instrumentation verbale.*

L'œuvre poétique, selon lui, n'a de valeur qu'en tant « qu'elle se prolonge en suggestion des lois qui ordonnent et unissent l'Être-total du monde, évoluant selon de mêmes *Rythmes* ». Ce qui implique deux idées ; que la poésie doit n'être que le fruit particulier des lois générales de l'univers — et cela consciemment ; et que cette loi essentielle est un rythme. « La matière n'est pas..., elle devient. » L'art, comme elle, doit être avant tout mouvement, passage, et traduction de mouvement. La musique instrumentale est l'art le plus apte à traduire ce perpétuel devenir de l'émotion ; la poésie doit l'imiter. Elle le peut, parce que les voix sont, en fait, des instruments musicaux avant tout autre chose, par les voyelles et les consonnes. Ghil veut donc créer l' « instrumentation verbale », et réintégrer ainsi « la valeur phonétique de la langue ».

> Donc devons-nous admettre la langue poétique seulement sous son double et pourtant unique aspect, phonétique et idéographique, et n'élire au mieux de notre recréateur désir que les mots où multiplient les uns ou les autres des timbres vocaux : les mots qui ont, en plus de leur sens précis, la valeur émotive en soi, du Son, et que nous verrons spontanément exigés en tant que sonores par la pensée, par les Idées, qui naissent en produisant de leur genèse même, leurs musiques propres et leurs *Rythmes.*

Mais en fait, c'est le contenu phonétique des mots qui importe surtout au poète, non seulement par la musique pure que le poète peut créer en les faisant jouer dans son vers, mais encore parce qu'il existe un rapport, trop oublié d'une humanité trop intellectualisée, entre la valeur sonore du mot et divers ordres de sentiments et d'idées. Le langage, considéré à ce point de vue, a été successivement et est encore à la fois « un développement multiple et varié du *Cri* et un développement complexe et évoluant du *Rythme* qui s'harmonisent en le processus de l'*Idée* ». L'Idée, c'est-à-dire un aspect, fragmentaire mais implicateur de l'ensemble, de l'ordre ou du rythme du monde. Le véritable « organisme poétique » doit concevoir « le monde, spontanément et en immanence, à travers des sons qui parlent ».

Ghil est amené à présenter un classement des consonnes et des voyelles, d'après les analogies de leurs évocations. C'est ainsi, pour prendre un exemple, que le son â, a, aï, ai, correspondent au vermillon dans l'ordre des couleurs, les consonnes H, R, S, V, aux « séries hautes des Sax » dans l'ordre des instruments, et, dans l'ordre des émotions, aux « tumultes, gloires, ovations », à « l'instinct de détruire, de triompher », au Vouloir, à l'Action. Mille combinaisons s'établissent ainsi dans les jeux vocaux.

Quant au vers, Ghil critique le « sentiment simpliste qu'on eut du rythme : sentiment du retour régulier et équidistant d'une division numérique dans un mouvement quelconque ». Les valeurs quantitatives, les « signes numéraux », qui constituaient le fondement de l'alexandrin traditionnel — celui des romantiques ou des Parnassiens comme celui des classiques — doivent être remplacés par l' « évoluant dessin du *rythme* ». Le Rythme poétique n'est pas pour René Ghil simple jeu d'intonation ; c'est la traduction littéraire d'un mode du devenir universel ; le *Rythme* est « immanent à la matière qui devient ». Ses périodes seront plus ou moins denses ou espacées, accentuées ou aplaties, en tenant compte uniquement de la nature de l'émotion ou de l'Idée ; il ignorera volontairement les symétries arbitraires de la versification traditionnelle.

> Musicien de la masse des mots-instruments..., nous ne savons, selon les thèmes ou grands leit-motiv de la Pensée, que leur évolution à travers la diversité par eux-mêmes mesurée, et mis à leurs plans, l'évolution de thèmes secondaires : précipitant en une Action, en un drame multiplement et pourtant unanimement sonnant, non seulement toutes périodes, mais tous poèmes de livre, tous livres de l'Œuvre.

La rime, utile pour marquer le terme de l' « unité de durée », qui est le vers véritable, quelle que soit sa longueur, pourra être supprimée si ce terme doit être plutôt effacé que souligné. Cette rime se répercutera en échos dans le vers, créant ainsi l'atmosphère musicale. D'une manière générale, les timbres vocaux seront harmonisés en vue d'une homogène impression.

René Ghil paraît mêler dans sa *Méthode* le confusionisme métaphysique et la minutie phonétique ; néanmoins cette *Méthode* représente un important essai pour systématiser les tendances verbales et prosodiques de l'école symboliste, un effort méritoire pour trouver, à la base des constructions instinctives d'un Verlaine, des tentatives musicales et des symboles de Mallarmé, les fondations rationnelles et logiques d'une philosophie. René Ghil — avec combien de lourdeur et de pédantisme ! — poursuit et pousse à ses dernières limites théoriques les divinations de Baudelaire et de Rimbaud en ce qui concerne la valeur d'art du mot, et de ses éléments, voyelles et consonnes.

Après les tentatives de Rimbaud dans ses *Illuminations*, et le manifeste de Moréas, le *vers libre* apparaissait comme une des principales conquêtes du Symbolisme. Certains critiques (1), affectaient même de voir là sa principale innovation, son « apport le plus net ». Mais ce n'est qu'en 1897 que fut solidement établie la doctrine du vers libre, par Gustave Kahn, dans la préface d'une nouvelle édition de ses *Palais nomades*.

Gustave Kahn justifie d'abord le principe même d'une innovation dans le domaine de la technique artistique. Les formes de l'art doivent évoluer, puisqu'elles sont chose proprement humaine et que l'humanité évolue dans le temps ; parce que sa sensibilité, en particulier, évolue. « Les formes poétiques se développent et meurent... elles évoluent d'une liberté initiale à un dessèchement, puis à une inutile virtuosité. » Mais l'évolution humaine est lente et continue ; or, le remplacement de la versification traditionnelle par le vers libre constitue non une évolution, mais une révolution. C'est que, dans les formes

(1) Gustave Kahn, *Etudes*, la *Littérature des jeunes et son orientation actuelle*, p. 384.

d'art, l'évolution n'est pas possible. En effet, le goût du public reste longtemps fidèle aux formes traditionnelles qui ne répondent plus à la sensibilité des jeunes générations d'artistes, et, par son autorité, interdit ou brime leurs velléités de transformation. Si bien que la forme ancienne continue d'être utilisée longtemps après qu'elle a cessé de correspondre à la sensibilité nouvelle. Tout au plus essaie-t-on de corriger cette forme par des retouches timides, qui en atténuent la rigidité et s'efforcent de tenir compte des besoins nouveaux d'une oreille déjà évoluée ; dans le domaine du vers, ces retouches ont été effectuées successivement par les romantiques, par Banville, par Verlaine, par Rimbaud avant les *Illuminations*. Ils ont créé le vers libéré ; ils n'ont pas créé le *vers libre*. Ils gardent « l'*ancienne* rythmique ». Il est donc légitime que l'évolution artistique se fasse par « secousses » brusques et que, dans ce domaine au moins, la nature procède par sauts.

Mais la lenteur de l'évolution poétique est un fait. Le vers de Banville, celui même de Rimbaud, sont tout proches de ceux de Malherbe. Cela vient de la pauvreté de la « réflexion esthétique » antérieure, et de ce qu' « on a négligé de s'enquérir de l'unité principale » du vers. Nous avons remarqué, en effet, combien, depuis 1550, les études esthétiques sur la nature du vers français restaient en général pauvres et superficielles, même chez les esprits les plus pénétrants dans le domaine de l'esthétique littéraire.

Qu'est-ce que le vers ? se demande Gustave Kahn. C'est, selon lui, « un fragment, le plus court possible, figurant un arrêt de voix et un arrêt de sons ». Cet arrêt, c'est la diverse puissance du souffle humain selon les émotions, la diverse ampleur du mode de pensée, qui doivent seuls les imposer. Chaque poète doit donc, à chaque fois, dans chaque poème, dans chaque élément d'un poème, se créer son rythme particulier. Loin d'être plus rigoureusement et plus extérieurement discipliné que la prose, la poésie ne reçoit sa discipline, chaque fois particulière, que d'elle-même. Idée capitale qui est l'aboutissement normal de l'évolution du vers romantique (1). Mais la difficulté d'un

(1) Cf. mon *Romantisme français*, ch. VIII, pp. 118 à 122.

nouvel idéal vient corriger ce que cette libération définitive et totale du vers pouvait autoriser de laisser-aller prosaïque : le poète doit accorder à la musique tout ce qu'il peut désormais refuser à la discipline extérieure de la versification traditionnelle.

Est-ce à dire que le théoricien du vers libre interdise l'emploi de l'alexandrin classique — c'est-à-dire aussi bien romantique ou mallarméen que proprement classique ? Non pas : l'alexandrin, intervenant parfois dans la suite des vers libres, prendra toute sa valeur par l'opposition de sa rigueur et de la fluidité où il baignera.

Cette musique du vers libre sera avant tout un rythme, et non un jeu de sons musicaux ; ce rythme ne saurait être fondé sur des accents toniques que diverses causes phonétiques et historiques ont effacé de notre langage. Mais ces accents sont remplacés par l' « accent d'impulsion » de la phrase — et non du mot. En français, c'est la phrase, et non le mot, qui est accentuée. Cet « accent d'impulsion » sera donné à la phrase par l'émotion qu'elle exprime. Il constituera la véritable unité non seulement du vers libre, de la strophe ou du verset, mais du poème entier. La vraie base de la rythmique est donc la « déclamation instinctive » et non le cadre artificiel d'une prosodie rituelle. La rime sera réduite à l'assonance : « Nous évitons le coup de cymbale à la fin du vers. » En effet, que servirait de marquer uniquement (1) le dernier mot, la dernière syllabe, d'un ensemble de sons dont l'unité vient d'un rythme auquel participent tous ses éléments ?

Quant à l'usage du vers libre, il semblait, à l'époque où écrivait Gustave Kahn, réservé à l'épanchement des sentiments intimes ; mais celui-ci prévoit, pour un avenir qu'il ne savait pas si proche, qu'une « grande œuvre viendra » pour montrer que cette forme poétique est capable d'exprimer tous les sentiments les plus vastes et les émotions les plus profondes et les plus larges. Claudel viendra en effet bientôt justifier cette prédiction.

(1) Banville ne prétendait-il pas que c'est la rime et la rime seule qui fait le vers ?

Chapitre V

CLAUDEL ET VALÉRY DOCTRINAIRES

Paul Claudel s'attache lui aussi à justifier l'emploi du vers libre, qu'il voit sous un aspect plus différent encore de l'alexandrin que René Ghil. Le vers doit reprendre contact avec son origine, qui est l'expression, comme d'un tout, d'une pensée, d'une émotion brusquement surgie à notre conscience. Or, nous ne pensons — au sens le plus général du mot — que « par intermittence » ; c'est cette rupture constante et naturelle dans le cours de nos pensées que doit rendre le poète, tandis que le prosateur doit, artificiellement, unir ces éléments primaires en un « bloc dont les éléments sont logiquement soudés ». D'où, en poésie, le rôle capital des « blancs », qui séparent pour l'œil, comme ils sont séparés dans le courant de notre vie psychique, les moments successifs de la pensée. Il faut laisser à chaque émission partielle le temps de « se coaguler à l'air libre suivant les limites d'une mesure qui permette au lecteur d'en *comprendre* d'un seul coup la structure et la saveur ». Ce temps, cette pause, ce vide lui laisseront la faculté de saisir comme un tout organisé ce fragment que la prose ne considérerait que comme un élément, un degré permettant le passage à un autre élément.

Cependant ce vers — ce verset — doit comporter par lui-même une valeur d'art, une valeur poétique, une unité formelle qui traduise l'unité intime de la pensée. Cette unité sera obtenue en respectant avant tout, comme une nécessité antérieure au mot, « une certaine intensité, qualité et proportion de tension spirituelle ». Les mots, en effet, « ne sont que les fragments découpés dans un ensemble qui leur est antérieur » ; ils n'ont leur valeur que relativement à la phrase, au vers, en tant qu'ils s'intègrent dans le mouvement préalable de la pensée.

Par suite, le vers est avant tout rythme, rythme dont la loi n'est pas dans un certain idéal d'harmonie indépendant de sa signification profonde, mais qui doit être étroitement calqué sur notre rythme vital, celui de notre cœur qui bat, celui de notre respiration qui projette à l'extérieur cette image auditive de l'émotion ou de l'idée. Car le vers est, essentiellement, du langage parlé. A l'extrême, le vers serait de la « parole pure ». Claudel imagine que, derrière une cloison qui nous empêche de comprendre le sens des paroles, nous entendions une conversation animée ; ce qui parviendrait à nos oreilles serait avant tout mouvements, intonations, intensités, coupes, rapport des sons. « Comme le vers alexandrin, à côté de ces roulades d'oiseau, paraît quelque chose de barbare, à la fois enfantin et vieillot, quelque chose de pionesque et de mécanique, inventé pour dépouiller les vibrations de l'âme, les initiatives sonores de la simple Psyché, de leur accent le plus naïf et de leur fleur la plus délicate ! »

Fidèle au rythme de l'âme émettrice, le vers se distinguera cependant du langage naturel, qui n'est ni prose ni vers, quoi qu'en dise le maître de philosophie de M. Jourdain, par un certain art. Art fondé, non sur l'obéissance à l'ordre artificiel imposé par l'alexandrin, mais sur « la quantité et les rapports des timbres », sur un « accord intérieur des sonorités » dont Rimbaud a donné le premier modèle.

> La césure variable et les différences de distance et de hauteur qui séparent les sommets phonétiques suffisent à créer pour chaque phrase un dessin sensible à notre œil auditif en même temps que le jeu des consonnes et de la syntaxe associé à celui des timbres indique la tension et le mouvement de l'idée.

Mieux que la rime « homophone » et surtout la rigide numération de syllabes jugées à tort égales, cet ordre nouveau et intérieur du vers lui donnera une valeur d'art en lui permettant de traduire exactement la réalité psychique. En effet, rien de plus contraire à la réalité phonétique de notre langue que d'attribuer aux syllabes une valeur égale, sous prétexte que nous n'avons pas de quantité : les mots français ont au contraire, dit Claudel, une quantité, mais qui dépend de la place du mot dans le phonème, la dernière étant toujours la plus accentuée. L'art du poète consistera à répartir ces syllabes ternes, muettes et non accentuées et ces syllabes fortes, grâce à son oreille, à son sens du rythme.

Dans une rapide histoire du vers français, Claudel distingue deux tendances de versification. Les classiques — prolongés sur ce point par les Parnassiens — cherchent à approcher de l'idéal lapidaire qui répond à un des caractères de notre peuple, ce « besoin de nécessité », cette « horreur du hasard » qui se voit jusque dans l'organisation de notre vie.

> Il fallait empêcher l'air d'entrer, il fallait exclure toute espèce de jeu et de décalage, il fallait serrer les mots par une contrainte extérieure et intérieure si forte, entre des coins si durs, que la ligne acquît l'immobilité définitive et infrangible d'une inscription, lisible pour l'éternité.

Les romantiques, eux, versifient en s'abandonnant à l'instinct oratoire du français ; le vers disparaît comme unité ; il se dilue dans la longue période, dans la phrase, qui forme la véritable unité du poème proprement romantique de facture, mais qui n'a rien de proprement poétique.

Ni la tendance classique au vers-médaille, ni la tendance romantique à la tirade oratoire ne répondent à la vraie nature du vers ; toutes deux aboutissent à créer un vers absolument indépendant de la nature réelle de l'émotion créatrice. Il en résulte que, comme l'avait déjà prétendu Mme de Staël, nos vrais grands poètes français sont — aux yeux de Claudel — des prosateurs. La rime cependant, « inutile ou nuisible dans le drame ou la grande poésie lyrique » est tout à fait à sa place dans « les domaines plus paisibles de la poésie épique ou narrative ».

La liberté, la souplesse nécessaires au vers pour qu'il joue son vrai rôle, demandent qu'outre la rigidité de la versification, soient assouplies aussi les règles de la grammaire, « fabriquées par des gens de cabinet qui avaient perdu le sens de la phrase parlée ». La grammaire officielle proscrit à tort les tournures les plus naturelles de notre langage, les plus conformes au génie de la langue. Quant au vocabulaire, le poète doit, sans inventer de mots nouveaux, renouveler les mots courants en mettant en valeur au lieu de leur sens « utilitaire », leur valeur significative, en réussissant à échapper à l'habitude verbale.

Comme pour tous les théoriciens de tendance dite symboliste, l'image est pour Claudel l'essentiel de la poésie ; à condition de les choisir « non pas... au petit bonheur dans son répertoire d'images ; mais en vertu d'une consonance intime et naturelle » avec la vue de l'Univers que suppose le poème. Si la prose doit donner la *connaissance* d'une réalité, le vers veut « d'un spectacle ou d'une émotion ou même d'une idée abstraite constituer une sorte d'équivalent ou *d'espèce* soluble dans l'esprit ». Le poète devra donc suggérer par l'image. Mais Claudel insiste longuement sur cette idée que le poète, devant déclarer de la chose non ce qu'elle est, mais ce qu'elle *signifie*, recréera pour ainsi dire la chose en dévoilant son entière signification, c'est-à-dire en ayant constamment présente à l'esprit, et en rappelant constamment par ses images, la place que la chose occupe dans l'univers, les liens essentiels d'interdépendance qui l'unissent au Tout. C'est ainsi que la poésie, inconcevable sans cette vue totale du monde, est éminemment catholique : « Vous ne pouvez comprendre une pâquerette dans l'herbe si vous ne comprenez pas le soleil parmi les étoiles. » Ailleurs, il donne la formule ramassée de l'opération poétique : « comprendre c'est communier ». On voit la différence entre la théorie de Claudel et celle de Baudelaire ; les *correspondances* de celui-ci supposent des plans différents et en quelque sorte étrangers l'un à l'autre ; tout au plus Baudelaire pose-t-il dans le *lointain* cette « profonde unité » de l'univers. Claudel, au contraire, demande au poète une vue immédiate de l'univers dans son unité, le sentiment catholique de l'universel. Et s'il écrit que les objets sont non des images mais des *symboles* du Tout, on voit cependant que ces symboles sont autre chose que les correspondances de Baudelaire. Le poète doit considérer tout ce qui l'entoure comme des « figures de l'éternité », par un acte plus religieux que mystique, au sens propre du mot. Malgré ces nuances, il n'en reste pas moins que Claudel, dans sa conception de la matière poétique, est exactement dans la ligne de Baudelaire et de Mallarmé, qu'il loue d'avoir découvert (?) que « les choses visibles sont faites pour nous amener à la connaissance des choses invisibles ». Loin donc de s'enfuir dans « les rêves, les illusions ou les idées », le poète doit s'attacher à cette « sainte réalité, donnée une fois pour toutes au centre de laquelle nous sommes placés » ; cette réalité dont l'élément visible et palpable est aussi significatif que l'élément abstrait.

C'est par cette réforme du vers et cette meilleure compréhension de la matière poétique qu'Anima pourra enfin chanter à son aise malgré Animus. Jusqu'alors, dit Claudel dans la célèbre parabole d'*Animus et Anima*, l'esprit avait étouffé l'âme. Celle-ci ne pouvait chanter à sa guise, si ce n'est en profitant des rares instants où l'esprit, occupé ailleurs, ne pouvait la surprendre. Rimbaud, le premier, a osé la faire chanter librement et dévoiler ses trésors intimes, avec sa simplicité instinctive. Cette « étrange et merveilleuse chanson » a révélé à la poésie française sa vraie destinée (1).

De tous les esthéticiens dont nous avons présenté les théories littéraires, Valéry est certainement celui qui aborde le problème poétique sous l'angle le plus philosophique. Loin cependant de proclamer la primauté de l'esthétique, il semble ne céder qu'à son esprit défendant à cette discipline. « Il faut avouer que l'Esthétique est une grande et même une irrésistible tentation. Presque tous les êtres qui sentent vivement les arts font un peu plus que de les sentir ; ils ne peuvent échapper au besoin d'approfondir leur jouissance (2). » Pour approfondir cette jouissance, celle du créateur comme celle du lecteur, celle du *producteur* comme celle du *consommateur* (3), l'esthéticien doit des-

(1) Les textes d'où sont tirées les citations, et qui sont à étudier pour le détail des idées littéraires de Claudel sont dans *Positions et Propositions*, t. I, *Réflexions et propositions sur le vers français ; Parabole d'Animus et Anima ; Sur Dante ; La Catastrophe d'Igitur ;* t. II, *Religion et Poésie*, et dans l'*Art poétique*.

(2) *Léonard et les philosophes*, dans *Variété III*, p. 145.

(3) Cf. *Leçon inaugurale du cours de poétique*, dans *Variété V*, p. 302 et suivantes.

cendre en lui-même ; aussi toute théorie sur les arts n'est-elle en fin de compte, selon lui, qu' « un fragment soigneusement préparé de quelque autobiographie » (1). C'est dire à quel point une théorie poétique est chose personnelle et combien le philosophe de l'art ne devra généraliser qu'avec prudence les données de son expérience. D'autre part, Valéry n'ignore pas combien le goût est variable et imprévisible dans son évolution ; aussi peut-il écrire : « Il n'y a pas de doctrine vraie en art, parce qu'on se lasse de tout et que l'on finit par s'intéresser à tout (2). » Malgré ces réserves, Valéry s'est attaché dans de très nombreuses études, que couronne et que systématise son cours de Poétique au Collège de France, à réduire et à éclairer le mystère de la création poétique et du plaisir poétique. Cette étude, d'ailleurs, ne saurait être comparable à une science quelconque ; car, si elle est la science d'un plaisir dont la fin n'est autre que lui-même, peu à peu élevée en science du Beau, qui parvient enfin à dégager un Beau abstrait, sorte de norme par rapport à laquelle on juge la valeur esthétique des œuvres, cette science ne se contente pas d'observer pour dégager des lois ; elle est aussi créatrice, en ce sens que, même si elle dépasse son objet par l'induction ou l'inférence, elle crée des lois qui du sens scientifique du mot passent au sens juridique et soumettent le poète à une contrainte nouvelle et féconde. Le théoricien n'est pas seulement un savant, il est indirectement un maître. Il établit un idéal du Beau et, par toutes les formes d'art qu'il exclut, il discipline la liberté individuelle et produit « un objet sensible de délice... en accord parfait avec les retours et les jugements de la raison, et une harmonie de l'instant avec ce que découvre à loisir la durée » (3). L'esthétique, qui « s'est prise pour déduction invincible de quelques principes évidents » tirés de l'observation, s'est donc révélée « invention qui s'ignore en tant que telle ». Valéry esthéticien étudie moins la nature et l'essence du Beau, qu'il définit seulement en passant et par des formules qui

(1) *Poésie et pensée abstraite* dans *Variété V*, p. 136.
(2) *Rhumbs*, p. 230.
(3) *Discours sur l'Esthétique*, dans *Variété V*, p. 251.

prétendent saisir uniquement un aspect du problème (1), que l'art qui vise à le créer.

Aussi bien, toute enquête sur les fins de la poésie est-elle vaine, puisqu'un des premiers caractères de l'art est la gratuité. « *Il n'y a pas de fin* » (2) ; les méthodes importent plus que les résultats. Les arts les plus purs sont ceux qui sont « détachés de toute référence et de toute fonction de *signe* » (3) ; dans le domaine de l'art, « le *Vrai* se hausse au rang d'une convention bien appliquée » (4) ; la poésie est au langage utilitaire de la prose ce que la danse est à la marche, une activité gratuite, mais contenant infiniment plus de possibles que l'activité commandée par le rendement et l'efficacité (5). Valéry reprend ainsi l'opinion de Malherbe et, comme lui, voit dans la poésie un jeu. Mais par la valeur des éléments humains mis en cause, par le sentiment de religion, c'est-à-dire d'obligation, auquel obéit le poète, ce jeu est aussi un rite (6) ; comme le jeu et le rite, la poésie n'a pas d'objet déterminé ; elle est sa propre loi, son propre but, et se crée ses nécessités au lieu de les recevoir de l'extérieur.

Mais qui dit jeu ou rite suppose règle, et, par suite, contrainte. Valéry fonde en raison l'idée même de règle que les théoriciens classiques fondaient surtout sur la tradition, que les Parnassiens imposèrent sans la justifier, par une réaction instinctive contre certains poètes romantiques. L'invention, l'imagination sont à ses yeux facultés sans valeur, absolument naturelles et parfaitement étrangères à la création du Beau. Dans le fouillis absurde et contradictoire de nos « idées », le poète doit établir l'ordre. Il doit remplacer « l'accident », si séduisant qu'il paraisse à première vue, par la considération constante de l'ensemble ; parmi les mille produits spontanés de son cerveau, il doit choisir, et donc écarter, au moins temporairement, l'afflux des idées, des images, des rythmes, des sensations de tout ordre. Rien ne

(1) Cf. *Lettre sur Mallarmé*, *Variété II*, p. 219, *Analecta*, pp. 95-6, *Autres Rhumbs*, p. 167.
(2) *Mémoires d'un poème* dans *Variété V*, p. 89.
(3) *Ibid.*, p. 90.
(4) *Ibid.*, p. 97.
(5) *Poésie et pensée abstraite*, dans *Variété V*, p. 149.
(6) *Littérature*, p. 23.

lui permet mieux d'établir ce barrage ou de procéder à ce filtrage que les règles.

> Méthodes poétiques bien définies, canons et proportions, règles de l'harmonie, préceptes de composition, formes fixes, ne sont pas (comme on le croit communément), formules de création restreinte. Leur objet profond est d'appeler l'homme complet et organisé, *l'être fait pour agir et que parfait, en retour, son action même*, à s'imposer dans la production des ouvrages de l'esprit. Ces contraintes peuvent être tout arbitraires : il faut et il suffit qu'elles gênent le cours naturel et inconséquent de la divagation ou création de proche en proche (1).

Les règles, les contraintes diverses sont donc d'abord des moyens utiles au poète parce qu'elles contraignent son attention et obligent ainsi son esprit à employer ses plus authentiques richesses. Elles permettent à l'esprit dans ce qu'il a de plus élevé, de plus original, de plus essentiel, de se vaincre lui-même dans ce qu'il a de plus banal, de plus pauvre, de plus superficiel ; elles lui permettent de se « dégager de l'arbitraire désordonné par l'arbitraire explicite et bien limité » (2). Nous empêchant d'exprimer « ce que nous voulons dire » elles nous forcent à fabriquer une pensée imprévue, qui n'est pas celle que nous suggèrent nos habitudes, nos besoins, nos expériences, nos sentiments, et dont nous découvrons qu'elle n'est « qu'une partie des pensées dont nous sommes capables » (3). Les règles ont encore une plus haute vertu ; dans l'invasion du doute intellectuel que subissent depuis la fin du XIXe siècle les esprits qui ne connaissent pas la foi et qui répugnent au culte de la science, elles offrent au scepticisme le rempart le plus solide, quoiqu'en apparence le plus fragile.

Incertain sur sa pensée, sur son cœur même, où Musset voyait pourtant dans *Souvenir*, la seule affirmation du réel, et d'autant plus incertain que le souci de l'expression, en prolongeant sa méditation, aura plus de chance d'en laisser l'objet

(1) *Mémoires d'un poème*, dans *Variété V*, p. 87.
(2) *Ibid.*, p. 115 ; cf. *Littérature*, pp. 36-37.
(3) *Rhumbs*, pp. 212-3.

se transformer ou s'évanouir, le poète pourra s'accrocher à la règle permanente et gratuite, donc inattaquable, qu'il s'est proposée. Leconte de Lisle l'avait bien senti, qui fut conduit au culte du Beau par son doute universel ; mais ce Beau était bien vague ; des règles précises le remplacent chez Valéry dans cette fonction de résistance au scepticisme : « Pas de scepticisme possible à l'égard des règles d'un jeu (1). » Par elles, l'œuvre littéraire s'assure contre l'oubli ou le mépris, mieux que ne sauraient le faire les créations de la philosophie ou de la science, qu'une pensée toujours remplaçable et dépassable soutient seule. Après Malherbe, c'est Buffon et son *Discours sur le style* qui se trouve justifié en sa conclusion. D'ailleurs, l'homme peut-il réaliser autre chose qu'une perfection dont il a lui-même d'abord posé les canons ? Dans le désespoir d'atteindre à une perfection extérieure, il ne peut se sauver qu'en triomphant dans ce jeu dont il a combiné les difficultés à sa mesure. On voit combien, par ce côté, l'esthétique de Valéry repose solidement sur une philosophie de l'homme, et, pour aller dans une direction opposée, part exactement du même point que le Pascal des *Pensées*.

Les règles obligent au choix dans la masse sans valeur des propositions de l'esprit ; elles offrent seules à l'homme un but assuré, et à l'œuvre une possibilité de résister au doute ou à l'évolution du goût. Elles sont, de plus, créatrices de beauté.

> Je n'irai pas jusqu'à dire avec Joseph de Maistre que tout ce qui gêne l'homme le fortifie. De Maistre ne songeait peut-être pas qu'il est des chaussures trop étroites. Mais s'agissant des arts, il me répondrait assez bien sans doute, que des chaussures trop étroites nous feraient inventer des danses toutes nouvelles (2).

« Est poète celui auquel la difficulté inhérente à son art donne des idées — et ne l'est pas celui auquel elle les retire (3). » L'idée n'est pas neuve ; nous l'avons déjà rencontrée souvent ; mais Valéry l'exprime avec une force singulière et la justifie par l'exacte observation de la démarche de l'esprit créateur.

(1) *Remerciement à l'Académie*, dans *Variété IV*, p. 46.
(2) *Discours sur l'esthétique*, dans *Variété IV*, p. 252.
(3) *Rhumbs*, p. 168.

> L'idée vague, l'intention, l'impulsion imagée, nombreuse, se brisant sur les formes régulières, sur les défenses invincibles de la prosodie conventionnelle, engendre de nouvelles choses et des figures imprévues. Il y a des conséquences étonnantes de ce choc de la volonté et du sentiment contre l'insensible des conventions (1).

A propos de l'*Adonis* de La Fontaine, Valéry se demande d'où vient l' « obstination qu'ont mise les poètes de tous les temps... à se charger de chaînes volontaires ». Se plier à des règles est en effet, évidemment, « écarter de l'existence un infini de belles possibilités » (2), mais c'est aussi « appeler de très loin une multitude de belles pensées qui ne s'attendaient pas à être conçues ». C'est surtout s'opposer une résistance, artificielle, mais nécessaire à l'expression du génie dans sa forme parfaite. C'est se contraindre à manier l'idée, l'impression, la sensation pendant si longtemps qu'on en ait enfin senti toutes les nuances avant de choisir la plus expressive, et surtout compris l'essence. C'est obliger notre paresse naturelle d'esprit, notre facilité à nous contenter de peu, à approfondir l'objet de la pensée jusqu'à en épuiser le suc. Qu'importe dans ces conditions que les règles soient arbitraires ? N'est-ce pas justement parce qu'elles sont arbitraires, entièrement étrangères au sujet, qu'elles rempliront au mieux leur rôle de contrainte ? Aussi Valéry n'entreprend-il pas de justifier les règles particulières comme le font les théoriciens du classicisme, ou les moyens d'expression comme le font de nombreux symbolistes. Il lui suffit que les règles soient des contraintes. On ne discute ni ne justifie les règles d'un jeu.

D'ailleurs, par un paradoxe étonnant, Valéry ne craint pas d'affirmer qu'au fond ce sont ces règles, au premier abord si étrangères, si hostiles même à notre personnalité intime, qui en sont l'affirmation la plus éclatante. Nos idées ni notre imagination ne sont nôtres ; ce qui est nous, c'est la volonté que nous opposons à ce fantôme de nous-mêmes, comme la plus certaine affirmation de la liberté est le pouvoir de se donner des lois ; c'est en décrétant de nous soumettre que nous nous affirmons.

(1) *Littérature*, pp. 36-7
(2) *Au sujet d'Adonis*, dans *Variété*, *passim*.

Rien ne nous trahit plus que ce pourquoi nous sommes faits instinctivement : « Ce que tu fais le mieux, cela est un piège inévitable (1). » C'est la distance, rendue aussi grande que possible par la bizarrerie des règles, entre la « *pensée initiale* et l'*expression finale* », qui est cause de la perfection racinienne, grâce au *travail* qu'elle force d'exécuter pour passer de l'*émotion* ou de l'*intention* à l'achèvement de l'expression (2). D'autre part, la longue lutte que nous devons soutenir contre les contraintes que nous nous sommes imposées nous oblige à descendre au fond de nous-mêmes et à révéler ce moi profond qu'une exécution rapide eût caché sous le moi banal, le moi superficiel. C'est grâce à ces contraintes que « quelques-uns rentrent chez eux tout armés de moyens devenus leurs organes, et plus forts que jamais pour être eux-mêmes » (3).

Mais toute règle n'est pas bonne. Les meilleures sont celles qui sont tirées de l'analyse de ces « moments favorables » du poète ; et lui seul peut savoir quel genre de contrainte l'obligera à l'expression la plus juste. Aussi ces règles sont-elles très individuelles, et, comme dans l'exercice religieux, la discipline est d'autant plus efficace qu'elle est mieux adaptée au caractère moral particulier du fidèle, dans le domaine de l'art, c'est à l'artiste lui-même à adapter à son tempérament les règles générales, à inventer même ses cilices particuliers, faute d'un directeur de conscience assez pénétrant (4).

Enfin ces règles, en apparence contraires à la vie, en sont au fond la manifestation la plus exacte. En effet, la vie est caractérisée par la régularité, le retour, le rythme, un *régime* monotone et constant. Ce sont les contraintes de la rime, de la césure, des rythmes qui introduisent dans une pensée qui, ou bien s'écarte du vivant par sa rigidité logique, ou bien échappe à ses lois profondes par son désordre, ce rythme vital nécessaire. Et ce n'est pas là le moindre paradoxe de la poétique valéryenne.

Si la poésie est l'art le plus parfait, sinon le plus pur, c'est parce que c'est elle qui doit obéir aux contraintes les plus diverses,

(1) *Rhumbs*, p. 182.
(2) *Littérature*, p. 96.
(3) *Ibid.*, p. 184.
(4) Cf. *Littérature*, p. 48.

les plus contradictoires même, et les plus nombreuses. Ne lui faut-il pas obéir à la fois aux nécessités de l'idée ou du sentiment, du rythme, de l'harmonie, de la grammaire, de la versification enfin (1) ?

La poésie est donc un jeu dont les règles sont toute la raison d'être, et qui ne vit que de contraintes. Aucun art poétique nouveau n'a donc lieu d'être publié maintenant. La tradition vaut pas le seul fait qu'elle est tradition. Une autre eût aussi bien fait l'affaire. Valéry n'est pas un réformateur en poésie et ne propose aucune règle nouvelle.

Ainsi conçue, la poésie n'a pas comme seul but d'atteindre au Beau ; ou plutôt la recherche du Beau n'est qu'un moyen, non une fin. Sa fin, si tant est qu'elle en ait une, est surtout d'être pour le poète un *exercice*. Sa valeur n'est pas dans son produit fini : le poème, mais dans sa fabrication, dans le travail qui l'a produite (2). « Tout poète vaudra *enfin* ce qu'il aura valu comme critique (de soi) » (3). L'homme ne prend conscience de lui-même que par la lutte contre l'obstacle ; la vie peut certes offrir ce moyen de se découvrir, on l'a dit bien souvent et Stendhal est plein de cette idée ; mais l'art est une épreuve d'égale valeur. En effet, le poète, dans sa lutte impitoyable contre la difficulté technique, sera forcé, son instinct constamment freiné ou dévié, de se poser mille problèmes qui le contraindront à étudier, à découvrir souvent, « le fonctionnement de *son* esprit » ; et Valéry ne nous cache pas que c'est cela surtout qui lui importe en tant qu'homme (4). Non seulement le travail poétique découvrira l'homme au poète, mais il le transformera : « Les œuvres, dans mon système, devenaient un moyen de modifier par réaction l'être de leur auteur (5). » Si le poète n'écrivait que pour soi cette découverte de soi, ou cette action sur soi par l'art serait chose relativement simple, mais il lui faut aussi chercher à plaire à un public, que ce public soit la foule, ou une élite. Or ces deux buts, s'exercer et plaire, sont en

(1) *Poésie et Pensée abstraite*, p. 147 ; cf. pp. 160-62.
(2) Cf. *Lettre sur Mallarmé*, dans *Variété II*, p. 227.
(3) *Choses lues*, p. 62.
(4) *Mémoires d'un poème*, dans *Variété V*, p. 92 ; cf. p. 80.
(5) *Ibid.*, p. 81.

fait contradictoires. Même si la connaissance du moi doit être un peu sacrifiée, elle n'en reste pas moins, pour Valéry, la conséquence la plus heureuse du travail poétique. Les *sujets* ne sont qu'une occasion d'exercice, un match gratuit qui permet de mesurer ses forces et de prendre conscience de leur nature. L'ouvrage « le plus futile » pourra être ainsi une occasion permettant « la possession de la plénitude des pouvoirs antagonistes qui sont en nous ». D'où l'assimilation si fréquente de la poésie et de la danse (1).

Malheureusement, ce travail épuisant qui est le fruit plutôt que la cause de l'ambition poétique, s'il permet à l'homme de remporter une victoire sur lui-même, peut tarir en lui « la joie naturelle d'être poète pour ne laisser enfin que l'orgueil de n'être jamais satisfait » (2). Et si le Beau est « ce qui désespère » (3), c'est que la conquête de soi ne saurait être achevée qu'on ne meure.

La poésie ne pourra avoir sa valeur d'exercice et de moyen de découverte intérieure que si le poète crée en pleine conscience. C'est un des points de sa doctrine sur lesquels Valéry revient avec le plus d'insistance.

A ses yeux l'inspiration — ou ce qu'on nomme ainsi — ne doit jouer aucun rôle dans la création poétique. L'inspiration n'est autre, selon Valéry, que cet état second dans lequel la conscience créatrice s'efface devant l'automatisme cérébral. Et sans doute est-ce bien son esprit qui dicte alors au poète ses vers « inspirés », mais c'est la partie la plus impersonnelle de son esprit qui les lui dicte, malgré l'apparence. L'instinct est en nous la partie la plus animale et la moins noble. L'invention spontanée est remarquable par sa « facilité, sa fragilité, son incohérence » (4). Nous sommes vraiment absents quand nous nous laissons envahir par ces herbes folles de notre intellect ; elles ne sauraient nous représenter. Ces inventions sont comme nos rêves, dont Valéry n'admet pas qu'on prétende y déchiffrer notre moi véritable. Or, « la véritable condition d'un véritable poète est ce qu'il y

(1) *Ibid.*, p. 106 ; cf. *Rhumbs*, pp. 198-99.
(2) *Avant-propos*, dans *Variété*, p. 100.
(3) *Lettre sur Mallarmé*, dans *Variété II*, p. 219.
(4) *Mémoires d'un poème*, dans *Variété V*, p. 86.

a de plus distinct de l'état de rêve » (1). Les chefs-d'œuvre de l'art « ont été obtenus par l'emploi réfléchi de moyens volontaires de *résistance* à notre *création* immédiate et continuelle de propos, de relations, d'impulsions... » (2). C'est à cette basse activité de notre automatisme intellectuel que Valéry assimile l'inspiration. « L'inspiration est l'hypothèse qui réduit l'auteur au rôle d'observateur » (3), et nous pourrions dire de greffier, Valéry dit ailleurs de *médium* (4). Ceux qui estiment l'inspiration avouent que « ce qui ne coûte rien est ce qui a le plus de valeur » et admettent qu'on « peut se glorifier le plus de ce dont on est le moins responsable » (5). Il faut, bien loin de se vanter d'être inspiré, « rougir d'être la Pythie » et demander aux Dieux de nous garder du « délire prophétique » (6). Ne serait-il pas infiniment humiliant pour le poète d'accepter de n'être qu'un « agent de transmission » de paroles venues d'ailleurs (7) ? Il n'est donc pas un mot, pas un tour, pas une pensée qui doive être sinon voulu, du moins accepté par le poète dans sa pleine indépendance et dans sa pleine conscience. C'est seulement dans ces conditions que celui-ci aura quelque mérite à accomplir sa vraie fonction de poète ; c'est seulement ainsi que la poésie sera pour lui moyen de connaissance et épreuve.

Capable de dominer le spontané et l'instinctif, l'immédiat et le désordonné, le poète ne sera rien moins qu'un naïf et qu'un irresponsable (8). Soucieux avant tout d'affirmer sa pleine possession de soi, il préférera écrire « dans une entière lucidité quelque chose de faible », plutôt que « d'enfanter à la faveur d'une transe et hors de *lui*-même un chef-d'œuvre d'entre les plus beaux » (9). Il est inadmissible qu'on oppose « l'état de poésie à l'action complète et soutenue de l'intellect » (10). Le

(1) *Au sujet d'Adonis*, dans *Variété*, p. 56.
(2) *Mémoires d'un poème*, p. 87.
(3) *Choses tues*, p. 65.
(4) *Poésie et Pensée abstraite*, dans *Variété V*, p. 156.
(5) *Littérature*, pp. 29-30.
(6) *Rhumbs*, p. 171.
(7) *Autres Rhumbs*, p. 170.
(8) *Passage de Verlaine*, dans *Variété II*, p. 183.
(9) *Lettres sur Mallarmé*, dans *Variété II*, p. 226.
(10) *Mémoires d'un poème*, p. 103.

musicien est-il gêné dans sa création musicale par la longue étude qu'il a dû faire des principes et des contraintes de son art ? Nul art ne demande une possession aussi totale de toutes les ressources de l'intellect que la poésie, une activité cérébrale aussi intense et aussi haute. Comment pourrions-nous renoncer à la moindre de nos facultés intellectuelles au profit de je ne sais quel instinct inconscient ? Pendant la création, mille possibles se présentent au poète, entre lesquels il lui faut choisir en tenant compte, nous l'avons vu, d'une infinité de conditions qu'il doit avoir toutes présentes à l'esprit.

Il lui faut calculer à longue échéance ; son esprit critique doit être toujours en éveil et en défiance perpétuelle contre ces apports où le meilleur se mêle au pire. Comment extraire le diamant de la boue sans l'attention la plus extrême ? « Écrire, c'est refuser (1). » « Écrire, c'est prévoir (2). »

> Tout véritable poète est nécessairement un critique de premier ordre. Pour en douter, il faut ne pas concevoir du tout ce que c'est que le travail de l'esprit, cette lutte contre l'inégalité des moments, le hasard des associations, les défaillances de l'attention, les diversions extérieures. L'esprit est terriblement variable, trompeur et se trompant, fertile en problèmes insolubles et en solutions illusoires (3).

Est-ce à dire que tout ce qui naît spontanément dans notre esprit sans que notre volonté l'ait provoqué, doive être écarté ? Certes non ! Que resterait-il alors comme objet au travail poétique ? Ce qui est bon est donné comme ce qui est mauvais. Mais il ne s'agit pas, au fond, d'un travail de discrimination entre le bon et le mauvais, comme Valéry le laisse entendre parfois. Rien n'est bon, rien n'est mauvais en soi, de ce qui se présente à notre conscience dans la création poétique. C'est le poète qui donnera à ces éléments leur valeur d'après les combinaisons qu'il saura établir entre eux. Le tout donnera leur prix aux détails. L'absurde prendra un sens profond, comme la plus

(1) *Lettre sur Mallarmé*, p. 228.
(2) *Rhumbs*, p. 159.
(3) *Poésie et Pensée abstraite*, dans *Variété V*, p. 157.

belle trouvaille peut être gâchée (1). Le génie n'est peut-être pas autre chose que la faculté de comprendre promptement la valeur d'une combinaison brusquement surgie, en fonction d'un ensemble encore en formation. C'est ainsi que Valéry peut écrire que « le poète est le plus utilitaire des êtres » (2) ; non seulement il ne rejette rien *a priori* de ce qui lui est offert, mais il utilise précisément ce qui paraît sans aucune valeur à l'homme ordinaire qui juge ses pensées comme les objets, d'après leur rendement dans l'ordre de la vie pratique. L'art consiste même à retrouver, avec volonté, et en pleine conscience, ces fruits imprévus du hasard (3) ; il consiste à inventer autour d'un « bel accident de langage » un système complet où s'intégrât cet accident (4). Ainsi le rôle de la conscience et de l'intelligence consiste à refuser, à admettre, à combiner ce que l'inconscient propose. Mais elle ne pourrait rien faire sans ces données premières du hasard ; rien ne serait plus contraire à la création poétique que de ne pas laisser subsister ces chances, ces possibilités, ces hasards, ces désordres. C'est d'avoir trop résolument écarté ces incongruités que mourut la poésie française du XVIIIe siècle. De critique et d'ordonnatrice qu'elle doit être, l'intelligence consciente était devenue créatrice.

La contrainte, la pleine conscience intellectuelle, le hasard de l'invention, voilà les trois éléments de la création poétique selon Valéry. C'est entre ces éléments que doit se jouer un jeu infiniment souple et complexe, dont le fruit sera le plus merveilleux exercice intellectuel et l'affirmation la plus triomphante du moi du poète.

Parmi tous les problèmes posés par la création poétique, le plus important, après ceux que nous venons de grouper, est celui que posent les rapports de la forme et du fond. Disons tout de suite que l'opposition traditionnelle entre ces deux éléments de l'œuvre d'art paraît à Valéry purement arbitraire et particulièrement absurde en ce qui concerne la poésie. La vertu créatrice qu'il attribue à la contrainte donne à la forme une telle

(1) Cf. *Analecta*, pp. 70-71.
(2) *Rhumbs*, pp. 165-6.
(3) *Poésie...*, dans *Variété V*, p. 102.
(4) *Littérature*, pp. 23-4.

valeur qu'on pourrait, sans outrer sa pensée, lui faire dire que la poésie n'est que forme, ou du moins qu'il y a d'autant plus de poésie que la forme est plus pure.

La prose, en effet, utilise par définition un langage impur, c'est-à-dire dans lequel le mot comporte, outre sa valeur sonore et musicale, outre sa puissance évocatrice, un sens pratique, qui intéresse l'intelligence seule et l'intérêt pratique au service duquel est l'intelligence. Le mot dans la prose tire sa valeur de son efficacité ; il est un moyen et un moyen temporaire, il est l'échafaudage qu'on enlève sitôt la maison achevée ; on l'oublie et on doit l'oublier, aussitôt que la chose dont il est le signe est comprise, assimilée. Le langage de la prose est « un mélange d'excitations auditives et psychiques parfaitement incohérentes » (1) qui, sitôt compris est remplacé « par une contre-partie, par des images, des relations, des impulsions » (2). Comprendre n'est autre chose que substituer la chose au mot.

Or, c'est de ce langage impur que le poète doit se servir, tandis que le musicien a la chance d'utiliser un langage pur et qui lui est propre. Contraint de s'exprimer dans une langue étrangère, le poète doit oublier l'usage ordinaire de cette langue.

> Le devoir, le travail, la fonction du poète sont de mettre en évidence et en action ces puissances de mouvement et d'enchantement, ces excitants de la vie affective et de la sensibilité intellectuelle, qui sont confondus dans le langage usuel avec les signes et les moyens de communication de la vie ordinaire et superficielle. Le poète se consacre et se consume donc à définir et à construire un langage dans le langage ; et son opération qui est longue, difficile, délicate, qui demande les qualités les plus diverses de l'esprit... tend à constituer le discours d'un être plus pur, plus puissant et plus profond dans ses pensées, plus intense dans sa vie, plus élégant et plus heureux dans sa parole que n'importe quelle personne réelle (3).

Ce nouveau langage, dont les matériaux sont pourtant ceux de la prose, s'oppose à celle-ci d'abord en ce que, loin de s'abo-

(1) *Poésie et Pensée abstraite*, p. 147.
(2) *Ibid.*, p. 143.
(3) *Situation de Baudelaire*, dans *Variété II*, p. 170 ; cf. pp. 180-181.

lir par son efficacité même, il crée le désir d'être toujours repris dans les mêmes termes. On « entre dans l'univers poétique » du moment où l'on éprouve ce besoin de se plier sans se lasser au rythme et à la sonorité des mots qui semblent n'avoir jamais tout dit. La parole poétique demeure et se prolonge indéfiniment et n'a d'autre but, ni d'autre résultat, que d'imposer sa présence (1). « Le poème ne meurt pas pour avoir vécu : il est fait expressément pour renaître de ses cendres et redevenir indéfiniment ce qu'il vient d'être (2). » Cette propriété « admirable et caractéristique entre toutes » est la conséquence de l'objet que prétend exprimer le langage poétique ; la poésie est « l'essai de représenter, ou de restituer, par les moyens du langage articulé, *ces choses* ou *cette chose*, que tentent obscurément d'exprimer les cris, les larmes, les caresses, les baisers, les soupirs, etc..., et que *semblent vouloir exprimer les objets* dans ce qu'ils ont d'apparence de vie, ou de dessein supposé » (3). Valéry donne là la meilleure définition peut-être du but, sinon des moyens, de la poésie symboliste ; il précise admirablement les limites du champ de la poésie telle qu'il la comprend, et telle que l'ont comprise la plupart des symbolistes.

Pour exprimer ces affections obscures par des mots, le poète doit retrouver en face du langage l'attitude primitive des hommes très anciens ; il doit s'enchanter de leur son, de leur musique, du rythme que peut créer leur combinaison et se dépouiller de son intellectualité, qui les abaisse au rang d'instruments commodes (4). C'est par là qu'il créera ces *charmes* auxquels le premier, il se laissera prendre pour enchanter ensuite le lecteur. Peut-être cet état primitif, le poète ne pourra-t-il le retrouver que par une suprême intellectualité, qui, dépassant l'abstraction naturelle à l'homme moderne moyen, arrivera à se dépouiller ou à s'anéantir elle-même. Tel est le cas de Mallarmé qui est arrivé, « par le rapprochement insolite, étrangement chantant, et comme *stupéfiant* des mots — par l'éclat musical du vers et sa plénitude singulière » à donner « l'impression de

(1) *Poésie et Pensée abstraite*, p. 144.
(2) *Ibid.*, p. 151 ; cf. *Commentaires de Charmes*, dans *Variété III*, p. 82.
(3) *Littérature*, pp. 16-17.
(4) *Je disais à Stéphane Mallarmé...*, dans *Variété III*, p. 19.

ce qu'il y eut de plus puissant dans la poésie originelle : *la formule magique* » (1). La poésie doit produire avant tout par les mots purs, « l'*enchantement*... cette sensation de ravissement sans référence » (2). Pour obtenir cet effet, le poète doit croire au pouvoir de la parole, « et bien plus à l'efficacité du son de cette parole qu'à sa signification » (3). C'est par cette adoration du mot-Dieu que le poète est *païen ;* l'objet-mot est Dieu et non signe de Dieu. Pour le poète, « point d'âme sans corps » ; rien de moins ascétique que lui (4). La poésie s'oppose donc à la prose par l'usage qu'elle fait des mots. Cependant ce qui reste de prose en elle par la force des choses, puisqu'elle ne saurait dépouiller entièrement le vocabulaire de son contenu pratique, est ce qui constitue ce qu'on appelle le fond de l'œuvre. L'ignorant — et combien de maîtres en études littéraires sont ignorants sur ce point — croit que ce fond existe comme une donnée préalable à l'élaboration de l'œuvre poétique, et il se représente la poésie comme une sorte de vêtement éclatant et plus ou moins ajusté dont le poète revêt sa pensée. Boileau pensait ainsi. Valéry s'oppose vigoureusement à cette conception et il insiste sur l'importance médiocre en poésie de ce qui passe pour en constituer le fond.

> La plupart des lecteurs attribuent à ce qu'ils appellent le *fond* une importance supérieure, et même infiniment supérieure, à celle de ce qu'ils nomment la *forme.* Quelques-uns toutefois sont d'un sentiment tout contraire à celui-ci, qu'ils regardent comme une pure superstition. Ils estiment audacieusement que la structure de l'expression a une sorte de réalité tandis que le sens ou l'idée n'est qu'une ombre... Pour ces amants de la forme, une forme, quoique toujours provoquée ou exigée par quelque pensée, a plus de prix et même de sens que toute pensée. Ils considèrent dans les formes la vigueur et l'élégance des *actes ;* et ils ne trouvent dans les pensées que l'instabilité des *événements* (5).

(1) *Ibid.*, p. 16.
(2) *Mémoires d'un poème*, dans *Variété V*, p. 107.
(3) *Poésie et Pensée abstraite*, p. 154 ; cf. *Discours à Saint-Denis*, dans *Variété IV*, p. 151.
(4) *Je disais à Stéphane Mallarmé*, p. 27.
(5) *Sur Bossuet*, dans *Variété II*, pp. 45-46.

Contrairement à l'opinion, nos pensées ne sont ni plus réelles ni plus précieuses que la forme poétique. Produit du hasard, de la chance, des obscures influences de notre corps, de l'époque, de la mode, elles ont moins droit à notre respect que la forme que le poète a su créer dans la plénitude de sa plus haute conscience intellectuelle. Aussi bien le poète, loin d'avoir une idée préalable à traduire en mots, découvre-t-il son idée au fur et à mesure que les mots s'ordonnent ; il est devant son œuvre, pourtant si consciente, comme le lecteur qui la découvre ; et celui-ci n'a pas à se demander ce qu'a voulu dire le poète, puisque le poète n'a rien voulu *dire*, non plus qu'à s'étonner de la multiplicité des interprétations possibles de la poésie — puisqu'aussi bien celle-ci n'a rien d'une charade à deviner, ne comportant pas de solution au départ. « La poésie n'a pas le moins du monde pour objet de communiquer à quelqu'un quelques notions déterminées — à quoi la prose doit suffire. » Le poème répétons-le, n'offre d'autre vérité que son existence (1).

C'est la forme qui est le « squelette des œuvres » (2) ; c'est elle — et non la pensée — qui en constitue la charpente solide, capable de résister au temps, et sans quoi les pensées ne sont que chairs molles et inorganiques. Elle est dans l'œuvre la partie solide et seule résistante. Seul un mauvais ouvrage peut « se réduire au sujet » sans laisser de côté l'essentiel de lui-même (3).

D'ailleurs le rapport entre la pensée et l'expression n'est pas du tout celui que pense Boileau, qui dit : « Ce que l'on conçoit bien s'énonce clairement. » En effet, ce que l'on conçoit bien, dans sa réalité profonde et délicate, est comme d'un ordre de grandeur, et même d'une nature, qui n'a guère de commune mesure avec ce que les mots sont faits pour exprimer. Adaptés aux notions grossières de la vie pratique, ils sont inaptes, par nature, à rendre le réel dans son essence. Aussi le travail du poète sur le mot doit-il être d'autant plus considérable qu'il conçoit mieux la chose à exprimer (4).

(1) Cf. *Commentaires de Charmes*, dans *Variété III*, pp. 80-83.
(2) *Autres Rhumbs*, p. 159.
(3) *Ibid.*, p. 160.
(4) *Ibid.*, p. 164.

Quoi qu'il en soit de ce paradoxe, il reste que la poésie est avant tout une manifestation de moyens d'expression et que la véritable histoire de la poésie devrait être une histoire des moyens, et non des sujets, des tendances sentimentales ou philosophiques ; grande leçon donnée aux historiens de la littérature, qui dévient si fréquemment vers l'histoire des mœurs, des idées, des hommes.

A vrai dire, forme et fond se confondent dans la poésie. « Il n'y a pas un temps pour le *fond* et un temps pour la *forme ;* et la composition en ce genre ne s'oppose pas seulement au désordre ou à la disproportion, mais à la *décomposition.* Si le sens et le son (ou si le fond et la forme) se peuvent aisément dissocier, le poème se *décompose* (1). » C'est le travail de la forme qui crée le fond. Ce qui fait la « grandeur des poètes », c'est de « saisir fortement avec leurs mots ce qu'ils n'ont fait qu'entrevoir faiblement dans leur esprit » (2). C'est le rythme qui peu à peu se donne un sens (3). Toute la fonction du poète est de produire miraculeusement cette union indissoluble de la parole et de l'esprit, du son et du sens (4). Si la chose est impossible, le poète,

> s'il est un vrai poète, sacrifiera presque toujours à la forme (qui après tout est la fin et l'acte même, avec ses nécessités organiques) cette pensée qui ne peut se fondre en poème si elle exige pour s'exprimer qu'on use de mots ou de tours étrangers au ton poétique (5).

Entre la rime et la raison, contre l'avis de Boileau, Valéry déclare que « la raison veut que le poète préfère la rime à la raison » (6). Mais ce sacrifice se fera rarement, et le poète est plutôt, pendant toute la période créatrice, en proie à cette « hésitation prolongée entre le son et le sens (7) », qui doit se perpétuer jusque dans le poème achevé.

(1) *Au sujet du Cimetière marin*, dans *Variété III*, p. 71.
(2) *Choses tues*, p. 62.
(3) *Mémoires d'un poème*, dans *Variété V*, p. 92.
(4) *Poésie et Pensée abstraite*, p. 154.
(5) *Cantiques spirituels*, dans *Variété V*, p. 179.
(6) *Autres Rhumbs*, p. 142.
(7) *Rhumbs*, p. 217.

Le poète doit donc créer la forme avec le fond dans une création simultanée, de la même manière que le tisserand ne saurait tisser séparément l'endroit et l'envers de son étoffe, ni le maçon construire séparément les deux faces du mur (1). Forme et fond sont en poésie des aspects différents d'un même objet, comme la couleur et l'étendue ; ils se nécessitent l'un l'autre. La mauvaise poésie est celle où se perçoit l'hiatus entre l'idée et l'expression. Le véritable artiste invente en exécutant, et si un des deux éléments s'impose d'abord à sa conscience, ce doit être plutôt l'élément formel.

Le poète cependant, non moins qu'un artisan de la forme, qui pense en mots, comme le peintre pense en couleurs et en lignes, comme le musicien pense en sons, est un philosophe, dont la pensée abstraite est puissamment active. Il ne s'agit pas, évidemment, pour lui, d'établir un système philosophique indépendant de toute création poétique et de le traduire ensuite en vers, comme un Voltaire ou un Sully Prudhomme. Outre que cette scission des opérations créatrices est contraire au processus de la véritable création poétique, — « philosopher en vers, ce fut, et c'est encore, vouloir jouer aux échecs selon les règles du jeu de dames » (2) — philosophie et poésie s'opposent dans leurs buts. La première vise « à constituer un *pouvoir* et un *instrument de pouvoir* »; la seconde « essaye de produire en nous un *état*, et de porter cet état exceptionnel au point d'une jouissance parfaite » (3). La *poésie philosophique* est devenue impossible. Cependant, par un autre côté, philosophie et poésie sont de plus en plus étroitement liées. En effet, ou bien, comme c'est le cas pour le symbolisme de Poe ou de Baudelaire, la poésie est la conséquence directe d'un système philosophique, la théorie de la *Consistance* de Poe, celle des *Correspondances* mystiques de Baudelaire, qui supposent toutes deux que « l'univers est construit sur un plan dont la symétrie profonde est, en quelque

(1) Ces images, qu'il n'a pas reprises dans ses ouvrages, ont été utilisées par Valéry, il y a bien des années, au cours d'un entretien qu'il avait bien voulu m'accorder.

(2) *Autres Rhumbs*, p. 146.

(3) *Avant-propos*, dans *Variété*, p. 100.

sorte, présente dans l'intime structure de notre esprit » (1). Ou bien cette philosophie du poète « s'exerce dans son acte même de poète ». C'est en approfondissant les mystères d'un art où la forme et la chose sont si intimement mêlées, où toutes les facultés de l'esprit sont si puissamment mises en jeu, que le poète devra forcément philosopher.

Par la poésie, par l'acte poétique lui-même, il sera conduit à l'esthétique, qui le mènera forcément à la psychologie, et de là à la métaphysique. Sans aller même jusque-là, sa philosophie sera une philosophie de l'art dont les fenêtres seront ouvertes sur tous les domaines de la pensée. D'ailleurs « la plus authentique philosophie n'est pas dans les objets de notre réflexion, tant que dans l'acte même de la pensée et dans sa manœuvre » (2). Comme la poésie, la philosophie pour Valéry est gratuite ; elle n'est que la conscience de la pensée et n'a d'autre objet que l'acte de pensée lui-même. C'est pourquoi poésie et philosophie sont chez lui si intimement liées. La poésie n'est au fond qu'un drame philosophique, et l'acte philosophique type est peut-être la réflexion poétique.

La doctrine poétique de Valéry, que nous avons réduite ici à ses grandes lignes, laissant de côté bien des aperçus de détail, est la plus approfondie qui nous soit offerte par les théoriciens de la littérature. Elle insiste peu sur l'effet, mais ne cesse d'éclairer la cause jusque dans les arcanes de la conscience intellectuelle. Née avant 1900, elle n'a cessé de se préciser jusqu'en 1940. Elle rétablit dans ses droits la contrainte classique dont elle met en lumière les raisons profondes. Elle réintroduit la clairvoyance intellectuelle dans le travail poétique. Elle emprunte à la musique sa rigueur et sa science autant que son charme. Elle ramène le poète sur le seul domaine de l'art et réinstalle le vers dans son propre royaume, dont elle chasse tout ce qui est prose ou pourrait être prose.

Elle laisse cependant toute leur place aux hasards, aux surprises, pourvu que ces rencontres miraculeuses aient bien lieu sur le terrain de la poésie, qu'il s'agisse de sons, de rythmes,

(1) *Avant-propos*, dans *Variété*, p. 120.
(2) *Poésie et pensée abstraite*, dans *Variété V*, p. 157.

d'images, et non pas sur celui de la prose, comme les ingéniosités spirituelles des siècles classiques. Nul n'avait auparavant tracé des frontières plus larges et plus nettes entre la prose et la poésie.

De Baudelaire à Valéry, nous avons passé en revue un immense travail de réflexion sur la nature de la poésie. Aucune époque, depuis 1640-1660, n'avait offert pareil tableau. Jamais, dans aucun pays, autant de grands esprits n'ont tenté de saisir aussi complètement, de pénétrer aussi profondément l'essence de la poésie. Ces recherches furent-elles inutiles ? Sans doute, Valéry lui-même reconnaît que les symbolistes, par leur immense ambition, étaient presque conduits au silence poétique. Mais il dit aussi que le travail obscur qui s'est accompli dans ces « laboratoires » poétiques que furent les divers cénacles symbolistes, fut utile à toute la littérature (1). Peut-être lui sera-t-il dans l'avenir plus utile encore qu'il ne paraît aujourd'hui. Nos grands classiques n'ont commencé à écrire leurs chefs-d'œuvre que quand le grand travail doctrinal des théoriciens du classicisme eut été terminé.

(1) *Remerciement à l'Académie*, dans *Variété IV*, p. 18.

CHAPITRE VI

LES THÉORIES SURRÉALISTES

Sans même parler de la création littéraire, et pour n'envisager que la doctrine, une étude historique devrait tenir compte des hésitations et des variations qui ont marqué la *révolution* surréaliste de 1920 à 1930. Cependant nous considérerons la doctrine surréaliste comme un tout homogène dans le temps ; notre analyse visera seulement à séparer les éléments différents de cette doctrine.

Révolution ; en effet, comme Rimbaud, mais plus explicitement que lui, le Surréalisme fait litière de presque toute la littérature antérieure. Rimbaud lui-même n'est pas épargné ; n'est-il pas responsable de sa progéniture, et Claudel n'en est-il pas le représentant le plus authentique (1) ? Quant au Réalisme, il faut « instruire son procès », et condamner moins les œuvres que l'*attitude* qui en a permis l'éclosion, et moins le Réalisme et le Matérialisme que les insuffisances de ces deux attitudes responsables de la masse des romans dits d'observation. Rien n'est plus superficiel, aux yeux d'un A. Breton, que cette pseudo-observation qui ne fait qu'effleurer la surface du réel et croit faire œuvre scientifique en établissant et en décrivant des rapports de cause à effet entre des états d'âme artificiels et des objets dont le mystère n'est même pas soupçonné. A vrai dire, les descripteurs réalistes ont manqué d'audace et de confiance en eux ; ils n'ont pas osé étudier la vie profonde de l'homme moral ni la réalité intime du monde extérieur. La psychologie des romanciers réalistes ou naturalistes est, comme une « partie d'échecs », conduite par la logique en partant de données simples

(1) A. Breton, *Second manifeste du Surréalisme.*

arbitrairement choisies dans un domaine très étroit du conscient, ou dans les apparences les plus banales et les plus schématisées du monde extérieur. La logique règne toujours dans ce genre d'œuvres ; les romanciers croient encore que les lois de l'âme sont celles de l'esprit, ou plutôt que l'homme moral n'est constitué que par les phénomènes qui apparaissent à la surface de la conscience. Aucun réaliste, aucun écrivain naturaliste ne se doute des richesses immenses que recèle l'âme humaine dans des profondeurs où ne règne plus la clarté de la raison, où le fil de la logique ne guide plus les pas du chercheur (1).

Or la logique apparente du monde extérieur — aussi bien de notre moi, superficiel, extérieur à notre moi profond, et considéré du dehors comme un objet, que de ce qui est extérieur à ce moi — n'est qu'un ordre arbitraire et traditionnel imposé au réel. C'est à l'artiste, et en particulier au poète, à révéler la confusion réelle du monde ; il doit « contribuer au discrédit total » de ce qu'on appelle communément la réalité (2).

La poésie sera donc cette « interprétation paranoïaque de la réalité » qu'envisageait Salvador Dali. La raison, qui impose à la réalité essentielle ses cadres pratiques et qui la déforme, doit donc céder le pas, chez le poète, à ces moments d'apparente vacuité intellectuelle où l'esprit, sans dessein, sans obéissance, sans volonté, dispose les éléments du réel selon des « lignes de force » qui ne sont pas celles de la raison, mais celles du monde naturel (3).

L'état poétique n'est pas autre chose que cet état de renoncement logique, de naïveté, qui permet à l'imagination, libérée de la contrainte logique, d'établir entre les éléments du réel un ordre nouveau et totalement imprévu et de saisir la valeur poétique d'objets, d'états d'âme, de circonstances auparavant négligées à ce point de vue. Il n'est rien, en effet, qui ne puisse comporter une valeur poétique, comme il n'est rien qui ne soit susceptible de comporter une valeur scientifique. C'est une banalité que de dire qu'il n'est pas un objet, pas un phénomène, qui n'ait une raison d'intéresser le savant, et les plus négligeables

(1) *Manifeste du Surréalisme*, pp. 15, 19, 21.
(2) A. Breton, *Qu'est-ce que le Surréalisme ?*, p. 25.
(3) *Vases communicants*, p. 128.

en apparence seront, pour le vrai savant, bien souvent, les plus intéressants. Il est moins banal d'affirmer que la poésie est partout contenue en puissance dans la chose la plus étrangère jusqu'à présent à la poésie. Ce qu'il importe donc de créer avant tout, c'est l'état d'âme poétique, c'est-à-dire irrationnel, qui saura faire surgir et utiliser cette poésie latente. L'élargissement et l'enrichissement continus du matériel poétique depuis Homère vérifient cette affirmation. Pour le vrai poète, tout est poésie (1).

La poésie peut ainsi exister sans expression poétique littéraire. Elle est dans les choses et elle est une attitude devant les choses, un état intellectuel et moral, une manière de voir et une manière de se comporter en face du monde. La poésie doit avant tout être vécue ; elle peut n'être qu'accessoirement exprimée par des mots et des couleurs (2). Mais l'emprise de la tradition logique est si grande qu'il faut un véritable apprentissage pour retrouver cet état, sinon prélogique, du moins alogique, en tout cas rien moins que paralogique. Or, les maladies mentales, certaines du moins d'entre elles, nous offrent le cas de dérèglements intellectuels involontaires dont l'étude attentive pourra permettre à l'esprit qui veut se « dresser poétiquement » de « reproduire dans ses grands traits les manifestations verbales les plus paradoxales..., de se soumettre à volonté les principales idées délirantes ». Il n'y a donc pas une différence essentielle entre la folie et la vie « saine » de l'esprit. L'esprit le plus pondéré et le plus logique peut, s'il est resté souple, se plier à ces règles nouvelles qui dirigent ces dérèglements apparents. L'esprit est un, et c'est une trop facile et trop rassurante distinction que d'opposer le fou à l'esprit sain (3).

Non seulement l'esprit est un, mais le monde est un. L'opposition traditionnelle entre le sujet et l'objet ne doit pas être autre chose qu'un procédé commode d'investigation et de raisonnement philosophiques. Cette distinction du monde extérieur et du monde intérieur repose sur une apparence. Le premier acte de foi du poète sera de croire à l'unité essentielle du monde.

(1) *Ibid.*
(2) *Qu'est-ce que le Surréalisme ?*, p. 25.
(3) A. Breton, *Immaculée Conception*, p. 28.

« A la limite, nous (les surréalistes) avons tendu à donner la réalité intérieure et la réalité extérieure comme deux éléments en puissance d'unification, en voie de *devenir commun* (1). » L'écriture automatique n'est qu'un moyen entre autres de saisir, débarrassée de notre logique intellectuelle, la démarche de notre vie psychique, et de nous apercevoir que cette démarche est tout à fait analogue à celle des phénomènes du monde extérieur. Nous aurons par là la révélation de l'unité foncière du monde psychique et du monde matériel. Même désordre intime dans le mouvement brownien et dans les propos sans suite de nos idées livrées à elles-mêmes. La conscience parfaite de cet accord est une des conditions premières de l'état poétique (2). Le rêve, si l'on peut le saisir dans son état premier, et avant toute réduction au système logique, offre, lui aussi, une image exacte et irremplaçable de la vie intellectuelle. « Je crois à la résolution future de ces deux états, en apparence si contradictoires, que sont le rêve et la réalité, en une sorte de réalité absolue, de *surréalité*, si l'on peut ainsi dire (3). » L'affirmation de l'identité d'organisation et de démarche du monde abstrait et du monde concret est un des points essentiels du Surréalisme. En effet, les rapports entre images que nous propose la vie psychique à l'état libre nous révèlent les rapports réels entre objets et circonstances du monde concret. Le rêve est la plus précieuse révélation sur la réalité qui est l'objet essentiel du poète, et, particulièrement sur son caractère illogique que le poète doit avant tout considérer.

> Le Surréalisme... n'aura dû d'être considéré comme existant qu'à la non-spécialisation *a priori* de son effort. Je souhaite qu'il ne passe pour avoir tenté rien de mieux que de jeter un *fil conducteur* entre les mondes par trop dissociés de la veille et du sommeil, de la réalité intérieure et extérieure, de la raison et de la folie... (4).

Il n'est que de regarder sans parti pris la vie, la sienne ou

(1) *Ibid.*, p. 11 ; cf. Eluard, *Donner à voir*, p. 147.
(2) Breton, *Manifeste...*, p. 27 ; cf. *Vases communicants*, p. 11.
(3) *Manifeste..*, p. 101.
(4) *Ibid.*, p. 122.

celle des autres, pour s'apercevoir que l'enchaînement bizarre des phénomènes, leur suite absurde, leur inconséquence, offrent parfois toutes les caractéristiques du rêve. Cet aspect de la vie n'est pas particulier à ces instants — qui peuvent durer plusieurs jours — mais provient sans doute d'une manière particulière de voir qui tient à notre état psychique, et qui n'est pas forcément fautive pas plus que l'image qu'elle nous propose n'est fausse ; au contraire, elle est peut-être plus exacte que celle qui introduit notre ordre logique dans les choses ou dans les événements et les schématise ou les simplifie arbitrairement. Par opposition avec l'homme pratique, le poète doit même considérer cette optique comme seule juste.

Une des conséquences importantes de cette unification est en effet que le magique et le rêve, au sens banal et traditionnellement poétique du terme, ne sont ni une évasion, ni un refuge. Le magique est réintégré dans le réel. Le rêve n'est qu'un aspect du réel. Le poète n'a pas à fuir dans son rêve pour échapper au réel, ni à inventer le magique pour transporter le lecteur dans un monde nouveau. Ce sont les choses, vues par l'œil indépendant et naïf du poète, qui sont magiques et offrent l'aspect du rêve. Le poète est un matérialiste et un réaliste intégral qui n'a pas besoin de supposer un monde à part où régnerait la poésie et dont le réel offrirait parfois, et sous certains aspects, une image imparfaite. La vraie poésie nie ce monde idéal auquel aspire l'âme de Lamartine dans l'*Isolement ;* elle nie ce *vrai soleil*, ces *autres cieux*, ce *bien idéal*, ce *vague objet de mes vœux*... et loin qu'il n'y ait « rien de commun entre la terre et *lui* », le poète surréaliste croit que tout est commun entre la terre et lui.

L'idée que la poésie est un des moyens les plus efficaces de pénétrer l'essence du monde n'est pas neuve. Les surréalistes lui ont donné une force nouvelle. Pour eux, la notion d'art disparaît pour faire place à celle de découverte. La poésie est avant tout un moyen d'enquête sur le monde : « Le mot surréalisme exprime une volonté d'approfondissement du réel, de prise de conscience toujours plus nette en même temps que toujours plus passionnée du monde sensible (1). » Poursuivant l'œuvre de

(1) *Qu'est-ce que le Surréalisme ?*, p. 11.

Rimbaud, et accomplissant l'objet de son ambition, les surréalistes veulent, en remplaçant l'intuition du voyant par la méthode du philosophe, arriver à l'inconnu (1) : « Si les profondeurs de notre esprit recèlent d'étranges forces capables d'augmenter celles de la surface, ou de lutter victorieusement contre elles, il y a tout intérêt à les capter (2). » Or le poète peut seul faire ce travail de captation, à condition qu'il se contraigne à partir à la découverte de ces *profondeurs*. Voici la définition que propose A. Breton du Surréalisme sous la forme condensée d'un article de dictionnaire :

> *Surréalisme* = n. m. Automatisme psychique pur par lequel on se propose d'exprimer, soit verbalement, soit par écrit, soit de toute autre manière, le fonctionnement réel de la pensée. Dictée de la pensée en l'absence de tout contrôle exercé par la raison, en dehors de toute préoccupation esthétique ou morale.
>
> Encycl. = *Philosophie.* Le surréalisme repose sur la croyance à la réalité supérieure de certaines formes d'association négligées jusqu'à lui, à la toute-puissance du rêve, au jeu désintéressé de la pensée. Il tend à ruiner définitivement tous les autres mécanismes psychiques et à se substituer à eux dans la résolution des principaux problèmes de la vie (3).

Révéler l'esprit à lui-même en le « déconcertant », en lui révélant l'erreur de sa marche habituelle, voilà le but de la révolution surréaliste. Elle utilise une « méthode nouvelle d'expression » pour arriver à une méthode nouvelle de connaissance, dont l'objet est ce moi absolu, indépendant des modes changeants de la pensée et débarrassé des transformations que lui imposent les nécessités de la vie sociale et pratique (4). Ce monde subjectif, seul le poète peut en « cerner et suivre les lignes complexes » (5). L'autorité de Freud vient sur ce point appuyer ces prétentions :

> Nos poètes, dit Freud, sont, dans la connaissance de l'âme, nos maîtres à nous, hommes vulgaires, car ils s'abreuvent à des

(1) *Ibid.*, p. 25.
(2) *Manifeste...*, p. 22.
(3) *Ibid.*, pp. 40-44.
(4) *Vases communicants*, p. 10.
(5) *Ibid.*, p. 169.

sources que nous n'avons pas encore rendues accessibles à la science... C'est des poètes, malgré tout, dans la suite des siècles, qu'il est possible de recevoir et qu'il est permis d'attendre les impulsions susceptibles de replacer l'homme au cœur de l'univers, de l'abstraire une seconde de son aventure dissolvante, de lui rappeler qu'il est, pour toute douleur et pour toute joie extérieure à lui, un lieu indéfiniment perfectible de résolution et d'écho (1).

Instrument d'enquête psychologique et cosmique, la poésie est aussi la source d'une règle de vie. Non seulement elle est « chasse spirituelle », mais elle se justifie avant tout parce qu'elle « suggère... une solution particulière du problème de notre vie ». Cette solution, c'est une libération véritable de l'homme. Le pire des esclavages c'est, pour l'homme, d'être enchaîné par un mode de pensée qui, en lui donnant du monde un aspect faux, l'empêche de vivre librement. Libéré d'un Dieu imaginaire dont le rôle est de justifier un autre monde, asile des paresses et des peurs, libéré d'une morale dont les impératifs ne sont que les frères inavoués des impératifs de la raison, l'homme, par la vue poétique du monde, se retrouvera lui dans sa totalité, non en face, mais au milieu d'un monde fraternel dont il aura retrouvé l'intime fraternité. Il aura découvert cette « féerie intérieure » auprès de laquelle toute « activité préméditée de l'esprit paraît pauvre et fade » (2). Son imagination, enfin libérée, lui permettra de s'affirmer dans ce qui constitue son indépendance la plus essentielle (3). Il pourra maintenir « à l'état anarchique la bande toujours plus redoutable de ses désirs » (4), et, par un « non-conformisme absolu », laisser s'épanouir son humanité tout entière. Le Surréalisme est foncièrement anti-mystique, puisque le mysticisme suppose un monde second et le transfert d'un monde à l'autre ; la négation du mysticisme évite le déchirement de l'homme et rend l'individu cohérent dans un monde cohérent. La valeur religieuse n'est plus attribuée aux seules notions irréelles ou aux seuls objets qui révèlent un monde autre ; elle est replacée dans l'objet réel en lui-même, aperçu enfin

(1) *Ibid.*, p. 170.
(2) *Qu'est-ce que le Surréalisme ?*, p. 24.
(3) *Manifeste...*, p. 13.
(4) *Ibid.*, p. 34.

dans sa poétique et mystérieuse réalité. Non certes que le Surréalisme supprime le merveilleux ! Il le rencontre à chaque pas, au contraire ; le sentiment du merveilleux est la vraie source du sentiment du beau. Ce perpétuel étonnement de l'homme qui découvre le monde réel lui donne la joie.

Éveiller l'homme à une vision nouvelle des choses par le dérèglement de l'esprit, voilà le but du Surréalisme ; sa conséquence sera de douer la vie tout entière d'un comportement nouveau et où la souplesse remplacera la rigidité cartésienne ; ses moyens seront de saisir la réalité psychique dans son essence par la pratique de l'écriture automatique et l'étude des rêves. Aucune révolution aussi considérable n'a été proposée au cours de l'histoire de notre littérature, mais cette révolution est la suite normale des tendances esthétiques de Baudelaire et de Rimbaud, des études psychologiques de Freud, de l'essai de Lautréamont, de certaines œuvres de Nerval et d'Apollinaire. Elle ouvre à la littérature d'immenses perspectives. Mais les œuvres ne suivront sans doute les théories qu'avec un long décalage. Non seulement il faudra attendre que l'évolution du public se poursuive, mais encore les théories elles-mêmes devront se décanter ; enfin la réforme proposée est trop étroitement liée à la transformation intellectuelle et morale du public pour que son avenir ne dépende pas des circonstances politiques et sociales, et de la pénétration des dernières théories scientifiques dans la masse intellectuelle.

CONCLUSION

Dès l'origine de la période que nous considérons, dès le milieu du XVIe siècle, les théoriciens hésitent entre deux conceptions du travail poétique, l'inspiration qui tend à supprimer l'usage de la raison, et le métier, qui suppose l'exercice de cette faculté. Aujourd'hui encore, ces deux conceptions se retrouvent dans la pensée des théoriciens ; mais, plutôt que de choisir entre l'inspiration et le métier, ils cherchent à résoudre cette apparente antinomie : l'effort de l'intelligence, au lieu de porter sur la disposition, porte, à travers elle, sur le fond. En effet, une étude plus subtile et profonde de la réalité poétique conduit à confondre l'expression et l'exprimé comme la science a tendance aujourd'hui à confondre l'énergie et la matière.

L'irrationnel, cependant, pénètre à nouveau dans la notion de vraie poésie avec la notion de rythme (1). Mais reste à savoir si le rythme n'est pas, en même temps que l'essence de la poésie, la démarche de l'intelligence inconsciente, un élément aussi intellectuel que physique.

D'autre part, la matière de la poésie tend à n'être plus le fait ou le sentiment à l'état brut ; c'est, depuis Baudelaire, la chose ou l'émotion vue à travers une intelligence ; le métier ne sera plus de plier une donnée à une forme extérieure, mais de dégager de cette donnée sa forme particulière. Ainsi, en quatre siècles, on assiste à un lent et progressif essai pour réduire à l'unité le travail poétique.

On aurait tort de croire cependant que l'idée de loi esthétique se trouve supprimée ; sans doute, la notion de règle se voit singulièrement affaiblie, mais les théoriciens les plus audacieux supposent une loi, c'est-à-dire un rapport constant entre les

(1) Voir sur ce point l'œuvre déjà importante de M. Pius Servien.

éléments de l'art. Ces rapports, au lieu de s'établir entre un tempérament ou un sujet et une forme d'expression transmise par la tradition ou imposée par des nécessités intellectuelles indépendantes, devenus plus secrets, plus généraux parce que plus vagues, mais plus précis parce que plus particuliers à chaque cas, n'en sont pas moins impérieux. De catholique, la doctrine poétique est devenue protestante, et protestante libérale, mais non athée.

Quelle que soit la valeur des œuvres poétiques, il n'est pas douteux que les doctrines ont fait d'immenses progrès en quatre siècles, et qu'elles ont profité de ceux de la connaissance philosophique, littéraire, artistique, ou même scientifique. De plus en plus, les lois de la poésie se sont alignées sur celles des autres arts et de diverses sciences, en particulier la psychologie, et ont remplacé leurs règles étroites et empiriques par l'application de vues très générales. De plus, la faculté poétique a été isolée parmi les autres facultés esthétiques et mise au rang des plus hautes facultés humaines. Certes un Ronsard la plaçait déjà à ce haut rang, mais il ne le lui accordait que par un acte de foi. Au contraire, les Surréalistes, après Baudelaire, voient en elle une méthode unique d'investigation intellectuelle, méthode parallèle à la science, et parfois appuyée sur elle, qui permet, mieux qu'elle pour le monde de l'homme, de parvenir à la vérité.

L'objet de cette longue enquête sur la poésie a varié régulièrement. Les problèmes précis qu'offraient le langage, le style, les genres, les bienséances, la composition, etc., ont peu à peu disparu ; ils ont fait place à la question de la nature intime de la poésie ; de plus en plus, les théoriciens ont cherché à cerner étroitement le domaine propre de la poésie et son essence, dans l'idée que ce problème était le seul important et que, celui-ci une fois résolu, les autres trouveraient naturellement leur solution.

Quant aux genres en prose on a vu s'établir peu à peu et sans référence à une tradition quelconque, des codes nouveaux concernant des genres eux-mêmes nouveaux : roman et critique, par exemple, ou des genres entièrement rénovés comme l'histoire.

Si l'on considère les rapports de la théorie et de la pratique, on voit que les mêmes hommes sont rarement de grands théoriciens et de grands praticiens, sauf dans les genres comme l'histoire ou la critique, dans lesquels le praticien est presque forcé d'exposer, de justifier et de préciser la méthode particulière qu'il emploie, puisque cette méthode est un élément essentiel de son œuvre. De même, les périodes de grande création et de grand progrès en fait de théorie sont souvent (la période Balzac-Chapelain, la période 1675-1730, l'époque de Mme de Staël) très pauvres en grands artistes. Il semble qu'il faille, pour que la réflexion puisse se développer à loisir, que la création moyenne soit assez pauvre ou assez traditionnelle pour que des œuvres originales ne viennent pas sans cesse détruire ou mettre en défaut par quelque point les théories qui se construisent dans l'abstrait. Dans les périodes de grande originalité artistique, de production diverse et multiple, il semble que les critiques veuillent attendre que l'effervescence soit calmée pour philosopher sur l'art. Par contre, depuis le début du XIXe siècle, et surtout pour la période 1880-1930, les théoriciens de la poésie sont souvent eux-mêmes de grands poètes.

Dans tous les domaines de la littérature, l'apprenti d'aujourd'hui serait bien empêché de trouver un guide. Il n'aurait sans doute pas même l'idée d'en chercher. Certes, nous avons des ouvrages parfois profonds sur la poésie, le roman, le théâtre, le cinéma, mais aucun qui contienne des directives précises capables de diriger le débutant. Non cependant que ces formes d'art n'obéissent à des lois très précises, les deux dernières surtout, mais il semble que l'apprenti doive les apprendre à ses dépens ou auprès de praticiens, le plus souvent oralement. Nous concevons fort bien encore des théories des formes littéraires, non un code de recettes, justifiées ou non par des vues générales. De même, quand le critique juge, il ne juge pas au nom de principes, mais au nom de son impression directe éclairée par son goût ou par ses connaissances techniques. Si un Taine a tenté d'asseoir la critique sur des lois, il n'a prétendu faire que des constatations valables pour le passé.

Peut-être la primauté de la notion d'originalité, que déplorait naguère Valéry, est-elle par principe contraire à l'établissement de doctrines. Peut-être aussi l'abondance des chefs-d'œuvre permet-elle aujourd'hui une instruction directe assez riche pour qu'il soit inutile de dégager une théorie que l'abondance des exemples rendrait vaine ou oiseuse. Peut-être enfin l'extrême variété de notre patrimoine littéraire et des modèles qu'il offre rend-elle fallacieux des conseils et des règles qui excluraient certaines œuvres des plus estimables. L'assouplissement constant du goût est-il incompatible avec l'énoncé d'une doctrine précise ?

Pourtant, *a priori*, la suppression des frontières entre les genres et l'élargissement des règles de l'art d'écrire ne suppriment pas d'autres règles plus profondes sans doute, mais d'autant moins immédiatement visibles dans les chefs-d'œuvre. Ce n'est pas à la liberté absolue de l'art qu'il faut attribuer la carence des théoriciens. Elle vient plutôt d'une conception nouvelle de la littérature, et de la poésie en particulier. La création littéraire, loin de réduire la personnalité de l'écrivain au domaine étroit qui peut rester vacant dans l'application des règles, en fait la source des règles elles-mêmes et de tous les caractères de l'œuvre. Aussi bien tout critère disparaît-il, tout modèle devient-il vain, toute théorie inutile. Les réussites les plus éclatantes du roman (je songe à Proust), ont été des ouvrages qu'aucune théorie du roman construite sur les meilleurs romans passés n'eût pu prévoir. La carence des théoriciens est peut-être la garantie d'un renouvellement rapide de la littérature et de sa richesse accrue.

Si aucune théorie des genres n'est en voie de constitution, cela ne veut pas dire que l'enquête critique sur la littérature soit terminée. Historique quand elle prend comme objet les œuvres du passé, elle devient, devant celles d'aujourd'hui, plus philosophique et proprement esthétique. Les critiques pensent que les sources du beau ne se trouvent pas dans des recettes et des procédés, mais dans la nature intime de l'art et dans ses lois secrètes, dont ils s'efforcent d'approcher par les voies les plus variées. On peut même se demander si les œuvres ne tendent pas à avoir surtout une valeur démonstrative et si l'art — la poésie en particulier — ne risque pas de se prendre lui-même comme objet.

TABLE DES MATIÈRES

TROISIÈME PARTIE

Les théories romantiques (1800-1850)

QUATRIÈME PARTIE

Réalisme, symbolisme, surréalisme (1850-1930)

1965. — Imprimerie des Presses Universitaires de France. — Vendôme (France)
ÉDIT. N° 28 646 IMPRIMÉ EN FRANCE IMP. N° 19 080